武林外史 上

古龙 著

河南文艺出版社
·郑州·

古 龙

1938—1985

作为华语小说界一代宗师，“古龙”二字本身已成为一个文化符号。

古龙以惊人的才华，创作出《小李飞刀》《陆小凤》《楚留香》等七十多部精彩绝伦的经典。这些作品中涌动着永恒的热血、自由和生命力，不仅征服了一代代读者，更引发了巨大的文化浪潮，被无数次改编为影视、游戏、动漫，风靡整个中文世界，半个世纪风行不衰。

古龙为人，像他笔下的英雄们一样，豪气干云、放浪形骸、嗜酒如命、风流倜傥。其传奇一生的尽头，在医生下达严禁饮酒的告诫之后，豪饮三天三夜，大醉归西。

古龙是孤独的，一颗滚烫狂放的自由灵魂，与冷漠的现实世界显得那么格格不入；古龙又是幸运的，无数读者通过他的作品与他成为了知己。

中文世界如果没有古龙，将多么寂寞！没有读过古龙的人生，将多么寂寞！

目　录

第一章

风雪漫中州

怒雪威寒，天地肃杀，千里内一片银白，几无杂色。开封城外，漫天雪花中，两骑前后奔来，当先一匹马上之人，身穿敝裘，双手俱都缩在衣袖中，将马缰系在辔头上，马虽极是神骏，人却十分落拓，头戴一顶破旧的黑皮风帽，紧压着眼帘，瞧也瞧不清他的面目。后面一匹马上，却驮着个死人，尸体早已僵木，只因天寒地冻，是以面容仍然如生，华丽的衣饰，却也仍然色彩鲜艳，完整如新，全身上下，没有一点伤痕，面上犹自凝结着最后一丝微笑，看来平和安适已极，竟似死得舒服得很。

这两骑不知从何而来，所去的方向，却是开封城外一座著名的庄院。此刻马上人极目望去，已可望见那庄院朦胧的屋影。

庄院坐落在冰冻的护城河西，千檐百宇，气象恢宏，高大的门户终年不闭，门前雪地上蹄印纵横，却瞧不见人踪。穿门入院，防风檐下零乱地贴着些告示，有些已被风雪侵蚀，字迹模糊。右面是一重形似门房的小小院落，小院前厅中，绝无陈设，却赫然陈放着十多具崭新的棺木，似是专等死人前来入葬似的。虽如此严寒，厅中亦未生火，两个黑衣人，以棺木为桌，正在对坐饮酒。

棺旁空坛已有三个，但两人面上仍是绝无酒意。两人身材枯瘦，面容冷削严峻，有如一对石像般，长得几乎一模一样，但彼此却绝不交谈，左面一人右腕已齐肘断去，断臂上配了一只黝黑巨大的铁钩，少说也有十余斤重，瞧他一钩挥下，仿佛要将棺盖打个大洞，哪知铁钩落处，却仅是挑起了一粒小小的花生，连盛着花生的碟子，都未有丝毫震动。右面一人，肢体虽完整，但每喝一杯下去，便要弯腰不住咳嗽，他却仍一杯接着一杯地喝，宁可咳死，也不能不喝酒。

风檐左边过长阶曲廊便是大厅，厅内炉火熊熊，摆着八桌酒筵，每桌酒菜均极丰盛，却只有七个人享用。这七个人还不是同坐一桌，每个人都坐在一桌酒筵的上首，似因谁也不肯陪在下首，是以无人同桌。瞧这七人年龄，最多也不过三十一二，但气派却都不小，神情也都倨傲已极，七人中有男有女，有僧有俗，有人腰悬长剑，有人斜佩革囊，目中神光，都极充足，显见俱都是少年得意的武林高手。七人彼此间又似相识，又似陌生，却绝非来自一处，此刻同时来到这里，谁也不知是为了什么。

穿过大厅，再走曲廊，又是一重院落，院中寂无人声，左面的花厅门窗紧闭，却隐隐有药香透出。过了半晌，一个垂髫童子提着只药罐开门走出，才可瞧见屋里有三个白发苍苍的老人，一人面色枯瘦蜡黄，拥被坐在榻上，似在病榻缠绵已久；另一人长身玉立，气度从容，双眉斜飞入鬓，目光奕奕有神，一双手掌，更是白如莹玉，此刻年华虽已老去，但少年时想他必定是个丰神俊朗的美男子；还有一人身材威猛，须发如戟，一双环目，顾盼自雄，奇寒下却仍敞着前胸衣襟，若非须发皆白，哪里像是个老人？

三个老人围坐在病榻前，榻头短几上堆着一叠账簿，还有数十根颜色不同，质料也不同的腰带。此刻那环目虬髯的老人，正将腰带一根根拆开，每根腰带中，都有个小小的纸卷，身材颀长的老人，一手提笔，一手展开纸卷，将纸卷上字句都抄了下来，每张纸卷上字句都不过只有寥寥三数行而已，谁也不知道上面写的是什么，只见三个老人俱是面色沉重，愁眉不展。

过了盏茶时光，身材颀长的老人方自长叹一声，道：“你我穷数年心血，费数百人之力，所寻访出来的，也不过只有这些了，但愿……”轻咳一声，住口不语，眉宇间忧虑更是沉重。

病老人展颜一笑，道：“如此收获，已不算少，反正你我尽心做去，事总有成功之一日。”

虬髯老人“啪”地一拍手掌，大声道：“大哥说得是，那厮左右也不过只是一个人，难道还会将咱们弟兄吃了不成？”

颀长老人微微一笑，道：“近十年来，武林中威名最盛的七大高手，此刻都已在前厅相候，这七人武功，若真能和他们盛名相当，七人联手，此事便有成功之望，怕的只是他们少年成名，各不相让，无法同心合力而已。”

这时两骑已至庄前，身穿敝裘，头戴风帽之人翻身落马，抱起那具尸身，走入了庄门。他脚步懒散而缓慢，似是毫无力气，但一手夹着那具尸身，却似毫不费力，他看来落拓而潦倒，但下得马后，便对那两匹骏马毫不照管，似乎那两匹价值千金的骏马纵然跑了，他也不会放在心上。只见他笔直走到防风墙前，懒洋洋地伸手将貂帽向上一推，这才露出了面目，却是个剑眉星目的英俊少年，嘴角微微向上，不笑时也带着三分笑意，神情虽然懒散，但那种对什么事都满不在乎的味道，却说不出的令人喜欢，只有他腰下斜佩的长剑，才令人微觉害怕，但那剑鞘亦是破旧不堪，又令人觉得利剑虽是杀人凶器，只是佩在他身上，便没有什么可害怕的。

风墙上零乱贴着的，竟都是悬赏捉人的告示，每张告示上都写着一人的姓名来历，所犯的恶行，以及悬赏的花红数目，每一人自都是十恶不赦的凶徒，悬赏共有十余张之多，可见近年江湖中凶徒实在不少，而下面署名的，却非官家衙门，只是“仁义庄主人”的告示。这“仁义庄主人”竟不惜花费自家的银子为江湖捉拿凶徒，显见实无愧于“仁义”二字。

落拓少年目光一扫，只见最最破旧一张告示上写着：“赖秋煌，三十七岁，技出崆峒，擅使双鞭，囊中七十三口丧门钉，乃武林十九种歹毒暗器之一，此人不但诡计多端，而且淫毒凶恶，劫财采花，无所不为，七年来每月至少作案一次，若有人将之擒获，无论死活，酬银五百两整，绝不食言。仁义庄主人谨启。”

落拓少年伸手撕下了这张告示，转身走向右面小院。他似已来过数次，是以轻车熟路，石像般的两个黑衣人见他前来，对望一眼，长身而起。

落拓少年将尸身放在地上，伸了个懒腰，摊开了手掌，便要拿银子，独臂黑衣人一钩将尸身挑起，瞧了两眼，冷峻的目光中，微微露出一丝暖意，将尸身夹在肋下，大步奔出，另一黑衣人倒了杯酒递过去，落拓少年仰首一饮而尽，从头到尾，三个人谁也没有说话，似是三个哑巴似的。

那独臂黑衣人自小路抄至第二重院落，那颀长老人方自推门而出，见他来了，含笑问道："又是什么人？"

独臂黑衣人将尸身抛在雪地上，伸出右手食指一指。

颀长老人俯身一看，面现喜色，脱口道："呀！赖秋煌！"

那虬髯老人闻声奔出，大喜呼道："三手狼终于被宰了么？当真是老天有眼，是什么人宰了他？"

独臂黑衣人道："人！"

虬髯老人笑骂道："俺知道是人，不是人难道还是黄鼠狼不成？你这狗娘养的，难道就不能多说一个字……"

他话未说完，独臂黑衣人突然一钩挥了过来，风声强劲，来势迅疾，钩还未到，已有一股寒气逼人眉睫。虬髯老人大惊纵身，一个筋斗翻进去，他身形虽高大，身法却是轻灵巧快无比，但饶是他闪避迅急，前胸衣衫还是被钩破了一条大口子。独臂黑衣人攻出一招后，并不追击，虬髯老人怒骂道："好混球，又动手了，俺若躲得慢些岂非被你撕成两半。你这狗……"

突听病榻上老人轻叱道："三弟住口，你又不是不知道冷三的脾气，偏要骂他，岂非找打。"

虬髯老人大笑道："俺只是跟他闹着玩的，反正他又打不着俺，冷三，你打得着俺，算你有种。"

冷三面容木然，也不理他，笔直走到榻前，道："五百两。"突然反身一掌，直打那虬髯老人的肩头，他不出钩而用掌，只因掌发无声。

虬髯老人果然被他一掌打得直飞出去，"砰"地撞在墙上。但瞬即翻身站起，那般坚厚的石墙被他撞得几乎裂开，他人却毫无所伤，又自怒骂道："好混球，真打？"一卷袖子，便待动手。

颀长老人飘身而上，挡在他两人中间，厉声道："三弟，又犯孩子气了么？"

虬髯老人道："俺只是问问他……"

颀长老人接口道："不必问了，你看赖秋煌死时的模样，已该知道杀死他的必定又是那位奇怪的少年。"

病老人道："谁？"

颀长老人道："谁也不知他名姓，也无人知他武功深浅，但他这一年来，却连送来七具尸身，七人都是我等悬赏多年，犹未能捉到的恶贼，不但作恶多端，而且凶狠奸诈，武功颇高，谁也不知道这少年是用什么法子将他们杀死的。"

病老人皱眉道："他既已来过七次，你们还对他一无所知？"

颀长老人道："他每次到来，说话绝不会超过十个字，问他的姓名，他也不回答，只是笑嘻嘻地摇头。"

虬髯老人失笑道："这牛脾气倒和冷三有些相似，只是人家至少面上还有笑容，不像冷三的死人面孔。"

冷三目光一凛，虬髯老人大笑着跳开三步，就连那病老人也不禁失笑，半晌又道："今日你怎知是他？"

颀长老人道："凡是被他杀死的人，面上都带着种奇诡的笑容，小弟已曾仔细瞧过，也瞧不出他用的是什么手法。"

病老人沉吟半晌，俯首沉思起来，虬髯老人与颀长老人静立一旁，谁也不敢出声打扰。

冷三又伸出手掌，道："五百两。"

虬髯老人笑道："银子又不是你拿，你着急什么？"

这两人又在斗口，病老人却仍在沉思浑如不觉，过了半晌，才自缓缓道："这少年必然甚有来历，今日之事，不妨请他参与其中，必定甚有帮助……冷三，你去请他至前厅落座用酒……"

冷三道："五百两。"

病老人失笑道："这就是冷三的可爱之处，无论要他做什么事，他都要做得一丝不苟，无论你是何人，休想求他通融，只要他说一句话，便是钉子钉在墙上也无那般牢靠，便是我也休想移动分毫……二弟，快取银子给他，但冷三交给那少年银子后，可切莫放他走了。"

冷三接了银子，一个字也不多说，回头就走，虬髯老人笑道："这样比主人还凶的仆人，倒也少见得很。"

病老人正色道："以他兄弟之武功，若不是念在他爹爹与为兄两代情谊，岂能屈身此处，三弟你怎能视他为仆？"

虬髯老人道："俺说着玩的，孙子才视他为仆。"

颀长老人望着病老人微微一笑，道："若要三弟说话斯文些，只怕比叫冷三开口还困难得多。”

落拓少年与那黑衣人到此刻虽然仍未说话，却已在对坐饮酒，两人你一杯，我一杯，黑衣人酒到杯干，不住咳嗽，落拓少年却比他喝得还要痛快，瞬息间棺材旁空酒坛又多了一个。冷三一手夹着银子，一手钩着尸身，大步走了进来，将银子抛在棺材上，掀起了一具棺材的盖子，铁钩一挥，便将那尸身抛了进去，等到别人看清他动作时，他已坐在地上，喝起酒来。

落拓少年连饮三杯，揣起银子，抱拳一笑，站起就走，哪知冷三身子一闪，竟挡在他面前，落拓少年双眉微皱，似在问他：“为什么？”

冷三终于不得不说话了，道：“庄主请厅上用酒。”

落拓少年道：“不敢。”

冷三一连说了七个字，便已觉话说得太多，再也不肯开口，只是挡在少年身前，少年向左跨一步，他便向左挡一步，少年向右跨一步，他便向右挡一步。

落拓少年微微一笑，身子不知怎么一闪，已到了冷三身后，等到冷三旋身追去，那少年已到了风墙下，向冷三含笑挥手。冷三知道再也追他不着，突然抡起铁钩，向自己头顶直击而下，落拓少年大惊掠去，人还未到，一股掌力先已发出，冷三只觉铁钩一偏，还是将左肩划破一道创口，几乎深及白骨。

落拓少年又惊又奇，道：“你这是做什么？”

冷三创口鲜血顺着肩头流下，但面色却丝毫不变，更未皱一皱眉头，只是冷冷说道：“你走，我死。”

落拓少年呆了一呆，摇头一叹，道：“我不走，你不死。”

冷三道：“随我来。”转身而行，将少年带到大厅，又道：“坐。”瞧也不瞧大厅中人一眼，掉头就走。

落拓少年目送他身形消失，无可奈何地苦笑一声，随意选了张桌子，在下首坐了下来。只见上首坐着一个三十左右的僧人，身穿青布僧袍，相貌威严，不苟言笑，挺着胸膛而坐，双手垂放膝上，似是始终未曾动箸，目光虽然笔直望着前方，有人在他对面坐下他却有如未曾瞧见一般。落拓少年向他一笑，见他毫不理睬，也就罢了，提起酒壶，斟满一杯，便待自家饮酒。

青衣僧人突然沉声道：“要喝酒的莫坐在此张桌上。”

落拓少年一怔，但面上瞬即泛起笑容，道：“是。”放下酒杯，转到另一张桌子坐下。

这一桌上首，坐的却是个珠冠华服的美少年，不等落拓少年落座，先自冷冷道：“在下也不喜看人饮酒。”

落拓少年道：“哦。”不再多话，走到第三桌，上首坐着个衣白如雪的绝美女子，瞧见少年过来，也不说话，只是冷冷地瞄着他，皱了皱眉头，落拓少年赶紧走了开去，走到第四桌。一个瘦骨嶙峋的乌簪道人突然站了起来，在面前每样菜里，个个吐了口痰，又自神色不动地坐了下去，落拓少年瞧着他微微一笑，直到第五桌，只见一个又肥又丑，腮旁长着个肉瘤，满头杂草般黄发的女子，正在旁若无人，据案大嚼，一桌菜几乎已被她吃了十之八九。

这次却是落拓少年暗中一皱眉头，方自犹豫间，突听旁边一张桌上有人笑道：“好酒的朋友，请坐在此处。”

落拓少年转目望去，只见一个鹑衣百结，满面麻子的独眼乞丐，正在向他含笑而望，隔着张桌子，已可嗅到这乞丐身上的酸臭之气，落拓少年却毫不迟疑，走过去坐下，含笑道：“多谢。”

眇目乞丐笑道：“我本想和阁下痛饮一杯，只可惜这壶里没有酒了。只有以菜作酒，聊表敬意。”

举起筷子，在满口黄牙的嘴里啜了啜，夹了块蹄髈肥肉，送到少年碟子里，落拓少年看也不看，连皮带肉，一齐吃了下去，看来莫说这块肉是人夹来的，便是自狗嘴吐出，他也照样吃得下去。

旁边第七张桌上，一个紫面大汉，瞧着这少年对什么都不在乎的模样，不禁大感兴趣，连手中酒都忘记喝了。

突见一个青衣童子手捧酒壶奔了过来，奔到乞丐桌前，笑道：“酒来迟了，两位请恕罪。”将两人酒杯俱都加满。

落拓少年含笑道：“多谢！”随手取出一百两一封的银子，塞在童子手里。

青衣童子怔了怔，道：“这……这是什么？”

落拓少年笑道：“这银子送给小哥买鞋穿。”

青衣童子望着手里的银子，发了半晌呆，道：“但……但……”突然转身跑开，他见过的豪阔之人虽然不少，但出手如此大方的确是从未见过。

眇目乞丐举杯道："好慷慨的朋友，在下敬你一杯。"两人举杯，一饮而尽，眇目乞丐忽然压低语声，道："在下近日也有些急用，不知朋友你……"

落拓少年不等到他话说完，便已取出四封银子，在桌上推了过去，笑道："区区之数，老兄莫要客气。"

这五百两银子他赚得本极辛苦，但花得却容易已极，当真是左手来，右手去，连眉头都未曾皱一皱。

眇目乞丐将银子藏起，叹了口气，道："在下之急用，本需六百两银子，朋友却恁地小气，只给四百两。"

落拓少年微微一笑，将身上敝裘脱了下来，道："这皮裘虽然破旧，也还值两百两银子，老兄也拿去吧。"

眇目乞丐接过皮裘，在毛上吹了口气，道："嗯，毛还不错，可惜太旧了些……"翻来覆去，看了几眼，又道："最多只能当一百五十两，还得先扣去十五两的利息，唉……唉，也只好将就了。"

别人与他素昧平生，如此对待于他，他还似觉得委屈得很，半句也不称谢。

落拓少年全不在意，身上已只剩一件单衣，也不觉冷，只是含笑饮酒。

旁边那紫面大汉却突然一拍桌子，大骂道："好个无耻之徒，若非在这仁义庄中，乔某必定要教训教训你。"

眇目乞丐横目道："臭小子，你在骂谁？"

紫面大汉推杯而起，怒喝道："骂你，你要怎样？"

眇目乞丐本是满面凶狠之态，但见到别人比他更狠，竟然笑了笑道："原来是骂我，骂得好……骂得好……"

落拓少年也不禁瞧得呆住了，又不觉好笑。

紫面大汉走过来一拍他的肩头，指着眇目乞丐鼻子道："兄弟，此人欺善怕恶，随时随地都想占人便宜，你无缘无故给他银子，他还说你小气，这种人岂非畜生不如。"

眇目乞丐只当没有听到，举起酒杯，喝了一口，叹道："好酒，好酒！不花钱的酒不多喝两杯，岂非呆子。”

紫面大汉怒目瞪了他一眼，那长着肉瘤的丑女隔着桌子笑道：“乔五哥，此人虽可恶，但你也将他骂得怪可怜的，饶了他吧。”

她人虽长得丑怪，声音却柔和无比，教人听来舒服得很。

紫面大汉乔五冷哼一声，道：“瞧在花四姑面上……哼，罢了。”悻悻然回到座上，重重坐了下去。

花四姑笑道：“乔五哥真是急公好义，瞧见别人受了欺负，竟比被欺负的人还要生气……”

乌簪道人冷冷截口道：“皇帝不气气死太监，这又何苦。”

落拓少年眼见这几人脾气俱是古里古怪，心里不禁暗觉有趣，面上却仍是带着笑容，也不说话。突听一阵朗笑之声，自背后传了出来，道：“有劳各位久候，恕罪恕罪。”那颀长老人随着笑声，大步而入。

眇目乞丐当先站了起来，笑道：“若是等别人，那可不行，但是等前辈，在下等上一年半载也没关系。”

颀长老人笑道：“金大侠忒谦了。”目光一转，道：“今日之会，能得五台山天龙寺天法大师、青城玄都观断虹道长、‘华山玉女’柳玉茹姑娘、‘玉面瑶琴神剑手’徐若愚徐大侠、长白山‘雄狮’乔五侠、‘巧手兰心女诸葛’花四姑、丐帮‘见义勇为’金不换金大侠七位俱都前来，在下实是不胜之喜，何况还有这位……”目光注定那落拓少年，笑道：“这位少年英雄，大名可否见告？”

乌簪道人断虹子冷冷道：“无名之辈，也配与我等相提并论。”

落拓少年笑道：“不错，在下本是无名之辈。”

颀长老人含笑道：“阁下如不愿说出大名，老朽也不敢相强，但阁下之武功，老朽却当真佩服得很。”

众人听这名满天下的武林名家竟然如此夸奖这少年的武功，这才都去瞧了他一眼，但目光中仍是带着怀疑不信之色。落拓少年面上虽无得意之色，但处在这当今武林最负盛名的七大高手之间，也无丝毫自惭形秽之态，只是淡淡一笑，又紧紧闭起了嘴巴。

“华山玉女”柳玉茹忽然道：“前辈召唤咱们前来，不知有何见教？”

只见她一身白衣如雪，粉颈上围着条雪白的狐裘，衬得她面靥更是娇美如花，令人不饮自醉。

顾长老人道："柳姑娘问得好，老朽此番相请各位前来，确是有件大事，要求各位赐一援手。"

柳玉茹姑娘眼波流动，神采飞扬，娇笑道："求字咱们可不敢当，有什么事，李老前辈只管吩咐就是。"

顾长老人道："此事始末，各位或许早已知道，但老朽为了要使各位更明白些，不得不从头再说一遍……"语声微顿道，"故老相传，武林中每隔十三年，便必定大乱一次，九年之前，正是武林大乱之期，仅仅三四个月间，江湖中新起的门派便有十六家之多，每个月平均有九十四次知名人士的决斗，一百八十多次流血争杀，每次平均有十一人丧命，未成名者远不在此数……"他长长叹了口气又道，"其时武林之混乱情况，由此可见一斑，但到了那年入冬时，情况更比前乱了十倍。"

这老人似因忆及昔日那种恐怖情况，明朗的目光中，已露出惨淡之色，黯然出神了半晌，方接道："只因那年中秋过后，武林中突然传开件惊人的消息，说是百年前'无敌和尚'仗以威震天下的《无敌宝鉴，七十二种内外功秘籍》，乃是藏在衡山回雁峰巅。"他自取杯浅啜，接道，"这消息不知从何传出，但因那《无敌宝鉴》，实是太以动人，是以武林群豪，宁可信其有，不愿信其无，谁也不肯放过这万一的机会，闻讯之后，便将手头任何事都暂且抛开，立刻赶去衡山，闻得江湖传言，衡山道上，每天跑死的马，至少有百余匹之多，武林豪强行走在道上，只要听得有人去衡山的，便立刻拔剑，只因去衡山的少了一人，便少了个抢夺那《无敌宝鉴》的敌手，最可叹的是，有些去衡山拜佛的旅人，也无辜遭了毒手。"

他说到这里，"雄狮"乔五、"女诸葛"花四姑等人，面上也已露出黯然之色，断虹子、金不换却仍毫不动容。

顾长老人沉痛地长叹一声，道："那时正是十一月底，天上已开始飘雪，武林群豪为了抢先一步赶到衡山，纵然在道上见到至亲好友的尸身，也无人下马埋葬，任凭那尸身掩没在雪花中，事后老朽才知道，还未到衡山便已死在路上的武林高手，竟已有一百八十余人之多，其中有三人，已是一派宗主的身份，这情况却又造成了一个人的侠名，此人竟肯牺牲那般宝贵的时间，将路尸一一埋葬。"

徐若愚插口道："此人可是昔日人称'万家生佛'的柴玉关？"

颀长老人道："不错……徐少侠见闻端的渊博。"

徐若愚面上微露得色，道："在下曾听家师言及，说这柴大侠行事正直，常存侠心，武林人士无不敬仰，只可惜也在衡山一役中不幸罹难，而且死得甚是悲惨，面目俱被那世上最最歹毒的暗器'天云五花绵'所伤，以致面目溃烂，头大如斗……唉！当真是苍天不佑善人，好教吾等后生晚辈扼腕。"别人说他见闻渊博，他更是滔滔不绝，将所知之事俱都说出，只道那颀长老人必定又要夸赞他几句，是以口中虽在叹息扼腕，脸上却是满面得色。

哪知颀长老人此刻却默然无语，面上神色，也不知是愁是怒，过了半晌，缓缓道："那时稍有见识之武林豪士，已知单凭一人之力，是万万无法自如此局面中夺得真经宝鉴的，于是便在私下聚集同道，组成联盟之势，那些阴险狡诈之人，更是从中挑拨离间，无所不为，有些淡泊名利之人，本无心于此，却也被同门师弟，或是同道好友以情分打动，请来助拳，而不得不卷入这漩涡之中。"他顿了一顿，又道，"只因一些凶狡之徒，因是想夺得真经，肆虐天下，侠义之士，更是怕真经被恶徒夺去，江湖便要从此不安，各人夺取真经的目的，虽然大有不同，但人人都想将真经据为己有，也是不容否认的事，三日之间，衡山回雁峰竟聚集了将近两百位武林英豪，而且都是不可一世的绝顶高手，武功稍微差些的，不是未至回雁峰便已死去，就是半途知难而退了。"

这老人不但将此事说得十分简要，而且言语有力，动人心魄，只听他接道："这班武林高手，来自四面八方，其中不但包括了武林七大门派的掌门人，就连一些早已洗手的魔头，或是久已归隐的名侠亦在其中，两百人结成了二十七个集团，展开了连续十九天的恶战。"他黯然长叹，接道，"在那十九天里，衡山回雁峰上，当真是剑气凌霄，飞鸟绝迹，无论是谁，无论有多么高明的武功，只要置身在回雁峰上，便休想有片刻安宁，只因那里四处俱是强敌，四面俱有危机，每个人的性命，俱都悬于生死一线之间，自'中州剑客'吃饭时被人暗算，'万胜刀'徐老镖头睡觉时失去头颅后，更是人人提心吊胆，连吃饭睡觉都变成了极为冒险的事……这连日的生死搏杀，再加上心情之紧张，竟使得每个人神智都失了常态，平日谦恭有礼的君子，如今也变成了谁都不理的狂徒，‘衡山派’掌门人玉玄子，五日未饮未食，手创第六个对手后，首先疯狂，竟将他平生唯一知己的朋友‘石棋道人’一剑杀死，自己也跳下万丈绝壑，尸首无存。”

突听“当”的一响，竟是花四姑听得手掌颤抖，将掌中酒杯跌落到地上，众人也听得惊心动魄，悚然变色。

颀长老人缓缓阖起眼帘，缓缓接道：“这十九日恶战之后，回雁峰上两百高手竟只剩下了十一人，而这十一人亦是身受内伤，武功再也不能恢复昔日的功力，武林中精华，竟俱都丧生在这一役之中。五百年来，江湖中大小争杀，若论杀伐之惨，伤亡之众，亦以此役为最。”说到这里，他紧闭的双目中，似已沁出两粒泪珠，原来这老人昔年人称“不败神剑”李长青，与那病老人“天机地灵，人中之杰”齐智，虬髯老人“气吞斗牛”连天云，结义兄弟三人，俱是衡山一役之生还者，昔日那惨烈的景象，他三人至今每一思及，犹不免为之潸然泪下。

大厅中静寂良久，李长青缓缓道：“最令人痛心疾首的，便是此事根本不过只是欺人之骗局，我与齐智齐大哥、连天云连三弟、少林弘法大师、武当天玄道长，以及那一代大侠‘九州王’沈天君，最后终于到了回雁峰巅藏宝之处，那时我六人俱已是强弩之末，合六人之力，方将那秘洞前之大石移开，哪知洞中却空无一物，只有洞壁上以朱漆写着五个大字：‘各位上当了’……”

虽已事隔多年，但他说到这五个字时，语声仍不禁为之颤抖，仰天吐出口长气，方自接道：“我六人见着这壁上字迹，除了齐大哥外，俱都被气得当场晕厥，醒来时，才发觉沈大侠与少林弘法大师，竟已……竟已死在洞里……原来这两位大侠悲天悯人，想到死在这一役中的武林同道，自责自愧，悲愤交集，竟活生生撞壁而死，武当天玄道长伤势最重，勉强挣扎着回到观中，便自不治，只有我兄弟三人……我兄弟三人……一直偷生活到今日……”语声哽咽，再也说不下去。

众人听得江湖传闻，虽然早已知道此事结果，但此刻仍是恻然动心，甚至连那落拓少年，也黯然垂下头去。

“雄狮”乔五突然拍案道：“生死无常，却有轻重之分，李老前辈之生，可说重于泰山，焉能与偷生之辈相比，李老前辈如若也丧生在衡山一役之中，哪有今日之‘仁义庄’来为江湖主持公道！”

李长青黯然叹道：“衡山一战中，黑白两道人士，虽然各有伤损，但二流高手之中的白道英侠十九丧生，黑道朋友大多心计深沉，见机不对便知难而退，是以死得较少。正消邪长，武林局势若是自此而变，我等岂非罪孽深重，是以我齐大哥才想出这以悬赏花红制裁恶人之法，只因此举不但可鼓励一些少年英雄振臂而起，亦可令黑道中人，为了贪得花红而互相残杀。”

花四姑叹道：“齐老前辈果然不愧为武林第一智者。”

李长青道：“怎奈此举所需资金太大，我弟兄虽然募化八方，江湖中十八家大豪也俱都慷慨解囊，数目仍是有限，这其间便亏了‘九州王’沈大侠之后人，竟令人将沈大侠之全部家财，全部送来，沈大侠簪缨世家，资财何止千万，此举之慷慨，当真可说得上是冠绝古今。”

“雄狮”乔五击节赞道：“沈大侠名满天下，想不到他的后人亦是如此慷慨，此人在哪里？乔某真想交他一交。”

李长青叹道：“我兄弟也曾向那将钱财送来之人再三询问沈家公子的下落，好去当面谢过，但那人却说沈公子散尽家财之后，便孤身一人，浪迹天涯去了，最可敬的是，当时那位沈公子，只不过是个十岁左右的髫龄幼童，却已有如此胸襟，如此气魄，岂非令人可敬可佩。”

“华山玉女”柳玉茹幽幽长叹一声，道：“女子若能嫁给这样的少年，也算不负一生了……”

“玉面瑶琴神剑手”徐若愚冷冷道：“世上侠义慷慨的英雄少年，也未必只有那沈公子一个。”

柳玉茹冷冷瞧他一眼，道：“你也算一个么？”

落拓少年含笑接口道：“徐兄自然可算一个的。”

徐若愚怒道：“你也配与我称兄道弟？”

落拓少年笑道：“不配不配，恕罪恕罪……”

柳玉茹看了落拓少年一眼，不屑地冷笑道：“好个没用的男人，当真丢尽男人的脸了。”语声中充满轻蔑之意。

落拓少年却只当没有听到。“雄狮”乔五双眉怒轩，似乎又待仗义而言，花四姑瞧着那落拓少年，目光中却满是赞赏之意。

李长青不再等别人说话，也咳一声，道：“我弟兄执掌‘仁义庄’至今已有九年，这九年，遭遇外敌，不下百次，我兄弟武功十成中已失九成，若非我等那忠仆义友，冷家兄弟拼命退敌，‘仁义庄’只怕早已烟消云散，而‘仁义庄’发出之花红赏银，至今虽然已有十余万两，但昔年之母金，却至今未曾动用，这又都全亏冷二弟经营有方，他一年四季，在外经营奔走，赚来的利息，已够开支，这兄弟三人义薄云天，既不求名，亦不求利，但‘仁义庄’能有今日之名声，却全属他兄弟三人之力，我弟兄三人却只不过是掠人之美，徒得虚名罢了，说来当真惭愧得很。”

柳玉茹嫣然笑道：“李老前辈忒谦了……你老人家今日令晚辈前来，不知究竟有何吩咐？”

李长青沉声道：“衡山宝藏，虽是骗局，但衡山会后，却的确遗下了一宗惊人的财富。”

金不换张大了眼睛，道：“什么财富？”

李长青道：“上得回雁峰之两百高手，人人俱是成名多年之辈，武功俱有专长，这些人自知上山后难有生还之望，唯恐自家武功从此失传，都要将自身的武功秘籍和一些遗物交托下来，而这些人有的并无传人，有的传人已先死在此役中，纵有传人，也不在身边，是以到底要将遗物交托给谁，便成了一件很难决定之事，最后只有将遗物埋藏在隐秘之处，自己若不能活着来取，也好留待有缘……这时那‘万家生佛’柴玉关正是声誉鹊起，江湖中人人都赞他乃是英雄手段，菩萨心肠，而柴玉关平日就轻财好友，武林中成名英雄，大半与他有交，是以每人埋藏遗物时，谁也没有避他，有些人甚至还特地将藏物之处告诉了他，自己若是亡故，便托他将遗物安排。”

李长青长叹一声，接道：“衡山会后，活着的十一人中，倒有七人俱是将遗物交托给柴玉关的，但他们既然还活着，自然便要将遗物取回，哪知到了藏物之处，他们所藏的秘籍与珍宝，竟都踪影不见，在那藏物之地，却多了张小小的纸柬，上面写的赫然竟也是‘各位上当了’。”

这衡山会后的余波，实是众人从未听过的秘闻，大家都听得心头一震，徐若愚道：“但……柴前辈却已中毒而死……”

李长青道：“谁也没有瞧见柴玉关是否真的死了，又怎知他不是将自己衣衫换在别人的尸身上？何况，我齐大哥研究字迹，那洞中‘各位上当了’五个字，笔迹完全与柴玉关一样，再仔细一想，那‘回雁峰藏有无敌宝鉴’的消息，十人中也有五六人是自柴玉关口中听来的，这些武林高手俱都对柴玉关十分信任，不觉再传说了出去，而别人却对这些武林高手十分信任，这消息才会愈传愈广，愈传愈真实了。”他面上渐渐露出怨恨之色，“他处心积虑，如此做法，不但可将武林高手一网打尽，让他一人称雄，还可令当时在武林扬名的武功，大半从此绝传，教武林永远不能恢复元气，他自身得了这许多人遗下之武功秘籍，自可身兼各宗之长，那时他纵横天下，还有谁能阻挡。这些年他始终未曾现身，想必已将各门派的武功奥秘，全都研习了一番，此时此刻，便是他再出山之日了。”

众人但觉心头一寒，谁也不敢多口说话。

寂然良久，那五台天法大师方自缓缓道：“若果真如此，此人当真可说是千百年来，江湖中第一个大奸大恶之人，但这些事虽然证据确凿，终究不能完全确定这些事俱是柴某所为，不知李老前辈以为然否？”语声缓慢，声如洪钟，分析事理，更是公平正大，端的不愧为自少林弘法大师仙去后，当世武林之第一高僧，声誉早已凌驾少林当今掌门刃心大师之上。

李长青叹道：“大师说得好，大师说得好，这也正是我等相请各位前来的原因……三年后我等突然发现，玉门关内外，出现了一位奇人，此人不但行踪飘忽，善恶不定，最令人注意的，乃是此人身怀各门派武功之精粹，每一出手，俱是不同门派的招式，曾有人亲眼见他使出武当、少林、峨嵋、崆峒、昆仑五大门派之不传秘学，而那些招式连五大门派之掌门人都未学过。”

众人面面相觑，悚然动容。

李长青接道：“还有，此人举止之豪阔奢侈，也是天下无双，每一出行，随从常在百人之上，一日所费，便是万两白银，从无人知道他的姓名来历，亦无人知道他落足之处，只知他本在边疆，招集恶徒以为羽党，而今势力已渐渐扩张，渐渐侵至中原一带，竟似有独霸天下之势。”

徐若愚脱口道：“此人莫非便是柴玉关不成？”

李长青叹道：“此人一出，我齐大哥便已疑心他是柴玉关，立刻令人探听此人之行踪，一面又令人远至四面八方，搜寻有关柴玉关之平生资料，我等三人对柴玉关之历史所知愈多，便愈觉得此人可疑可怕。”

天法大师沉吟道：“不错，天下英雄虽都知‘万家生佛’柴玉关之侠名，但他成名前之历史，却是无人知道。”

徐若愚接道：“莫非他成名前还有什么隐秘不成？”

李长青沉声道：“我弟兄三人耗资五十万，动员千人以上，终于将他之身世寻出一个轮廓，方才已将所有资料抄录下一份，各位不妨先看看再作商量。”将手巾纸卷展开挂在墙上，目光却凝注着门窗，显然在提防闲人闯入，此时又有个垂髫童子送来八份纸笔，天法大师等每人都取了一份。

只见那纸卷共有两幅，宽仅丈余，宛如富贵人家厅前所悬之横匾般模样，上面密密地写满了字，左面一幅纸卷写的是：

姓名：二十岁前名柴亮，二十至二十六岁名柴英明，二十六至三十七名柴立，三十七后名柴玉关。

来历：父名柴一平，乃鄂中巨富，母名李小翠，乃柴一平之第七妾，兄弟共有十六人，柴玉关排行第十六，幼时天资聪明，学人说话，惟妙惟肖，是以精通各省方言，成名后自称乃中州人士，天下人莫不深信不疑。柴玉关十四岁时，家人三十余口在一夕中竟悉数暴毙，柴玉关接管万贯家财后，便终日与江湖下五门之淫贼“鸳鸯蝴蝶派”厮混，三年后便无余财，柴玉关出家为僧。

门派：十七岁投入少林门下为火工僧人，后因偷学武功被逐，二十岁入“十二连环坞”以能言善道得帮主“天南一剑”史松寿赏识，收为门下。传艺六年后，柴玉关竟与“天南一剑”之宠妾金燕私通，席卷史松寿平生积财而逃，史松寿大怒之下，发动全帮弟子搜其下落，柴玉关被逼无处容身，竟远赴关外，将金燕送给了江湖中人称“色魔”的“七心翁”，以作进身之阶，十年间果然将“七心派”武功使得炉火纯青，那时“七心翁”竟又暴毙而亡，柴玉关再入中原，便以仗义疏财之英侠面目出现，首先联合两河英豪，扫平“十二连环坞”，重创“天南一剑”，遂名震天下。

外貌：此人面如白玉，眉梢眼角微微下垂，鼻如鹰钩，嘴唇肥厚多欲，嘴角两边，各有黑痣一点，眉心间有一肉球，雅好修饰，喜着精工剪裁之贴身衣衫，以能显示身材之修长，尤喜紫色。双手纤莹，白如妇人女子，中指御紫金指环，是以说话时每喜夸张手势，以夸耀双手之整洁雅美。

嗜好：酒量极豪，喜欢以大曲、茅台、高粱及竹叶青羼合之烈酒，配以烤至半熟之蜗牛、牡蛎，或蛇肉佐食，不喜猪肉，从不进口；骑术极精，常策马狂奔，以至鞭马而死；喜豪赌，赌上从无弊端，以求刺激；喜狩猎，尤喜美女，色欲高亢，每夕非两女不欢。

特点：此人口才便捷，善体人意，成名英豪，莫不愿与之相交。说话时常带笑容，杀人后必将双手洗得干干净净，所用兵刃上要一染血污，便立刻废弃。长书画，书法宗二王，颇得神似。

这幅纸卷简单而扼要地叙出了柴玉关之一生，他一生当真是多姿多彩，充满了邪恶的魅力。众人只瞧得惊心动魄，面目变色，再看右面纸卷，写的是：

姓名：玉门关外人称“快活王”，真名不详。

来历：不详。

门派：不详，却通天下各门派不传之绝技。

外貌：面目，眉目下垂，留长髯，鼻如鹰钩，眉心有伤疤，喜修饰，雇有专人每日为其修洗须发。体修长，衣衫考究，极尽奢华，说话时喜以手捋须，须及手均极美。左手中指御三枚紫金指环，似可作暗器之用。

嗜好：酒量极好，喜食异味，不进猪肉，身畔常有绝色美女数人陪伴，常与巨富豪客作一掷千金之豪赌。

特点：能言喜笑，慷慨好客，每日所费，常在万金之上。极端好洁，座客如有人稍露污垢，立被赶出，随行急风三十六骑，俱是外貌英俊，骑术精绝之少年。使长剑，剑招却仅有十三式，但招式奇诡辛辣，纵是武林成名高手，亦少有人能逃出这十三式下。

另有酒、色、财、气四大使者乃“快活王”最信任之下属，却极少在其身畔，只因这四人各有极为特别之任务，酒之使者为其搜寻美酒，色之使者为其各处征选绝色，财之使者为其管理并搜集钱财，唯有气之使者跟随在他身畔极少离开，当有人敢对“快活王”无礼，气之使者立刻拔剑取下此人首级，这四人俱是性情古怪，武功深不可测。

众人瞧完了这幅纸卷，更是目定口呆，作声不得。

直到众人俱已看完，且已将要点记下，李长青方自沉声道：“各位可瞧出这两人是否许多相同之处？”

徐若愚抢先道：“这两人最少有十三点相同之处，面白，眉垂，鼻钩，体长，手美，衣华，好酒，好色，好赌，嗜食异味，不进猪肉，手上喜御指环，说话喜作手势……捋须也算手势，是么？”

他一口气说出十三点相同之处，面上不禁又自露出得色，哪知“华山玉女”柳玉茹却冷冷道：“还有两点，你未瞧出。”

徐若愚皱眉道：“哪两点？”

柳玉茹道：“柴玉关嘴厚有痣，快活王却留有长髯，柴玉关眉心有肉球，快活王眉心有道刀疤，这两点看来最不明显，其实却最当注意。还有两人俱都能言喜笑，乐于交友，实是太容易看出来了，我真不屑说出。”

徐若愚面颊一红，道：“哦？……是么？”转过头去，端起酒杯，仰起脖子倒下喉咙，再也不去瞧柳玉茹一眼。

李长青道：“徐少侠说得不错，柳姑娘瞧得更加地仔细，但是除了这些之外，还有许多更需注意之处。”

柳玉茹也不禁脸一红，道：“哦？……是么？”

李长青道：“各位看凡与柴玉关亲近之人，多有一夕暴毙之事，甚至亲如父子兄弟，亦不例外，想来他们暴毙原因，必与柴某有关，由此可见此人之凶狡无情，柴玉关自衡山一役中，所得武功秘籍与珍宝无数，‘快活王’正是多财而遍知天下各派的武功，柴玉关既能毒毙亲人，背叛师门，甚至连床头人都可自别人身畔夺来，转手便毫不吝惜地送给别人，出卖朋友，更算不得一回事了。”他语气愈说愈愤怒，双目灼灼发光，厉声接道：“综据各点，委实已可判断，柴玉关与那‘快活王’实是一人。”

众人思前忖后，再无异议，就连天法大师，亦是微微颔首，合十长叹道：“此人多欲好奢，来日必将自焚其身。”

李长青道：“大师说得不错，此人正是因为欲望太多，性喜奢侈，方自做得出这些令人发指之事来，但我等若是等他自焚其身便已太迟了，到那时，又不知有多少人要死在他手上。”

天法大师合十颔首，长叹不语。

李长青缓缓接道：“我兄弟今日相请各位前来，便是想请各位同心协力，揭破此人之真相，此人虽是阴猾凶恶，但各位亦是今日江湖中一时之选，合各位之力，实不难为武林除此心腹大患。”他说完了话，大厅中立时一片寂然，人人面色俱是十分沉重，有的垂首深思，有的仰面出神，有的只是皱眉不语。

过了半晌，金不换突然道：“咱们若真将那‘快活王’杀了，他遗下的珍宝，却不知应该如何发落？”

李长青瞧了他一眼，微微含笑道：“他所遗下之珍宝，大都是无主之物，自当奉赠各位，以作酬谢。”

金不换道：“除此之外，便没有了么？”

李长青道：“除此之外，敝庄还备有十万花红。”

金不换嘻嘻一笑，抚掌道：“如此说来，这倒可研究研究。”取杯一饮而尽，夹了块肉开怀大嚼。

雄狮乔五冷哼了一声，道：“果然是见财眼开，名不虚传，只怕躺到棺材里还要伸出手来。”

金不换咯咯笑道：“过奖过奖，好说好说。”

“玉面瑶琴神剑手”一直仰天出神，别人说话他根本未曾听进，此刻方缓缓道：“此事虽然困难，倒真是扬名天下的良机……”突然一拍桌子，道，“对了，谁若能杀了那‘快活王’，就该赠他武功第一的名头才是。”

柳玉茹冷冷道：“纵然如此，那武功天下第一的名头，只怕也未必能轮到你这位神剑手。”

徐若愚冷笑道："是么？……嘿嘿！"又自出起神来。

大厅中又复寂然半晌，青城玄都观主断虹子突然仰天笑道："哈哈……可笑可笑，当真可笑。"他口中虽在放声大笑，但面容仍是冰冰冷冷，笑声更是冷漠无情，看来哪有半分笑意。

李长青道："不知道长有何可笑之处？"

断虹子道："阁下可是要这些人同心协力？"

李长青道："不错。"

断虹子冷笑道："阁下请瞧瞧这些英雄好汉，不是一心求名，便是一心贪利，可曾有一人为别人打算？若要这些人同心协力，嘿嘿！比缘木而求鱼还要困难得多。"

李长青皱眉而叹，良久无语。

"巧手兰心女诸葛"花四姑微笑道："断虹道长此话虽也说得有理，但若说此地无人为别人打算，却也未必见得，不说别人，就说咱们乔五哥，平生急公好义，几曾为自己打算过？"

断虹子道："哼，哼哼。"两眼一翻，只是冷笑。

花四姑接道："何况……纵使人人俱都为着自己，但是只要利害关系相同，也未尝不能同心协力。"

李长青叹道："花四姑卓见确是不凡……"

突见五台天法大师振衣而起，厉声道："柴玉关此人，确是人人得而诛之，贫僧亦是义不容辞，但若要贫僧与某些人协力同心，却是万万不能。告辞了。"大袖一拂，便待离座而去。

忽然间，只听一阵急骤的马蹄声，随风传来，到了庄院前，也未停顿，人马竟似已笔直闯入庄来。天法大师情不自禁，顿住身形，众人亦是微微变色，齐地展动身形，厅上一阵轻微的衣袂带风声过后，九个人已同时掠到大厅门窗前，轻功身法，虽有高下之分，但相差极是有限。

李长青纵是武功已失十之七八，身法亦不落后，抢先一步，推开门户，沉声道："何方高人，降临敝庄？"

语声未了，已有八匹健马，一阵风似的闯入了厅前院落。八匹高头大马，俱是铁青颜色，在寒风中人立长嘶，显得极是神骏。马上人黑衣劲装，头戴范阳毡笠，腰系织锦武士巾，外罩青花一只钟风氅，腿打倒赶千层浪裹腿，脚蹬黑缎搬尖洒鞋，浓黑的眉毛，配着赤红的面膛，虽然满身冰雪，但仍是雄赳赳，气昂昂，绝无半分畏缩之态。

厅中九人是何等目光，一眼望去，就知道这八人自身武功，纵未达到一流高手之境，但来历亦必不凡。

李长青还未答话，急风响过，冷三已横身挡在马前。他身躯虽不高大，但以一身横挡着八匹健马，直似全然未将这一群壮汉骏马放在眼里，冷冷道："不下马，就滚！"辞色冰冷，语气尖锐，对方若未被他骇倒，便该被他激怒，哪知八条大汉端坐在马上，却是动也不动，面上既无惊色，亦无怒容，活生生八条大汉，此刻亦似八座泥塑金刚一般。冷三居然也不惊异，面上仍是冰冰冷冷，口中不再说话，左臂突然抡起，一钩挥出钩住了马腿。那匹马纵是千里良驹，又怎禁得住这一钩之力，惊嘶一声，斜斜倒下，冷三跟着一腿飞出，看来明明踢不着马上骑士，但不知怎的，却偏偏被他踢着了，马倒地，马上人却被踢得飞了出去。变生突然，冷三动作之快，端的快如闪电。

但另七匹人马，却仍然动也不动，直似未闻未见。马上人不动倒也罢了，连七匹马都不动弹，竟是令人惊诧，若非受过严格已极之训练，焉能如此？

群豪都不禁悚然为之动容，冷三击倒了第一匹马，却再也不瞧它一眼，身形展动又向第二匹马掠去。他全身直似有如机械一般，绝无丝毫情感，只要做一件事，便定要做到底，外来无论任何变化，变化无论如何令人惊异，也休想改变他的主意。

突听李长青沉声叱道："且慢！"

冷三一钩已挥出硬生生顿住，退后三尺，李长青身形已到了他前面，沉声道："朋友们是何来历？到敝庄有何贵干？"

金不换冷冷接口道："到了仁义庄也敢直闯而入，坐不下马，朋友们究竟是仗着谁的势力，敢如此大胆？"

七条大汉还是不答话，门外却已有了语声传了进来，一字字缓缓道："我爱怎样就怎样？谁也管不着。"语气当真狂妄已极，但语声却是娇滴清脆，宛如黄莺出谷。

金不换眯起眼睛道："乖乖，妙极，是个女娃娃。"转首向徐若愚一笑，"徐兄，你的机会来了。"

徐若愚板着脸道："休得取笑。"口中虽如此说话，双手却情不自禁，正了正帽子，整了整衣衫，作出潇洒之态，歪起了脸，眉毛一高一低，斜着眼望去，只见一辆华丽得只有书上才能见到的马车，被四匹白马拉了进来，两条黑衣大汉驾车，两条锦衣大汉跨着车辕。

李长青微微皱眉，眼见那马车竟笔直地驶到大厅阶前，终于忍不住道："如此做法，不嫌太张狂了么？"

车中人冷冷道："你管不着。"

李长青纵是涵养功深，此刻面上也不禁现出怒容，沉声道："姑娘可知道谁是此庄主人？"

哪知车中人怒气比他更大，大声道："开门开门……我下去和他说话。"两条跨着车辕的锦衣大汉，自车座下拖出柄碧玉为竿，细麻编成的扫帚，首先跃下，将车门前扫得干干净净。接着，两个容色照人的垂髫小鬟，捧着卷红毡，自车厢里出来，俯下身子，展开红毡。

金不换双手抱在胸前，一副要瞧热闹的模样，徐若愚眼睛睁得更大，柳玉茹面上虽满是不屑之色，心里也不觉暗暗称奇："这女子好大的气派，又敢对仁义庄主人如此无礼，却不知是何人物？……长得如何模样？"别的犹在其次，这女子长得漂不漂亮，才是她最关心的事，也不禁睁大了眼睛，向车门望去。

车厢里忽然传出一阵大笑，一个满身红如火的三尺童子，大笑着跳了出来，看她模样打扮，似乎是个女孩子，听那笑声，却又不似。只见她身子又肥又胖，双手又白又嫩，满头梳着十几条小辫子，根根冲天而立，身上穿的衣衫是红的，脚上的鞋子也是红的，面上却戴着咧着大嘴火红鬼面，露出两只圆圆的眼睛，一眼望去，直似个火孩儿。柳玉茹当真骇了一跳，忍不住地道："方……方才就是你？"

那火孩儿嘻嘻笑道："我家七姑娘还没有出来哩，你等着瞧吧，她可要比你漂亮多了。"

柳玉茹不想这孩子竟是人小鬼大，一下子就说穿了她心事，红着脸啐道："小鬼头，谁管她漂不漂亮？……"话未说完，只见眼前人影一花，已有条白衣人影，俏生生站在红毡上，先不瞧她面貌长得怎样，单看她那窈窕的身子在那雪白的衣衫和鲜红的毛毡相映之下，已显得那般神采飞扬，体态风流，何况她面容之美，更是任何话也描叙不出，若非眼见，谁也难信人间竟有如此绝色。

柳玉茹纵然目中无人，此刻也不免有些自惭形秽，暗起嫉忌之心，冷笑道："不错，果然漂亮，但纵然美如天仙，也不能对仁义庄主无礼呀。姑娘你到底凭着什么？我倒想听听。"

白衣女子道："你凭着什么想听，不妨先说出来再讲。"神情冷漠，语声冷漠，当真是艳如桃李，冷若冰霜。

李长青沉声道："柳姑娘说的话，也就是老夫要说的话。"

白衣女道："莫非你是生气了不成？"

李长青面寒如冰，一言不发，哪知白衣女却突然娇笑起来，她那冷漠的面色，一有了笑容，立时就变得说不出的甜蜜可爱，纵是铁石心肠的男人，也再难对她狠得下心肠，发得出脾气。只听她娇笑着伸出只春笋般的纤手，轻划着面颊，道："羞羞羞，这么大年纪，还要跟小孩子发脾气，羞死人了。"满面娇态，满面调皮，方才她看来若有二十岁，此刻却已只剩下十一二岁了。

众人见她在刹那间便似换了个人，都不禁瞧得呆了，就连李长青都呆在地上，讷讷道："你……你……"

平日言语那般从容之人，此刻竟是连一句话都说不出来。

白衣女发笑道："李二叔，你莫非不认得我了？"

李长青道："这……这的确有点眼拙。"

白衣女道："九年前……你再想想……"

李长青皱着眉头道："想不出。"

白衣女笑道："我瞧你老人家真是老糊涂了，九年前一个下雨天，你老人家被淋得跟落汤鸡似的，到我家来……"

李长青脱口道："朱……你可是朱家的千金？"

白衣女拍手笑道："对了，我就是你老人家那天见到在大厅哭着打滚要糖吃的女孩子……"她娇笑着，走过去，伸出纤手去摸李长青的胡子，娇笑着道："你老人家若是还在生气，就让侄女给你消消气吧，你老人家要打就打，要骂就骂，谁教侄女是晚辈，反正总不能还手的。"

李长青闯荡江湖，经过不知多少大风大浪，见过不知多少厉害角色，但此刻对这女孩子，却当真是无计可施，方才心中的怒气一转眼便不知跑到哪里去了，苦笑着道："唉，唉，日子过得真快，不想侄女竟已亭亭玉立了，令尊可安好么？"

白衣女笑道："近年向他要钱的人，愈来愈多，他舍不得给，又不能不给，急得头发都白了。"

李长青想到她爹爹的模样，真被她三言两语刻画得入木三分，忍不住莞尔一笑，道："九年前，老夫为了'仁义庄'之事，前去向令尊求助，令尊虽然终于慨捐了万两黄金，但瞧他模样，却委实心痛得很……"

白衣女娇笑道："你还不知道哩，你老人家走后，我爹爹还心痛了三天三夜，连饭都吃不下去，酒更舍不得喝了，总是要节省来补助万两黄金的损失，害得我们要吃肉，都得躲在厨房里吃……"

李长青开怀大笑，牵着她的小手，大步入厅，众人都被她风采所醉，不知不觉随着跟了进去，就连天法大师，那般不苟言笑之人，此刻嘴角都有了笑容。

金不换走在最后，悄悄一拉徐若愚衣角道："瞧这模样，这丫头似乎是'活财神'朱老头子的小女儿。"

徐若愚道："定必不错。"

金不换道："看来你我合作的机会已到了。"

徐若愚道："合作什么？"

金不换诡笑道："以徐兄之才貌，再加兄弟略使巧计，何愁不能使这小妞儿拜倒在徐兄足下，那时徐兄固是财色兼收，教武林中人人称羡，兄弟我也可跟在徐兄身后，占点小便宜。"

徐若愚面露喜色，但随即皱眉道："这似乎有些……"

金不换目光闪动，瞧他神色有些迟疑立刻截口道："有些什么？莫非徐兄自觉才貌还配不上人家，是以不敢妄动？"

徐若愚轩眉道："谁说我不敢？"

金不换展颜一笑道："打铁趁热，要动就得快点。"

突听身后一人骂道："畜生，两个畜生。"

徐若愚、金不换两人一惊，齐地转身，只见那火孩儿，正叉腰站在他两人身后，瞪着眼，瞧着他们。

金不换怒骂道："畜生，你说什么？"

火孩儿道："你是畜生。"突然跳起身子，反手一个耳光，动作之快，瞧都瞧不见，只听"啪"的一声，金不换左脸着了一掌。以他在江湖威名之盛，竟会被个小孩子一掌刮在脸上，那真是叫别人绝对无法相信之事。

金不换又惊又怒，大骂道："小畜生。"伸开鸟爪般的手掌向前抓去，哪知眼前红影闪过，火孩儿早已掠入大厅里。

徐若愚道："不好，咱们的话被这小鬼听了去。"他转过身子，竟似要溜，金不换一把抓着他道：

"怕什么？计划既已决定，好歹也要干到底。"

徐若愚只得被他拖了进去，火孩儿已站到白衣女身边，见他两人进来，拍掌道："两个畜生走进来了。"

李长青道："咳，咳，小孩子不得胡说话。"

火孩儿又道："他两人一搭一档，商量着要骗我家七姑娘，好人财两得，你老人家评评，这两人不是畜生是什么？"

李长青连连咳嗽，口中虽不说话，但目光已盯在他两人身上，徐若愚满面通红，金不换却仍是若无其事，洋洋自得。

白衣女七姑娘道："这两位是谁？"她方才虽是满面笑容，但此刻神色又是冰冰冷冷，转眼间竟似换了个人。

柳玉茹眼珠子一转，抢先道："这两位一个是'见义勇为'金不换，他还有两个别号，一个是'见钱眼开'，还有个是'见利忘义'，但后面两个外号，远比前面那个出名得多了。"

七姑娘道："也比前面那个妥切得多。"

金不换面不改色，抱拳道："姑娘过奖了。"

柳玉茹"扑哧"一笑，道："金兄面皮之厚，当真可称是天下无双，只怕连刀剑都砍不进。"

七姑娘道："哼！还有个是谁？"

柳玉茹道："还有一位更是大大有名，江湖人称'玉面瑶琴神剑手'徐若愚。意思是看来虽'若'很'愚'，其实却是一点也不'愚'的，反要比人都聪明得多。"

七姑娘凝目瞧了他半晌，突然放声娇笑起来，指着徐若愚笑道："就凭这两人，也想吃天鹅肉么？可笑呀可笑，这种人也配算作武林七大高手，真难为别人怎么会承认的。”她笑得虽然花枝招展，说不出的娇媚，说不出的动听，但笑声中那份轻蔑之意，却委实教人难堪。

徐若愚苍白的面容，立刻涨得通红。

“雄狮”乔五恨声骂道：“无耻，败类！”

断虹子张开口来，“啐”地吐了口浓痰，天法大师面沉如水，柳玉茹轻叹道：“早知七大高手中有这样的角色，我倒真情愿没有被人列入这七大高手中了。”话未说完，徐若愚已转身奔了出去。

金不换虽是欺善怕恶，此刻也不禁恼羞成怒，暗道：“你这小妞儿纵然钱多，武功难道也能高过老子不成？老子少不得要教训教训你。”但他平生不打没把握的仗，虽觉自己定可稳操胜算，仍怕万一吃亏。心念数转，纵身追上了徐若愚，将他拉到门后。

徐若愚顿足道：“你……你害得我好苦，还拉我做什么？”

金不换冷冷道：“就这样就算了？”

徐若愚恨声道：“不算了还要怎样？”

金不换皮笑肉不笑地瞧着他，缓缓道：“若换了是我，面对如此绝色佳人，打破头也要追到底的，若是半途而废，岂非教人耻笑？”

徐若愚怔了半晌，长叹道：“耻笑？唉……被人耻笑也说不得了，人家对我丝毫无意，我又怎么能……”

金不换叹着气截口道：“呆子，谁说她对你无意？”

徐若愚又自一怔，讷讷道：“但……但她若对我有意，又怎会……怎会那般轻视于我，唉，罢了罢了……”又待转身。

金不换叹道：“可笑呀可笑，女人的心意，你当真一点也不懂么？”不用别人去拉，徐若愚已又顿住脚步，金不换接着又道：“那女子纵然对你有意，当着大庭广众，难道还会对你求爱不成？”

徐若愚眨了眨眼睛，道：“这也有理……”

金不换道：“须知少女心情，最难捉摸，她愈是对你有意，才愈要折磨你，试试你是否真心，你若临阵脱逃，岂非辜负了别人一番美意？”

徐若愚大喜道：“有理有理，依兄台之意，小弟该当如何？”

金不换道：“方才咱们软来不成，此刻便来硬的。”

徐若愚道：“硬……硬的怎么行？”

金不换道：“这个你又不懂了，少女大多崇拜英雄，似你这样俊美人物，若是有英雄气概，还有谁能不睬你？”

徐若愚抚掌笑道：“不错不错，若非金兄指点，小弟险些误了大事，但……但到底如何硬法，还请金兄指教。”

金不换道：“只要你莫再临阵脱逃，坚持与我站在同一阵线就是，别的且瞧我的吧。”说罢转身而入。

徐若愚精神一振，整了整衣衫，大摇大摆随他走了进去。

大厅中李长青正在与那七姑娘谈笑。

这位七姑娘对李长青虽然笑语天真，但对别人却是都不理睬，就连天法大师此辈人物，都似未放在她眼里。群豪虽然对她颇有好感，但见她如此倨傲，心里也颇觉不是滋味。天法大师又自长身而起，他方才没有走成，此刻便又待拂袖而去。别人也有满腹闷气，既不能发作，也就想一走了之。

只听李长青道：“你此番出来，是无意经过此地，还是有心前来的？”

七姑娘娇笑道：“我本该说有心前来拜访你老人家，但又不能骗你老人家，你老人家可别生气。”

李长青捋髯大笑道：“好，好，如此你是无意路过的了。”

七姑娘道：“也不是，我是来找人的。”

李长青道：“谁？可在这里？”

七姑娘道：“就在这大厅里。”

群豪听了这句话，又都不禁打消了主意，只因大厅中只有这么几个人，大家都想瞧瞧这天下第一豪富，活财神的千金，千里奔波，到底是来找谁。天法大师当先顿住脚步，他虽然修为功深，但那好胜好名之心，却半点也不后人，此刻竟忍不住暗忖道：“莫不是她久慕本座之名，是以专程前来求教？”转目望去，众人面上神情俱是似笑非笑，十分奇特，似乎也跟他想着同样的心思。

李长青目光闪动，含笑道：“当今天下高手，俱已在此厅之中，却不知贤侄女你要找的是谁？”

七姑娘也不回头，纤手向后一指，道：“他。”

群豪情不自禁，随着她手指之处望去，只见那根春笋般的纤纤玉指，指着的竟是一直缩在角落中不言不动的落拓少年。

七姑娘自始至终，都未瞧他一眼，但此刻手指的方向，却是半点不差，显见她表面虽然未去瞧他，暗中已不知偷偷瞧过多少次了，群豪心里都有些失望："原来她找的不是我。"

"想不到这名不见经传的穷小子，竟能劳动如此美人的大驾。"更是不约而同地大为惊奇诧异，不知她为了什么，竟不远千里而来找他。

哪知落拓少年却干咳一声，长身而起，抱拳道："晚辈告辞了。"话未说完，便待夺门而出。

突见红影一闪，那火孩儿已挡住了他，大声道："好呀，你又想走，你难道不知我们七姑娘找得好苦。"

七姑娘咬着牙，顿足道："好好，你……走，你，你走……你……你再走，我就……我就……"说着说着，眼圈就红了，声音也变了，话也无法继续。

落拓少年苦笑道："姑娘何苦如此，在下……"

火孩儿双手叉腰，大叫道："好呀，你个小没良心的，居然如此说话，你难道忘了七姑娘如何对待你……"

落拓少年又是咳嗽，又是叹气；七姑娘又是跺足，又是抹泪；群豪却不禁瞧得又是惊奇，又是有趣。

此刻人人都已看出这位眼高于顶的七姑娘，竟对这落拓少年颇有情意，而这落拓少年反而不知消受美人恩，竟一心想逃走。

柳玉茹斜眼瞧着他，直皱眉头，暗道："这倒怪了，天下的男人也未死光，七姑娘怎会偏偏瞧上这么块废料？"

李长青捋须望着这落拓少年，却更觉这少年实是不同凡品，而那女诸葛花四姑的目光，竟也和他一样。

大厅中的人忖思未已，这时金不换与徐若愚正大摇大摆走了进来，群豪见他两人居然厚着脸皮去而复返，都不禁大皱眉头。

"雄狮"乔五怒道："你两人还想再来丢人么？"

金不换也不理他，笔直走到七姑娘身前，满面嘻皮笑脸抱拳道："请了。"

徐若愚也立刻道："请了。"

七姑娘正是满腔怨气，无处发泄，狠狠瞪了他两人一眼，突然顿足大骂道："滚，滚开些。"

徐若愚倒真吓了一跳，金不换却仍面不改色，笑嘻嘻道：“在下本要滚的，但姑娘有什么法子要在下滚，在下却想瞧瞧。”他一面说话，一面在背后连连向徐若愚摆手。

徐若愚立刻干咳一声，挺起胸膛，大声道：“金兄称雄武林，谁人不知，哪个不晓，你竟敢对他如此无礼，岂非将天下英雄都未瞧在眼里。”此人虽然耳根软，心不定，又喜自作聪明，但是口才确实不错，此时挺胸侃侃而言，倒端的有几分英雄气概。

第二章

纤手燃战火

七姑娘眼波转来转去，在他两人面上打转，冷冷地听他两人一搭一档，将话说完，突然娇笑道：“好，这样才像条汉子……”

徐若愚大喜，忖道：“金兄果然妙计。”口中道：“你既知如此，从今而后，便该莫再目中无人才是。”他胸膛虽然挺得更高，但语气却不知不觉有些软了。

七姑娘笑道：“我从今以后，可再也不敢小瞧两位了。”

徐若愚忍不住喜动颜色，展颜笑道：“好说好说。”

七姑娘娇笑道：“两位商量商量，见我一个弱女子带着个小孩，怎会是两位的对手，于是软的不行就来硬的，要给我些颜色瞧瞧，这样能软能硬，见机行事的大英雄大豪杰，江湖上倒也少见得很，我怎敢小瞧两位。”她愈说笑容愈甜，徐若愚却愈听愈不是滋味，脸涨得血红，呆呆地怔在那里，方才的得意高兴，早已跑到九霄云外。

金不换冷冷道：“一个妇道人家，说话如此尖刻，行事如此狂傲，也难为你家大人是如何教导出来的。”

七姑娘道：“你可是要教训教训我？”

金不换道：“不错，你瞧徐兄少年英俊，谦恭有礼，就当他好欺负了？哼哼！徐兄对人虽然谦恭，但最最瞧不惯的，便是你这种人物。徐兄，你说是么？”

徐若愚道：“嗯嗯……咳咳……”

七姑娘伸出纤手，拢了拢鬓角，微微笑道：“如此说来，就请动手呀。”

火孩儿一手拉着那落拓少年衣角，一面大声道：“就凭这吃耳光的小子，哪用姑娘你来动手。”

金不换道："你两人一起上也没关系，反正……"

一张脸始终是阴阳怪气，不动神色的断虹子突然冷笑，截口道："金不换，你可要贫道指点指点你？"

金不换干笑道："在下求之不得。"

断虹子道："'活财神'家资亿万，富甲天下，但数十年来，却没有任何一个黑道朋友敢动他家一两银子，这为的什么，你可知道？"

金不换笑道："莫非黑道朋友都嫌他家银子已放得发了霉不成？"愈说愈觉得意，方待放声大笑，但一眼瞧见断虹子铁青的面色，笑声在喉咙里滚了滚又硬生生咽了下去。

断虹子寒着脸道："你不是不愿听么？哼哼，你不愿听，贫道还是要说的，这只因昔日武林中有不少高人，有的为了避仇，有的为了避祸，都逃到'活财神'那里，'活财神'虽然视钱如命，但对这些人却是百依百顺，数十年来，活财神家实已成了卧虎藏龙之地。不说别人，就说今日随着朱姑娘来的这位小朋友，就不是好惹的人物，你要教训别人，莫要反被别人教训了。"

金不换指着火孩儿道："道长说的就是她？"

断虹子道："除她以外，这厅中还有谁是小朋友。"

金不换忍不住放声大笑道："道长说的就是她？也未免太长他人志气，灭自己威风了！就凭这小怪物，纵然一生出来就练武功，难道还能强过中原武林七大高手不成？"

断虹子冷冷道："你若不信，只管试试。"

金不换道："自然要试试的。"撸起衣袖，便要动手。

"雄狮"乔五突也一卷衣袖，但袖子才卷起，便被花四姑轻轻拉住，悄悄道："五哥你要作啥？"

乔五道："你瞧这厮竟真要与小孩儿动手？哼哼，别人虽然不闻不问，但我乔五却实在看不上眼了。"

花四姑微笑道："别人不闻不问，还可说是因那位七姑娘太狂傲，是以存心要瞧热闹，瞧她到底有多大本事。但是李老前辈亦是心安理得，袖手旁观，你可知道为了什么？难道他老人家也想瞧热闹不成？"

乔五皱眉道："是呀，在下本也有些奇怪……"

花四姑悄声道："只因李老前辈，已经对那穿着红衣裳的小朋友起了疑心，是以迟迟未曾出声拦阻。”

乔五大奇道：“她小小年纪，有何可疑之处？”

花四姑道：“我一时也说不清，总之这位小朋友，必定有许多古怪之处，说不定还是……唉！你等着瞧就知道了。”

乔五更是不解，喃喃道：“既是如此，我就等吧……”

只见金不换撸了半天衣袖，却未动手，反将徐若愚又拉到一旁，叽叽咕咕，也不知说的什么。再看李长青、断虹子、天法大师几人的目光，果都在瞬也不瞬地望着那火孩儿，目光神色，俱都十分奇怪。

乔五瞧了那火孩儿两眼，暗中也不觉动了疑心，忖道：“这孩子为何戴着如此奇特的面具，却不肯以真面目示人，瞧她最多不过十一二岁，为何说话却这般老气？”

火孩儿只管拉着那落拓少年，落拓少年却是愁眉苦脸，七姑娘冷眼瞧了瞧金不换，眼波立刻转向落拓少年身上，再也没有离开。

金不换将徐若愚拉到一边，恨声道：“机会来了。”

徐若愚道：“什么机会？”

金不换道：“扬威露脸的机会，难道这你都不懂，快去将那小怪物在三五招之间击倒，也好教那目中无人的丫头瞧瞧你的厉害。”

徐若愚道：“但……但那只是个孩子，教我如何动手？”

金不换冷笑道：“孩子又如何？你听那鬼道人断虹子将她说的那般厉害，你若将她击倒，岂非大大露脸？”

徐若愚沉吟半晌，嘴角突然露出一丝微笑，摇头道：“金兄，这次小弟可不再上你的当了。”

金不换道：“此话怎讲？”

徐若愚道：“若与那孩子动手，胜了自是理所应该，万一败了却是大大丢人，是以你不动手，却来唤我。”

金不换冷冷道：“你真的不愿动手？”

徐若愚笑道：“这露脸的机会，还是让给金兄吧。”

金不换目光凝注着他，一字字缓缓道：“你可莫要后悔。”

徐若愚道：“绝不后悔。”

金不换叹了口气，冷笑道：“狗咬吕洞宾，不识好人心……”冷笑转过身子，便要上阵了。

徐若愚呆望着他，面上微笑也渐渐消失，转目又瞧了那位七姑娘一眼，突然轻唤道："金兄，且慢。"

金不换头也不回，道："什么事？"

徐若愚道："还……还是让……让小弟出手吧。"

金不换道："不行，你不是绝不后悔的么？"

徐若愚满面干笑，讷讷道："这……这……金兄只要今天让给小弟动手，来日小弟必定重重送上一份厚礼。"

金不换似是考虑许久，方自回转身子，道："去吧。"

徐若愚大喜道："多谢金兄。"纵身一掠而出。

金不换望着他背影，轻轻冷笑道："看来还像个角色，其实却是个绣花枕头，一肚子草包，敬酒不吃，吃罚酒，天生的贱骨头。"

徐若愚纵身掠到大厅中央大声道："徐某今日为了尊敬'仁义庄'三位前辈，是以琴剑俱未带来，但无论谁要来赐教，徐某一样以空手奉陪。"

七姑娘这才自那落拓少年身上收回目光，摇头笑道："这小子看来又被姓金的说动了……"

火孩儿将那落拓少年一直拉到七姑娘身前，道："姑娘，你看着他，莫要放他走了，我去教训教训那厮。"

七姑娘撇了撇嘴冷笑道："谁要看着他？让他走好了。"说话间却已悄悄伸出两根手指，勾住了落拓少年的衣袖。

落拓少年轻轻叹道："到处惹事，何苦来呢？"

七姑娘道："谁像你那臭脾气，别人打你左脸，你便将右脸也送给别人去打，我可受不了别人这份闲气。"

落拓少年苦笑道："是是，你厉害……嘿，你惹了祸后，莫要别人去替你收拾烂摊子，那就是真的厉害了。"

七姑娘嗔道："不要你管，你放心，我死了也不要你管。"转过头不去睬他，但勾着他衣袖的两根手指，仍是不肯放下。

只见火孩儿大摇大摆，走到徐若愚面前，上上下下，瞧了徐若愚几眼，嘻嘻一笑，道："打呀，等什么？"

徐若愚沉声道："徐某本不愿与你交手，但……"

火孩儿道："打就打，哪用这许多啰唆。"突然纵身而起，扬起小手一个耳光向徐若愚刮了过来。这一招毫无巧妙之处，但出手之快，却是笔墨难叙。

徐若愚幸好有了金不换前车之鉴，知道这孩子说打就打，是以早已暗中戒备，此刻方自拧身避开，否则不免又要挨上一掌。

火孩儿嘻嘻笑道："果然有些门道。"口中说话，手里却未闲着，红影闪动间，一双小手，狂风般拍将出去，竟然全不讲招式路数，直似童子无赖的打法一般的招式，招式之间，却偏偏瞧不出有丝毫破绽，出手之迫急，更不给对方半点喘息的机会。

徐若愚似已失却先机，无法还手，但身形游走闪动于红影之间，身法仍是从容潇洒，教人瞧得心里很是舒服。

"女诸葛"花四姑悄悄向乔五道："你瞧这孩儿是否古怪？"

乔五皱眉道："这样的打法，俺端的从未见过。"

花四姑道："这正是教人无法猜得出她的武功来历。"

乔五奇道："莫非说这孩子也大有来历不成？"

花四姑道："没有来历的人，岂能将徐若愚逼在下风。"

乔五微微颔首，眉头皱得更紧。过了半晌，花四姑又自叹道："这孩子纵不愿使出本门武功，但徐若愚如此打法，只怕也要落败了。"

乔五目光凝注，亦自颔首道："徐若愚若非如此喜欢装模作样，武功只怕还可更进一层。"

原来徐若愚自命风流，就连与人动手时，招式也务求潇洒漂亮，难看的招式，他死了也不肯施出。火孩儿三掌拍来，左下方本有空门露出，花四姑与乔五俱都瞧在眼里，知道徐若愚此刻若是施出一招"铁牛耕地"，至少亦能平反先机。

哪知徐若愚却嫌这一招"铁牛耕地"身法不够潇洒花俏，竟然不肯使出，反而施出一招毫无用途的"风吹御柳"。

金不换连连摇头，冷笑道："死要漂亮不要命……"但心中仍是极为放心，只因徐若愚纵难取胜看来也不致落败。

花四姑喃喃道："不知李老前辈可曾瞧出她的真相。"

转目望去，却见冷三扶着个满面病容的老人，不知何时已到了李长青身侧，目光也正在随着火孩儿身形打转，又不时与李长青悄悄交换个眼色。

李长青沉声道："大哥可瞧出来了么？"

病老人齐智沉吟道："看来有七成是了。"

"雄狮"乔五愈听愈是糊涂，忍不住道："到底是什么？"

花四姑叹了口气，道："你瞧这孩子打来虽无半点招式章法，但出手间却极少露出破绽，若无数十年武功根基，怎敢如此打法？"

乔五皱眉道："但……但她最多也不过十来岁年纪……"

花四姑截口道："十来岁的孩子怎会有数十年武功根基，除非……她年纪本已不小，只是身子长得矮小而已，总是戴上个面具，别人便再也猜不出她究竟有多少年纪。"

乔五喃喃道："数十年武功根基……身形长得如童子……"心念突然一动，终于想起个人来，脱口道："是她。"

花四姑道："看来有八成是了。"

乔五动容道："难怪此人有多年未曾露面，不想她竟是躲在'活财神'家里。"他瞧了天法大师一眼，语声压得更低，"不知天法大师可曾瞧出了她的来历？若也瞧出来了，只怕……"

花四姑道："何止天法大师，就是柳玉茹、断虹子，若是真都瞧出她的来历，只怕也……"话声戛然而顿。

但见天法大师魁伟之身形，突然开始移动，沉肃的面容上，泛起一层紫气，一步步往徐若愚与火孩儿动手处走了过去。

七姑娘眼波四转，此刻放声喝道："快。"

火孩儿方自凌空跃起，听得这一声"快"字，身形陡然一折，双臂微张，凌空翻身，直扑徐若愚。这一招不但变化精微，内蕴后招，威力之猛，更是惊人。

李长青悚然变色，失声呼道："飞龙式。"

呼声未了，徐若愚已自惊呼一声，仆倒在地。但他成名毕非幸致，身手端的矫健，此刻虽败不乱，"燕青十八翻"，身形方落地面，接连几个翻身，已滚出数丈开外，接着一跃而起，身上并无伤损，只是痴痴地望着火孩儿，目中满是惊骇之色。

七姑娘娇喝道："走！"一手拉着那落拓少年，一手拉起火孩儿，正待冲将出去，突听一声佛号："阿弥陀佛！"声如洪钟，震人耳鼓，洪亮的佛号声中，天法大师威猛的身形已挡住了他们的去路。他身形宛如山岳般峙立，满身袈裟，无风自动，看来当真是宝象庄严，不怒自威，教人难越雷池一步。

七姑娘话也不说，身形一转竟又待自窗口掠出，但人影闪动间，冷三、断虹子、柳玉茹、徐若愚、金不换，五人竟都展动身形，将他三人去路完全挡住，五人俱是面色凝重，隐现怒容。

落拓少年轻叹一声，悄然道："你胆子也未免太大了吧？明知别人必将瞧出她的来历，还要将她带来这里。"

七姑娘幽幽瞧了他一眼，恨声道："还不都是为了你，为了要找你，我什么苦都吃过，什么事都敢做。"

两句话工夫，天法大师、冷三等六人已展开身形，将七姑娘、落拓少年、火孩儿三人团团围在中央。

七姑娘面上突又泛起娇笑，道："各位这是做什么？"

天法大师沉声道："姑娘明知，何苦再问。"

七姑娘回首道："李二叔，瞧你的客人不放我走啦，在你老人家家里有人欺负我，你老人家不也丢人么？"

李长青瞧了齐智一眼，自己不敢答话，齐智目光闪动，一时间竟也未开口，事态显见已是十分严重。

群豪亦都屏息静气，等待着这江湖第一智者回答，只因人人都知道这老人一字千金，说出的话更是永无更改。过了半晌，只听齐智沉声道："敝庄建立之基金，多蒙令尊慨捐，朱姑娘要来要去，谁也不得拦阻。"

七姑娘暗中松了口气，天法大师等人却不禁悚然变色。哪知齐智语声微顿，瞬即缓缓接道："但与朱姑娘同来之人，却势必要留在此间，谁也不能带走。"

七姑娘眨了眨眼睛，故意指着那落拓少年，笑道："你老人家说的可是他么？他可并未得罪过什么人呀！"

齐智道："不是。"

七姑娘道："若不是他，便只有这小孩子了，她只是我贴身的小丫头，你老人家要留她下来侍候谁呀？"

齐智面色一沉，道："事已至此，姑娘还要玩笑。"

七姑娘道："你老人家说的话，我不懂。"

齐智冷笑道："不懂？……冷三，去将那张告示揭下，让她瞧瞧。"语声未了，冷三已自飞身而出。

七姑娘拉着落拓少年的手掌，已微微有些颤抖，但面上却仍然带着微笑，似是满不在乎。瞬息间冷三便又纵身而入，手里多了张纸，正与那落拓少年方才揭下的一模一样，只是更为残破陈旧。齐智伸手接了过来，仰首苦笑道："这张告示在此间已贴了七年，不想今日终能将它揭下。"

七姑娘又自眨了眨眼睛，道："这是什么？"

齐智道："无论你是否真的不知，都不妨拿去瞧瞧。"反手已将那张纸抛在七姑娘足下。

七姑娘目光回转一眼，拾起了它，道："你两人也跟着瞧瞧吧。"蹲下身子，将落拓少年与火孩儿俱都拉在一处，凑起了头。

只见告示上写的是：

花蕊仙，人称"上天入地"掌中天魔，乃昔日武林"十三天魔"之一。自衡山一役后，十三天魔所存唯此一人而已。只因此人远在衡山会前，便已销声灭迹，江湖中无人知其下落。此人年约五十至六十之间，身形却如髫龄童子，喜着红衣，武功来历不详，似得六十年前五大魔宫主人之真传，平生不使兵刃，亦不施暗器，但轻功绝高，掌力之阴毒，武林中可名列第六，五台玉龙大师、华山柳飞仙、江南大侠谭铁掌等江湖一流高手，俱都丧生此人掌下。

十余年前，武林中便风传此人已死于黄河渡口，唯此一年来，凡与此人昔日有仇之人，俱都在夤夜被人寻仇身遭惨死，全家老少无一活口，致死之伤，正是此人独门掌法，至今已有一百四十余人之多，只因此人含毗必报，纵是仇怨极小，她上天入地，亦不肯放过，"仁义庄"主人本不知凶手是她，曾亲身检视死者伤口，证实无误。

据闻此人幼年时遭遇极惨，曾被人拘于笼中达八年之久，是以身不能长而成侏儒，因而性情大变，对天下人俱都怀恨在心，尤喜摧残幼童，双手血腥极重，暴行令人发指。若有人能将之擒获，无论死活酬银五千两整，绝不食言。仁义庄主人谨启。

七姑娘手中拿着这张告示，却是瞧也未瞧一眼，目光只是在四下悄悄窥望，只见门外八骑士，俱已下马，手牵马缰木立不动。天法大师等人，神情更是激动，似是恨不得立时动手，只是碍着“仁义庄”主人，是以强忍着心头悲愤。七姑娘目光转来转去，突然偷个空附在落拓少年耳畔，耳语道：“今日我和她出不出得去，全在你了。”

落拓少年目光重落在告示上，缓缓道：“事已至此，我也无法可施。”声音自喉间发出，嘴唇却动也不动。

七姑娘恨声道：“你不管也要你管，你莫非忘了，是谁救你的性命？你莫非忘了，别人是如何对你的？”

落拓少年长叹一声，闭口不语。

只见七姑娘亦自长长叹了口气，缓缓站起身子，道：“这位掌中天魔，手段倒真的毒辣得很。”

齐智沉声道：“姑娘既然知道，如何还要维护于她？”

七姑娘瞧了那火孩儿一眼，叹道：“看来他们已将你看作那花蕊仙了。”

火孩儿道：“这倒是个笑话！”

七姑娘眼睛似笑非笑地看着那落拓少年，缓缓道：“不管是不是笑话，我都知道她七年来绝未离开过我身边一步，她若能到外面去杀人，你倒不妨砍下我的脑袋。”她这话虽是向大家说的，但眼睛却只是盯着那落拓少年，落拓少年干咳一声，垂下了头。

天法大师厉声道：“无论七年来凶杀之事是否花蕊仙所为，但玉龙师叔之血海深仇，本座今日再也不肯放过。”

柳玉茹大声道：“不错，我姑姑……我姑姑……”眼眶突然红了，顿着脚道：“谁要是敢不让我替死去的姑姑报仇，我……我就和他拼了。”她这话也像是对大家说的，但眼睛却也只是瞪着七姑娘一人。

金不换悄悄向徐若愚使了个眼色，徐若愚大声道：“徐某和花蕊仙虽无旧仇，但如此凶毒之人，人人得而诛之。”

火孩儿冷笑道：“手下败将，也敢放屁。”

徐若愚面上微微一红，金不换立刻接口道：“徐兄一时轻敌，输了半招，又算得什么？”

徐若愚道：“不错，徐某本看她只是个髫龄童子，怎肯真正施出杀手。”

七姑娘冷冷笑道：“她若真是‘掌中天魔’，你此刻还有命么？呸！自说自话，也不害臊。”

徐若愚脸又一红，金不换冷笑道：“不错，花蕊仙武功的确不弱，但为武林除害，我们也不必一对一与她动手。有仇的报仇，有怨的报怨，大伙儿一起上，看她真的能上天入地不成？”

李长青长叹一声，道：“依我良言相劝，花夫人还是束手就缚的好，朱姑娘也不必为她说话了。”

七姑娘眼波转动，顿足道：“你老人家莫非真认她是花蕊仙么？”

李长青道：“咳……唉，你还要强辩？”

七姑娘道：“她若不是，又当怎地？”

金不换大声道：“你揭下她那面具，让咱们瞧瞧，她若真是个孩子，就让李老前辈向她赔礼。”他抢先说话，事若做对，他自家当然最是露脸，事若有错，也是别人赔礼，吃亏的事，“见钱眼开”金不换是万万不会做的。

七姑娘跺足道：“好，就揭下来，让他们瞧瞧。”

火孩儿大声道：“瞧着！”喝声未了，突然反手揭下了那火红的面具。

众人目光动处，当真吃了一惊，那火红的面具下，白生生一张小脸，哪有半点皱纹，果真是童子模样，万万不会是五六十岁的老人。

七姑娘咯咯笑道：“各位瞧清楚了么，这孩子只是皮肤不好，吹不得风，才戴这面具，不想竟开了这么多成名露脸的大英雄们一个玩笑。”娇笑声中拉着落拓少年与火孩儿，大摇大摆走了出去。

群豪目定口呆，谁也不敢阻拦于她。只见七姑娘衣衫不住波动，也不知是被风吹的还是身子在抖，但一出厅门，她脚步便突然加快了。

突听齐智锐声喝道：“慢走……莫放她走了。”

“慢走”两字喝出，七姑娘立刻离地掠起，却在落拓少年手腕上重重拧了一把，等到齐智喝道“莫放她走”，七姑娘与火孩儿已掠到马鞍上，娇呼道：“小没良心的，我两人性命都交给你了。”

娇呼声中，天法大师与柳玉茹已飞身追出，他两人被齐智一声大喝，震得心头灵光一闪，闪电般想起了此事之蹊跷，此刻两人身形展动，掌上俱已满注真力。

七姑娘已掠上马鞍，但健马尚未扬蹄，怎比得武林七大高手之迅急，眼见万万无法冲出庄门的了。落拓少年失魂落魄般立在当地，但闻身后风声响动，天法大师与柳玉茹一左一右，已将自他身旁掠过。就在这间不容发的刹那之间，落拓少年叹息一声，双臂突然反挥而出，右掌骈起如刀，左掌藏在袖中，他虽未回头，但这一掌一袖，却俱都攻向天法大师与柳玉茹必救之处，恰似背后长了眼睛一般。

天法大师、柳玉茹顾不得追人先求自保，两人掌上本已满蓄真力，有如箭在弦上，此刻回掌击出，那是何等力道。

柳玉茹冷笑道："你这是找死。"双掌迎上少年衣袖，天法大师面色凝重，吐气开声，右掌在前，左掌在后，双掌相叠，赤红的掌心迎着了落拓少年之手背，只听"勃、勃"两声闷响，似是远山后密云中之轻雷，众人瞧得清楚，只道这少年在当世两大高手夹击之下，必将骨折尸飞。

哪知轻雷响过，柳玉茹竟脱口惊呼出声，窈窕的身子，竟被震得腾空而起，天法大师"噔，噔……噔……"连退七步，每一步踩下，石地上都多了个破碎的脚印，脚印愈来愈深，显见天法大师竟是尽了全力，才使得身形不致跌倒。再看那落拓少年，身形竟借着这回掌一击之势，斜飞而出，双袖飘飘，夹带劲风，眼见便要飘出庄门之外。

七姑娘亦自打马出门，轻叱道："起！"右臂反挥，火孩儿身形凌空直上，左手拉着七姑娘右掌，右手一探，却抓住了落拓少年的衣袖，健马放蹄奔出，火孩儿、落拓少年也被斜斜带了出去，两人身形犹自凌空，看来似一道被狂风斜扯而起的两色长旗。

群豪虽是满心惊怒，但见到如此灵妙之身法，却又不禁瞧得目瞪口呆，一时间竟忘了追出，只见柳玉茹凌空一个翻身，落在地面，胸膛仍是急剧起伏。

天法大师勉强拿桩站稳，面上忽青忽白，突然一咬牙关，嘴角却沁出了一丝鲜血。他方才若是顺势跌倒，也就罢了，万不该又动了争强好胜之心，勉强挺住，此刻但觉气血翻涌，受的内伤竟不轻。

这时八条大汉已掠上了那七匹健马，前三后四，分成两排，缓步奔出。他们并未放蹄狂奔，正是要以这两道人马结成之高墙，为主人挡住追骑，只因他们深知庄中的这些武林豪雄，对他们无论如何也下不了毒手。

齐智抓着李长青肩头，抢步而出，顿足道："追，追！再迟就追不上了。"目光瞧着断虹子。

断虹子干咳一声，只作未见。齐智目光转向徐若愚，徐若愚却瞧着金不换，金不换干笑道："我两人与她又无深仇，追什么？"

这些人眼见那落拓少年那般武功，天法大师与柳玉茹联手夹击，犹自不敌，此刻怎肯追出。齐智长叹一声，连连顿足，喃喃道："七大高手若是同心协力，当可纵横天下，怎奈……怎奈都只是一盘散沙，可惜……可惜……"

"雄狮"乔五浓眉一挑，沉声道："那人揭下面具，明明只是个髫龄童子，不知前辈为何还要追她？"

齐智叹道："在她面具之下，难道就不能再戴上一层人皮面具，十三魔易容之术，本是天下无双的。"

乔五怔了一怔，恍然道："原来如此……"

金不换算定此刻别人早已去远，立刻顿足道："唉，前辈为何不早些说出……唉，徐兄，咱们追去吧。"拉起徐若愚，放足狂奔而出。

花四姑摇头轻笑道："徐若愚被此人缠上，当真要走上霉运了。"

乔五道："待俺上去瞧瞧。"一跃而去。

花四姑道："五哥，你也照样会上当的……"但乔五已自去远，花四姑顿了顿足，躬身道："前辈交代的事，晚辈决不会忘记……"她显然极是关心乔五之安危，不等话说完，人已出门。一阵风吹过，又自霏霏落下雪来。

柳玉茹呆呆地出神了半晌，也不知心里想的什么，突然走到天法大师面前，道："大师伤势，不妨事么？"

天法大师怒道："谁受了伤？受伤的是那小子。"

柳玉茹叹道："是……我五台、华山两派，不共戴天之仇人已被逸走，大师若肯与我联手，复仇定非无望，不知大师意下如何？"

天法大师厉声道："本座从来不与别人联手。"袍袖一拂，大步而出，但方自走了几步，脚步便是个踉跄。

柳玉茹嘴角笑容一闪，赶过去扶起了他，柔声道："风雪交集，大师可愿我相送一程？”天法大师呆了半晌，仰天长长叹息一声，再不说话。

风雪果然更大，齐智瞧着这七大高手，转眼间便走得一干二净，身上突然感到一阵沉重的寒意，紧紧掩起衣襟，黯然道：“武林人事如此……唉……”左手扶着冷三，右手扶着李长青，缓缓走回大厅中。

李长青道：“七大高手，虽然如此，但江湖中除了这七大高手外，也未必就无其他英雄。”

齐智道：“唉……不错……唉，风雪更大了，关上门吧……”

李长青缓缓回身，掩起了门户。只听风雪中隐约传来那冷三常醉的歌声：“风雪漫中州，江湖无故人，且饮一杯酒，天涯……咳……咳咳……天涯洒泪行……”歌声苍凉，满含一种萧索落魄之情。

李长青痴痴地听了半晌，目中突然落下泪来，久久不敢回身……

金不换拉着徐若愚奔出庄门，向南而奔。徐若愚目光转处，只见蹄印却是向西北而去，不禁顿住身形，道：“金兄，别人往西北方逃了，咱们到南边去追什么？”

金不换大笑道：“呆子，谁要去追他们？咱们不过是借个故开溜而已，再耽在这里，岂非自讨无趣么？”

徐若愚身不由主，又被他拉得向前直跑，但口中还是忍不住大声道：“说了去追，好歹也该去追一程的。”

金不换冷笑道：“徐兄莫非未瞧见那少年的武功，我两人纵然追着了他们，又能将人家如何？”

徐若愚叹了口气，说道：“那少年当真是真人不露相，想不到武功竟是那般惊人，难怪七姑娘要对他……对他那般模样了。”

金不换眯起眼睛笑道：“徐兄话里怎地有些酸溜溜的？”

徐若愚脸一红，强辩道：“我……我只是奇怪他的来历。”

金不换道：“无论他有多高武功，无论他是什么来历，但今日他实已犯了众怒，仁义三老、天法大师，迟早都放不过他去……”话声未了，雪花飞卷中，突见十余骑，自南方飞驰而来，马上人黑缎风氅，被狂风吹得斜斜飞起，骤眼望去，宛如一片乌云贴地卷来。金不换眼睛一亮，笑道：“这十余骑人强马壮，风雪中如此赶路，想必有着急事，看来我的生意又来了。”说话间十余匹马已奔到近前，当先一匹马，一条黑凛凛铁塔般的虬髯大汉，扬起丝鞭，厉叱道：“不要命了么？闪开！”

金不换横身立在道中，笑嘻嘻道：“我金不换正是不想活了，你就行个好把我踩死吧。”

虬髯大汉丝鞭停在空中，呼啸一声，十余骑俱都硬生生勒住马缰，虬髯大汉纵身下马，赔笑道：“原来是金大侠，展某着急赶路，未曾瞧见侠驾在此，多有得罪，该死该死。”双手抱拳，深深一揖。

金不换目光上上下下瞧了几眼，笑道：“我当是谁，原来是威武镖局的展英松总镖头，总镖头如此匆忙，敢情是追强盗么？”

展英松叹道：“展某追的虽非强盗，却比强盗还要可恶，不瞒金大侠，威武镖局虽不成气候，但蒙两河道上朋友照顾，多年来还未失过风，哪知昨夜竟被个丫头无缘无故摘了镖旗，展某虽无能，好歹也要追着她，否则威武镖局这块字号还能在江湖混么？”

金不换目光转了转，连瞎了的那只眼睛都似发出了光来，微微笑道：“总镖头说的可是个穿白衣服的大姑娘，还有个穿红衣服的小丫头？”

展英松神情一振，大喜道：“正是，金大侠莫非知道她们的下落？”

金不换不答话，只是瞧着展英松身上的黑缎狐皮风氅，瞧了几眼，叹着气道：“总镖头这件大氅在哪里买的，穿起来可真威风，赶明儿我要饭的发了财，咬着牙也得买它一件穿穿。”

展英松呆了一呆，立刻将风氅脱了下来，双手捧上，赔笑道：“金大侠若不嫌旧，就请收下这件……”

金不换笑道：“这怎么成？这怎么敢当？”口中说话，手里却已将风氅接了过来。

展英松干咳着，说道：“这区区之物算得什么，金大侠若肯指点一条明路，展某日后必定还另有孝敬……”

金不换早已将风氅披在身上，这才遥指西北方，道：“大姑娘、小丫头都往那边去了，要追，就赶快吧。”

展英松道：“多谢。”翻身上马，呼啸声中，十余骑又如乌云般贴地向北而去。

徐若愚看得直皱眉头，摇首叹道：“金兄有了那少年的皮裘，再穿上这风氅，不嫌太多了么？”

金不换哈哈笑道：“不多不多，我金不换无论要什么，都只会嫌少，不会嫌多……咦，奇怪，又有人来了。”

徐若愚抬头看去，只见风雪中果然又有十余骑联袂飞奔而来，这十余骑马上骑士，有的身穿锦衣皮袍，有的急装劲服，声势看来远不及方才那十余骑威风，但是健马还远在数丈开外，马上便已有人大呼道：“前面道中站着的，可是‘见义勇为’金大侠么？”几句话呼完，马群便已到了近前。

徐若愚暗惊忖道：“此人好锐利的目光。”只见那喊话之人，身躯矮小，须发花白，穿着件长仅及膝的丝绵袍子，看来毫不起眼，直似个三家村的穷秀才，唯有一双目光却是炯炯有神，亮如明星。

金不换咯咯笑道：“七丈外，奔马背上都能看清楚我的模样，武林中除了‘神眼鹰’方千里外还有谁呢？”

矮老人已自下马，拂须大笑说道：“多年不见，一见面金兄就送了顶高帽子过来，不怕压死了小弟么？”

金不换目光一扫，道：“难得难得，想不到除了方兄外，扑天雕李挺丰大侠、穿云雁易如风易大侠也都来了。”

左面马上一条身形威猛之白发老人，右边马上一条身穿锦袍，颔下五绺长髯的颀长老人，也俱都翻身下马，抱拳含笑道：“金兄久违了。”

金不换道：“江湖人言，风林三鸟自衡山会后，便已在家纳福，今日老兄弟三个全都出动，难道是出来赏雪么？”

矮老人方千里叹道：“我兄弟是天生的苦命，一闲下来，就穷得差点没饭吃，只好扬起大竿子，开场收几个徒弟，骗几个钱吃饭，苦挨了好几年，好容易等到大徒弟倒也学会几手庄稼把式去骗人，我们三块老骨头就想偷个懒，把场子交给了他们，只道从此可以安安稳稳地坐在家里收钱，哪知……唉，昨天晚上不知从哪里钻出来个疯丫头，无怨无仇，平白无故地竟将那场子给挑了，还说什么七姑娘看不得这种骗人的把式。”

金不换、徐若愚对望一眼，心里又是好气，又觉好笑，忖道：“原来那位七姑娘竟是个专惹是非的闯祸精。”

方千里叹了口气，又道：“我的几个徒弟也真不成材，竟被那个疯丫头打得东倒西歪哭哭啼啼地回来诉苦，咱们三块老废料，既然教出了这些小废料，好歹也要替他们出口气呀，没法子，这才出来，准备就算拼了老命，也得将那疯丫头追上，问问她为什么要砸人饭碗？”

徐若愚不等金不换说话，赶紧伸手指着西北方，大声道：“那些人都往那边去了，各位就快快追去吧。”

方千里上下瞧了他一眼，道：“这位是……”

金不换冷笑道：“这位是挡人财路徐若愚，方兄未见过么？”

方千里怔了怔笑道：“徐若愚？莫非是‘玉面瑶琴神剑手’徐大侠……”微一抱拳，又道：“多蒙徐兄指点，我兄弟就此别过。”一掠上马，纵骑而去。

金不换斜眼瞧着徐若愚，只是冷笑。徐若愚强笑道：“小弟并非是挡金兄的财路，只是看他们既未穿着风氅，也不似带着许多银子，不如早些将他们打发了。”

金不换独眼眨了两眨，突然笑道：“别人挡我财路，那便是我金不换不共戴天的大仇人，但是徐兄么……哈哈，自己兄弟，还有什么话说？”大笑几声，拉起徐若愚，竟要回头向西北方奔去。

徐若愚奇道：“金兄为何又要追去了？”

金不换笑道：“有了展英松与‘风林三鸟’他们打头阵，已够他们受的，咱们跟过去瞧瞧热闹有何不可？”

突听远远道旁一株枯树后有人接口笑道：“说不定还可浑水摸鱼，趁机捡点便宜，是么？”“巧手兰心女诸葛”花四姑，随着笑声，自树后转出，她身旁还站着雄狮般一条铁汉，瞪眼瞧着金不换——却正是“雄狮”乔五。

金不换面色微变，但瞬即哈哈笑道：“不想雄狮今日也变成了狸猫，行路竟如此轻捷，倒险些吓了小弟一跳。”他明明要骂乔五行动鬼祟，却绕了个弯子说出，当真是骂人不带脏字。

乔五面容突然紫涨，怒道：“你……你……”盛怒之下，竟说不出话来。

金不换更是得意，又大笑道："两位前来，不知有何见教？"

花四姑微微笑道："咱们只是赶来关照徐少侠一声，要他莫要被那些见利忘义的小人缠上了。"

金不换故意装作听不懂她骂的是自己，反而大笑道："花四姑如此好心，确是令人可敬……"瞧了徐若愚一眼："但徐兄明明久走江湖，是何时变做处处要人关照的小孩子，却令小弟不解。"

徐若愚亦自涨红了脸，突然大声道："徐某行事，自家会做得主，用不着两位赶来关照。"

花四姑轻叹一声，还未说话，金不换已拍掌笑道："原来徐兄自有主意，两位又何苦吹皱了一池春水？"

"雄狮"乔五双拳紧握，却被花四姑悄悄拉了拉衣袖。

金不换笑道："两位何时变得如此亲热，当真可喜可贺，来日大喜之时，切莫忘了请老金喝杯喜酒啊。"大笑声中，拉着徐若愚一掠而去。

乔五怒喝一声，便待转身扑将上去，怎奈花四姑拉着他竟不肯放手，只听徐若愚遥遥笑道："这一对倒真是郎才女貌……"

乔五顿足道："那厮胡言乱语，四姑你莫放在心上。"

花四姑微微笑道："我怎会与他一般见识。"

乔五仰天叹道："堂堂武林名侠，竟是如此卑鄙的小人……哦。"寒风过处，远处竟又有蹄声随风传来。

花四姑喃喃道："难道又是来找那位朱姑娘霉气的么……"

朱七姑娘打马狂奔，火孩儿拉着那落拓少年死也不肯放手，一骑三人，片时间便出半里之遥。七条大汉，亦已随后赶来，朱七姑娘这才收住马势，回眸笑道："你露了那一手，我就知道没有人敢追来了。"

落拓少年坐在马背上，不住摇头，叹道："朱七七，你害苦我了。"

朱七七柔声笑道："今日你救了她，她绝不会忘记你的。喂，你说你忘得了沈浪么？"

火孩儿笑道："忘不了，再也忘不了。"

朱七七嫣然笑道："非但她忘不了，我也忘不了。"

落拓少年沈浪叹道：“我倒宁可两位早些忘了我，两位若再忘不了我，我可真要被你们害死了。”

火孩儿笑道：“我家姑娘喜欢你还来不及，怎会害你？”

沈浪道：“好了好了，你饶了我吧。”面色突然一沉，“我且问你，你明明不是花蕊仙，却为何偏偏要他们将你当花蕊仙？”

朱七七眨了眨眼睛，道：“谁说她不是花蕊仙？”

沈浪苦笑道：“她若是‘掌中天魔’，徐若愚还有命么？她若是‘上天入地’，临走时还要我挡那一掌？七姑娘，你骗人骗得够了，却害我无缘无故背上那黑锅，叫天法大师恨我入骨。”

火孩儿咯咯笑道：“我未来前，便听我家七姑娘夸奖沈公子如何如何，如今一见，才知道沈公子果然是不得了，了不得，那号称‘天下第一智’的老头子，当真给沈公子提鞋都不配。”她一面说话，一面将火红面具揭下，露出那白渗渗的孩儿脸，仔细一瞧，果然是张人皮面具。

火孩儿随手一抹，又将这人皮面具抹了下来，里面却竟还是张孩儿脸，但却万万不是人皮面具了。只见这张脸白里透红，红里透白，像个大苹果，教人恨不得咬上一口，两只大眼睛滴溜乱转，笑起来一边一个酒窝。

望着沈浪抱拳一揖，笑道：“小弟朱八，爹爹叫我喜儿，姐姐叫我小淘气，别人却叫我火孩儿，沈大哥你要叫我什么，随你便吧，反正我朱八已服了你了。”

沈浪虽然早已猜得其中秘密，此刻还是不禁瞧得目瞪口呆，过了半晌，方自长叹一声道：“原来你也是朱家子弟。”

朱七七笑得花枝乱颤，道：“我这宝贝弟弟，连我五哥见了他都头疼，如今竟服了你，倒也难得得很。”

沈浪叹道：“这也算淘气么？这简直是个阴谋诡计，花蕊仙不知何处去了，却叫你八弟故弄玄虚，定要使人人都将他当作花蕊仙才肯走……唉！那一招‘天魔飞龙式’更是使得妙极，连齐智那般人物都被骗了。”

火孩儿笑嘻嘻道：“天魔十三式中，我只会这一招，那胡拍乱打的招式，才是我的独门功夫。”

沈浪苦笑道：“你那胡拍乱打的招式，可真害死了人，若非这些招式，齐智怎会上当……但我却要问你，这李代桃僵之计中，究竟有何文章？花蕊仙哪里去了？你们既将我卷在里面，我少不得要问个清楚。”

火孩儿道：“这个我可说不清，还是七姐说吧。”

朱七七轻叹道：“不错，这的确是个李代桃僵、金蝉脱壳之计，教别人都将老八当作花蕊仙，那么花蕊仙在别处做的事，就没有人能猜得到是谁做的……但你只管放心，花蕊仙此番去做的事，绝没有半点对不起人的，她只是要去捉弄那连天云，出出昔日的一口怨气。”

沈浪皱眉道：“连天云慷慨仗义，豪气干云，仁义三老中以他最是侠义，花蕊仙若是与他有怨，却是花蕊仙的错了。”

朱七七道：“这次却是你错了。”

沈浪道：“你处处维护着花蕊仙，竟说她已有十余年未染血腥，将我也说得信了，谁知七年前还有一百四十余人死在她手里。”

朱七七叹道：“这两件事，就是一件事。”

沈浪道：“你能不能说清楚些？”

朱七七道：“花蕊仙已有十一年未离堡中一步，八弟也有十一岁了，你不信可以问问他，我是否骗你。”

火孩儿道：“我天天缠着她，她怎么走得了？”

沈浪皱眉道：“她若真是十一年未离过朱家堡，七年前那一百四十余条性命，却又该着落在谁手里？”

朱七七叹道：“怪就怪在这里，那一百多人，不但都真的是花蕊仙的仇家，而且杀人的手法，也和花蕊仙所使的掌功极为近似，再加上沧州金振羽金家大小十七口，于一夜间全遭惨死后，连天云与那冷三连夜奔往实地勘查，更咬定了凶手必是花蕊仙，他们说的话，武林中人，自更是深信不疑，但花蕊仙那天晚上，却明明在家和我们兄妹玩了一夜状元红，若说她能分身到沧州去杀人，那当真是见鬼了。”

沈浪动容道：“既是如此，你等便该为她洗清冤名。”

朱七七叹道：“花蕊仙昔年凶名在外，我们说话，分量更远不及连天云重，为她解释，又怎能解释得清？”

沈浪皱眉道：“这话也不错。”

朱七七道：“连天云既未亲眼目睹，亦无确切证据，便判定别人罪名，不但花蕊仙满腹冤气，就连我姐弟也大是为她不平，早就想将连天云教训教训，怎奈始终对他无可奈何，直到这次……”

她嫣然一笑，接口又道：“这次我们才想出个主意，叫花蕊仙在后面将连天云引开，以‘天魔移踪术’，将他捉弄个够，而且还故意现现身形，教连天云瞧上一眼，连天云狼狈而归，必定要将此番经过说出，但是李长青与齐智却明明瞧见我八弟这小天魔在前厅闹得天翻地覆，对连天云所说的话，怎能相信？连天云向来自命一字千金，只要说出话来，无人不信，这下却连他自家兄弟都不能相信了，连天云岂非连肚子都要被生生气破？”

马行虽已缓，但仍在冒雪前行，说话间又走了半里光景。

突听道旁枯树上一人咯咯笑道：“他非但肚子险些气破了，连人也几乎被活活气死。”语声尖锐，如石击铁。

沈浪转目望去，只见枯树积雪，哪有人影，但是仔细一瞧，枯树上竟有一片积雪活动起来，飘飘落在地下，却是个满身红衣，面戴鬼脸，不但打扮得与火孩儿毫无两样，便是身形也与他相差无几的红衣人，只是此人红衣外罩着白狐皮风氅，方才缩在树上，将风氅连头带脚一盖，便活脱脱是片积雪模样，那时连天云纵然在树下走过，也未见能瞧得出她。

沈浪叹道：“想必这就是‘天魔移踪术’中的‘五色护身法’了，我久已闻名，今日总算开了眼界了。”

红衣人花蕊仙笑道：“区区小道，说穿了不过是一些打又打不得，跑也跑不快的小虫小兽身上学得来的，沈公子如此夸奖，叫我老婆子多不好意思？”这“保护之色”，果真是天然淘汰中一些无能虫兽防身护命之本能，花蕊仙这番话倒委实说得坦白得很。

朱七七笑道：“不想你竟早已在这儿等着，事可办完了？”

花蕊仙道：“这次那连天云可真吃了苦头，我老婆子……”

突然间，寒风中吹送来一阵急遽的马蹄声。朱七七皱眉道：“是谁追来了？”

花蕊仙道：“不是展英松，就是方千里。”

沈浪奇道：“展英松、方千里为何要追赶于你？”

花蕊仙咯咯笑道：“这可又是咱们七姑娘的把戏，无缘无故的，硬说瞧那镖旗不顺眼，非把它拔下来不可。”

朱七七娇笑道："可不是我动手拔的。"

火孩儿眼睛瞪得滚圆，大声道："是我拔的又怎样，那些老头儿追到这里，看朱八爷将他们打个落花流水。"

花蕊仙笑道："好了好了，本来只有一个闯祸精，现在赶来个捣蛋鬼，姐弟两人，正好一搭一档，沈相公，你瞧这怎生是好？"

沈浪抱拳一揖，道："各位在这里准备厮打，在下却要告辞了。"自马后一掠而下，往道旁纵去。

火孩儿大呼道："沈大哥莫走。"

朱七七眼眶又红了，幽幽叹道："让他走吧，咱们虽然救过他一次性命，却也不能一定要他记着咱们的救命之恩。"语声悲悲惨惨，一副自艾自怨、可怜生生的模样。

沈浪顿住身形，跺了跺脚，翻身掠回，长叹道："姑奶奶，你到底要我怎样？"

朱七七破颜一笑，轻轻道："我要你……要你……"眼波转了转，突然轻轻咬了咬樱唇，娇笑着垂下头去。

风雪逼人，蹄声愈来愈近，她竟似丝毫也不着急，花蕊仙有些着急了，叹道："姑奶奶，这不是撒娇的时候，要打要逃，却得赶快呀。"

火孩儿道："自然要打，沈大哥也帮着打。"

沈浪缓缓踱步沉吟道："打么？……"走到火孩儿身前，突然出手如风，轻轻拂了他的肩井穴。

火孩儿但觉身子一麻，沈浪拦腰抱起了他，纵身掠上朱七七所骑的马背，反手一掌，拍向马屁股，健马一声长嘶，放蹄奔去。

花蕊仙也只得追随而去，八条大汉唯朱七七马首是瞻，个个纵鞭打马，花蕊仙微一挥手，身子已站到一匹马的马股上，马上那大汉正待将马让给她，花蕊仙却道："你走你的，莫管我。"她身子站在马上，当真是轻若无物，那大汉又惊又佩，怎敢不从。

火孩儿被沈浪夹在肋下，大叫大嚷："放下我，放下我，你要是再不放下我，我可要骂了。"

沈浪微笑道："你若再敢胡闹，我便将你头发削光，送到五台山去，叫你当天法大师座前的小和尚。"

火孩儿睁大了眼睛道："你……你敢？"

沈浪道："谁说我不敢？你不信只管试试。"

火孩儿倒抽了口冷气，果然再也不敢闹了。

朱七七笑道："恶人自有恶人磨，想不到八弟也有服人的一天，这回你可遇着克星了吧。"

火孩儿道："他是我姐夫，又不是外人，怕他就怕他，有什么大不了，姐夫，你说对么？"

沈浪苦笑，朱七七笑啐道："小鬼，乱嚼舌头，看我不撕了你的嘴。"

火孩儿做了个鬼脸，笑道："姐姐嘴里骂我，心里却是高兴得很。"

朱七七娇笑着，反过身来，要打他，但身子一转，却恰好扑入沈浪怀里。

火孩儿大笑道："你们看，姐姐在乘机揩油了……"

只听风雪中远远传来叱咤之声，有人狂呼道："蹄印还新，那疯丫头人马想必未曾过去许久。"

要知风向西北而吹，是以追骑之蹄声被风送来，朱七七等人远远便可听到，而追骑却听不到前面的蹄声人语。沈浪打马更急，朱七七道："说真格的，咱们又不是打不过他们，又何必逃得如此辛苦。"

沈浪道："我也不是打不过你，为何不与你厮打？"

朱七七娇嗔道："嗯……人家问你真的，你却说笑。"

沈浪叹道："我何尝不是真的，须知你纵是武功较人强上十倍，这架还是打不得的。"

朱七七道："有何不能打？"

沈浪道："本是你无理取闹，若再打将起来，岂非令江湖朋友耻笑，何况那展英松与方千里，也不是什么好惹的人物，你若真是与他们结下不解之仇，日后只怕连你爹爹都要跟着受累。"

朱七七嫣然一笑道："如此说来，你还是为着我的。"

沈浪苦笑道："救命之恩，怎敢不报。"

朱七七轻轻叹了口气，索性整个身子都偎入沈浪怀里，轻轻道："好，逃就逃吧，无论逃到何时，都由得你。"

火孩儿吱吱怪笑道："哎哟，好肉麻……"

一行人沿河西奔，自陇城渡河，直奔至沁阳，才算将追骑完全摆脱，已是人马俱疲，再也难前行一步。这时已是第二日午刻，风雪依旧。还未到沁阳，朱七七已连声叹道："受不了，受不了，再不寻家干净客栈歇歇，当真要命了。"

沈浪道："此地只怕还歇不住，若是追骑赶来。"

朱七七直着嗓子嚷道："追骑赶来？此刻我还管追骑赶来，就是有人追上来，把我杀了，割了，宰了，我也得先好生睡一觉。"

沈浪皱眉喃喃道："到底是个娇生惯养的千金小姐……"

朱七七道："你说什么？"

沈浪叹了口气，道："我说是该好生歇歇了。"

火孩儿做了个鬼脸诡笑道："他不是说的这个，他说你是个娇生惯养的千……"语声突然顿住，眼睛直瞪着道路前方，再也不会转动。

这时人马已入城，沁阳房屋市街已在望，那青石板铺成的道路前方，突然蜿蜒转过一道长蛇般的行列。一眼望去，只见数十条身着粗布衣衫，敞开了衣襟的精壮汉子，抬着十七八口棺材，笔直走了过来。大汉们满身俱是煤灰泥垢，所抬的棺材，却全都是崭新的，甚至连油漆都未涂上，显然是匆忙中制就，看来竟仿佛是这沁阳城中，新丧之人太多，多得连棺材都来不及做了。

道路两旁行人，早已顿住脚步，却无一人对这奇异的出丧行列瞧上一眼。有的低垂目光，有的回转头去，还有的竟躲入道旁的店家，似乎只要对这棺材瞧上一眼，便要惹来可怖的灾祸。

火孩儿瞧得又是惊奇，又是诧异，连眼珠子都已瞧得不会动了，过了半晌才叹出口气，道："好多棺材。"

朱七七道："的确不少。"

火孩儿道："什么不少，简直太多了，这么多棺材同时出丧，我一辈子也未见过，嘿嘿，只怕你也未见过吧。"

朱七七皱眉道："如此多人，同时暴卒，端的少见得很，瞧别人躲之不及的模样，这里莫非有瘟疫不成？"

火孩儿道："如是瘟疫死的，尸首早已被烧光了。"

朱七七道："如非瘟疫，就该是武林仇杀，才会死这么多人，但护送棺材的人，却又没有一个像是江湖豪杰的模样。"

火孩儿道："所以这才是怪事。"

花蕊仙早已过来，她面上虽仍戴着面具，但别人只当顽童嘻戏，致未引人注目。

朱七七转首问她："你可瞧得出这是怎么回事？"

花蕊仙道："不管怎样，这沁阳必是个是非之地，咱们不如……"她还未说出要走的话来，朱七七却已瞪起眼睛，道："是非之地又如何？"

花蕊仙道："没有什么。"轻轻叹了口气，喃喃道："是非之地，又来了两个专惹是非的角色……唉，只怕是要有热闹瞧了。"

朱七七只当没有听见，只要沈浪不说话，她就安心得很，待棺材一走过，她立刻纵上了长街。

只见街上一片寂然，人人俱是闭紧嘴巴，垂首急行。方才的行列虽是那般奇异，此刻满街上却连个窃窃私议的人都没有，这显然又是大出常情之事，但朱七七也只当没有瞧见，寻了个客栈，下马打尖。

那客栈规模甚大，想必是这沁阳城中最大的一家。此刻客栈冷冷清清，连前面的饭庄都寂无一人，已来到沁阳的行商客旅，都似乎已走得干干净净，还没有来的，也似乎远远就绕道而行，这"沁阳"此刻竟似已变成了个"凶城"。

傍晚时朱七七方自一觉醒来。她虽然睡了个下午，却并未睡得十分安稳，睡梦之中，她仿佛听到外面长街之上，有马蹄奔腾，往来不绝。此刻她一睡醒，别人可也睡不成了。

匆匆梳洗过，她便赶到隔壁一间屋外，在窗外轻轻唤道："老八，老……"

第二声还未唤出口来，窗子就已被推开，火孩儿穿了一件火红短袄，站在临窗一张床上，笑道："我算准你也该起来了。"

朱七七悄声道："他呢？"

火孩儿皱了皱鼻子，道："你睡得舒服，我可苦了，简直眼睛都不敢阖，一直盯着他，他怎么走得了，你瞧，还睡得跟猪似的哩。"

朱七七道："不准骂人。"眼珠子一转，只见对面床上，棉被高堆，沈浪果然还在高卧，朱七七轻笑道："不让他睡了，叫醒他。"

火孩儿笑道："好。"凌空一个筋斗，翻到对面那张床上，大声道："起来起来，女魔王醒来了，你还睡得着么？"

沈浪却真似睡死一般，动也不动。

火孩儿喃喃道："他不是牛，简直有些像猪了……"突然一拉棉被，棉被中赫然还是床棉被，哪有沈浪的影子？

朱七七惊呼一声，越窗而入，将棉被都翻到地上，枕头也甩了，顿足道："你别说人家是猪，你才是猪哩，你说没有阖眼睛，他难道变个苍蝇飞了不成？……来人呀，快来人呀……"

花蕊仙、黑衣大汉们都匆匆赶了过来，朱七七道："他……他又走了……"一句话未说完，眼圈已红了。

火孩儿被朱七七骂得撅起了小嘴，喃喃地道："不害臊，这么大的人，动不动就要流眼泪，哼，这……"

朱七七跳了起来，大叫道："你说什么？"

火孩儿道："我说……我说走了又有什么了不得，最多将他追回来就是。"

朱七七道："快，快去追，追不回来，瞧我不要你的小命……你们都快去追呀，瞪着眼发啥呆？只怕……只怕这次再也追不着了。"突然伏在床上，哭了起来。

火孩儿叹了口气道："追吧……"

突见窗外人影一闪，沈浪竟飘飘地走了进来。

火孩儿又惊又喜，扑过去一把抓住了他，大声道："好呀，你是什么时候走的？害得我挨骂。"

沈浪微微笑道："你在梦里大骂金不换时，我走的……"

第三章

死神夜引弓

火孩儿见饭堂中的客人俱都对朱七七评头论足，气得瞪起眼睛，道："七姐，你瞧这些小子胡说八道，可要我替你揍他们一顿出气。"

朱七七道："出什么气？"

火孩儿怪道："人家说你，你不气么？"

朱七七嫣然笑道："你姐姐生得好看，人家才会这样，你姐姐若是个丑八怪，你请人家来说，人家还不说哩，这些人总算还知道美丑，不像……"瞟了沈浪一眼："不像有些人睁眼瞎子，连别人生得好看不好看都不知道。"

沈浪只当没有听见，朱七七咬了咬牙，在桌底下狠狠踩了他一脚，沈浪还是微微含笑，不理不睬，直似完全没有感觉。

火孩儿摇着头，叹气道："七姐可真有些奇怪，该生气的她不生气，不该生气的她却偏偏生气了。"

朱七七道："小鬼，你管得着么？"

火孩儿笑道："好好，我怕你，你心里有气，可莫要出在我身上。"只听众人说得愈来愈起劲，笑声也愈来愈响，目光更是不住往这边瞟了过来，火孩儿皱了皱眉，突然跑出去将那八条大汉都带了进来，门神般站在朱七七身后。八人俱面色铁青，满带煞气，眼睛四下一瞪，说话的果然少了。唯有左面角落中，一人笔直坐在椅上，始终不声不响，动也未动，一双冷冰的目光，瞬也不瞬地盯着门口，似是等着什么人似的，目中却满含仇恨之意，他身穿蓝布长衫，已经洗得发白，苍白的面容没有一丝血色，颔下无须，年纪最多不过二十五六。

这时门外又走进一个人来，面容身材，都与这蓝衫少年一模一样，只是穿着的却是一袭质料甚是华贵的衣衫，年纪又轻了几岁，嘴角常带笑容，与那蓝衫少年冷漠的神情大不相同，他目光在朱七七面上盯了几眼，又瞧了瞧沈浪，便径自走到蓝衫少年身旁坐下，笑道："大哥你早来了么？"

蓝衫少年双目却始终未曾自门口移开，华服少年似乎早已知道他不会答话，坐下来后，便自管吃喝起来，只是目光也不时朝门外瞧上两眼。

另一张圆桌上几条大汉眼睛都在悄悄瞧着他们，其中一人神情最是剽悍，瞧起人来，睥睨作态，全未将别人放在眼睛里，此刻却压低声音，道："这两人可就是前些日子极出风头的丁家兄弟么？"

他身旁一人，衣着虽极是华丽，但獐头鼠目，形貌看来甚是猥琐不堪，闻言赔笑道："铁大哥眼光，果然敏锐，一眼就瞧出了。"

那剽悍大汉浓眉微皱道："不想这两人也会赶来这里，听人说他兄弟俱是硬手，这件事有他两人插入，只怕就不大好办了。"

那鼠目汉子低笑道："丁家兄弟虽扎手，但有咱们'神枪赛赵云'铁胜龙铁大哥在这里，还怕有什么事不好办的。"

铁胜龙遂即哈哈一笑，目光转处，笑声突然停顿，朝门外呆望了半晌，嘶声道："真正扎手的人来了。"

这时满堂群豪，十人中有九人都在望着门口，只见一男一女，牵着个小女孩子，大步走入。他两人显然乃是夫妻，男的熊肩猿腰，筋骨强健，看去满身俱是劲力，但双颧高耸，嘴角直似已咧到耳根，面貌煞是怕人。那女的身材婀娜，乌发堆云，侧面望去，当真是风姿绰约，貌美如花，但是若与她面面相对，只见那芙蓉粉脸上，当中竟有一条长达七寸的刀疤，由发际穿眉心，斜斜划到嘴角。她生得若本极丑陋，再加这道刀疤也未见如何，但在这张俏生生的清水脸上，骤然多了这条刀疤，却不知平添了几许幽秘恐怖之意，满堂群豪虽然是胆大包天的角色，也不觉看得由心里直冒寒气。她夫妻虽然吓人，但手里牵着的那小女孩子，却是天真活泼，美丽可爱，圆圆的小脸，生着圆圆的大眼睛，到处四下乱转，瞧见了火孩儿，突然做了个鬼脸，伸了伸舌头，嘻嘻直笑。

火孩儿皱眉道："这小鬼好调皮。"

朱七七笑道："你这小鬼也未见得比人家好多少。"

满堂群豪却在瞧着这夫妻两人，他夫妻却连眼角也未瞧别人一眼，只是逗着他们的女儿，问她要吃什么，要喝什么，似是天下只有他们这小女儿才是最重要的。

朱七七笑道："有趣有趣，怪人愈来愈多了，想不到这沁阳城，竟是如此热闹。"

沈浪道："你可知这夫妻两人是谁么？"

朱七七道："他们可知我是谁么？"

沈浪叹道："小姐，这两人名头只怕比你要大上十倍。"

朱七七笑道："当今武林七大高手也不过如此，他们又算得什么？"

沈浪道："你可知道江湖中藏龙卧虎，纵是人才凋零如此刻，但隐迹风尘的奇人还不知有多少。那七大高手只不过是风云际会，时机凑巧，才造成他们的名声而已，又怎见武林中便没有人强过他们。"

朱七七笑道："好，我说不过你，这两人究竟是谁？"

沈浪道："我也不知道。"

朱七七气得直是跺脚，悄声道："若不是有这么多人在这里，我真想咬你一口。"

忽然间，只听一声狂笑之声，由门外传了进来，笑声震人耳鼓，听来似是有十多个人在同时大笑一般，群豪又被惊动，齐地侧目望去，只见七八条大汉，拥着个又肥又大的和尚，走了进来。这七八条大汉，不但衣衫俱都华丽异常，而且脚步稳健，双目有神，显见得是武林中知名之士，但却都对这和尚恭敬无比。而这胖大和尚，看来却委实惹人讨厌，虽如此严寒，他身上竟只穿了件及膝僧袍，犊鼻短裤，敞开了衣襟，露出了满身肥肉，走一步路，肥肉就是一阵颤抖，朱七七早已瞧得皱起了眉头。

火孩儿悄声道："七姐，你瞧这和尚像只什么？"

朱七七扑哧一笑，道："小鬼，人家正在吃饭，你可不许说出那个字儿，免得叫我听了，连饭都吃不下去。"

火孩儿道："若说这胖子也会武功，那倒真怪了，他走路都要喘气，还能和人动手么？"

只见与这胖大和尚同来的七八条大汉，果然是交游广阔，满堂群豪，见了他们，俱都站起身子，含笑招呼。只有那一双夫妻，仍是视若无睹，那兄弟两人，此刻却一起垂下了头，只顾喝酒吃菜，也不往门外瞧了。

铁胜龙拉了拉那鼠目汉子的衣袖，悄声道："这胖和尚是谁，你可知道？"

鼠目汉子皱眉道："在江湖中只要稍有名头的角色，我万事通可说没有一个不知道的，但此人我却想不到他是谁。"

铁胜龙道："如此说来，他必是江湖中无名之辈了。"

万事通沉吟道："这……的确……"

铁胜龙突然怒叱道："放屁，他若是无名之辈，秦镖头、王镖头、宋庄主等人怎会对他如此恭敬？万事通，这次你可瞎了眼了。"

这时大厅中已挤得满满的，再无空座，八九个堂倌忙得满头大汗，却仍有所照应不及。但大厅堂却只听见那胖大和尚一个人的笑声，别人的声音，都被他压了下去，火孩儿嘟着嘴道："真讨厌。"

朱七七道："的确讨厌，咱们不如……"

沈浪道："你可又要惹事了？"

朱七七道："这种人你难道不讨厌么？"

沈浪道："你且瞧瞧，这里有多少人讨厌他，那边兄弟两人，眼睛一瞧他，目中就露出怨毒之色，哥哥已有数次想站起来，却被弟弟拉住，还有那夫妻两人，虽然没有瞧过他一眼，但神情也不对了，何况那边铁塔般的大汉也有些跃跃欲试，只是又有些不敢……这些人迟早总会忍不住动手的，你反正有热闹好瞧，自己又何必动手。"

朱七七叹道："好吧，我总是说不过你。"

突听那和尚大笑道："来了来了。"

群豪望将过去，但见两条黑衣大汉，夹着个歪戴皮帽的汉子，走了进来。这汉子一眼便可看出是个市井中的混混儿，此刻却已吓得面无人色，两条黑衣大汉将他推到那胖大和尚面前，其中一人恭声道："这厮姓黄，外号叫黄马，对那件事知道得清楚得很，这沁阳城中，也只有他能说出那件事来。"

胖大和尚笑道："好，好，先拿一百两银子给他，让他定定心。"立刻有人掏出银子，抛在黄马脚下。

黄马眼睛都直了，胖大和尚笑道："说得好，还有赏。"

黄马呼了口气，道："小人黄马，在沁阳已混了十多年……"

胖大和尚道："说简单些，莫要啰唆。"目光四扫一眼，又大笑道："说的声音也要大些，让大伙儿都听听。"

黄马咳嗽了几声，大声道："沁阳北面，是出煤的，但沁阳附近，却没有什么人挖煤，直到前半个多月，突然来了十来个客商，将沁阳北面城外的地全部买下了，又从外面雇了百多个挖煤的工人，在上个月十五那天，开始挖煤，但挖了半个月，也没有挖出一点煤渣来。"他说的虽是挖煤的事，但朱七七、沈浪瞧到满堂群豪之神情，已知此事必定与沁阳城近日所发生之惊人变故有关，也不禁倾听凝神。

黄马悄悄伸出脚将银子踩住，嘴角露出一丝满足之微笑，接道："但这个月初一，也就是四天前，他们煤未挖着，却在山脚下挖出一面石碑，那石碑上刻着……刻着……八个字……"

方自说了两句话，他面上笑容已消失不见，而泛起恐惧之色，甚至连话声也颤抖起来："那八个字是：遇石再入，天现凶瞑。"

群豪个个在暗中交换了眼色，神情更是凝重，那胖大和尚也不笑了，道："除了这八个字外，石碑上还有什么别的图画？"

黄马想了想，道："没有别的了，听说那些字的每一笔，每一画，都是一根箭，一共是七十根箭，才拼成那八个字。"

群豪不约而同，脱口轻呼了一声："箭。"声音里既是惊奇，又是诧异，显然还都猜不出这"箭"象征的是什么。

黄马喘了口气，接道："挖煤的人里也有识字的，看见石碑都不敢挖了，但那些客商，见了石碑，却显得欢喜得很，出了三倍价钱，一定要挖煤的再往里挖，当天晚上，就发现山里面竟有一道石门，门上也刻着八个字：'入门一步，必死无赦。'似是用朱砂写的，红得怕人。"

大厅中一片沉寂，唯有呼吸之声，此起彼落。只听黄马接道："挖煤的瞧见这八个字，再也不敢去了，那些客商似乎早已算到有此一招，竟早就买了些酒肉，也不说别的，只说犒赏大家，于是大伙儿大吃大喝，喝到八九分酒意，客商们登高一呼，大伙儿再也不管门上写的是什么，群众齐下，锄开了门，冲了进去，但第二天……第二天……"

那胖大和尚厉声道："第二天怎样？"

黄马额上已沁出冷汗，颤声道："头天晚上进去的人，第二天竟没有一个出来，到了中午，他们的妻子父母，都赶到那里，拥在矿坑前，痛哭呼喊，那声音远在城里也可听见，当真是凄惨已极，连小人听了都忍不住要心酸落泪，但……但直到下午，矿坑里仍是毫无响应。”他伸手抹冷汗，手指也已不住颤抖，喘了两口气，方自接道：“到后来终于有几个胆子大的，结伴走进去，才发觉那些人竟都已死在石门里一间大厅中，也瞧不见他们身上有何伤痕，但死状却是狰狞可怕已极，有的双眼凸出，眼珠里还留着临死前的惊骇与恐怖，进去的人哪敢再瞧第二眼，狂呼着奔了出来，死者的家人悲痛之下，抢着要进去，幸好大多被人劝住，只选出几个年轻力强之人，进去抬出了死者的尸身，赶紧掩埋，哪知……哪知到了第三天的午间，就连那些进去抬尸身的人也都突然死了。”他虽是市井之徒，但口才却是不错，将这件惊人恐怖之事，说得历历如绘，群豪虽然胆大，但听到这里，只觉手足冰冷，心头发寒，十人中倒有九人，不知不觉拿起了酒杯，仰首一饮而尽。

坐在那和尚身侧一个枯瘦老人，目光灼灼，举杯沉吟半晌，道：“你可知道那些进去抬棺材的人，到了第三天是如何死的？”

黄马道：“……”他嘴张了两次，却说不出一个字来，到了第三次，方自嘶哑着声音道：“那些人第三天午间，有的正在吃饭，有的正在为死者捻香，有的正在挑水，还有个人正弯着腰写挽联，但到了正午，这些分散在四方的人，竟不约而同突然见着鬼似的，平地跳起老高，口中一声惊呼还未发出，便倒在地上，全身抽搐而死。”

枯瘦老人身子一震，“当”的一声将酒杯放到桌上，双目呆望着屋梁，喃喃道：“子不过午，好厉害……好厉害……”目光中也充满了惊恐之色，“噗”的一响，酒杯也被生生捏碎了。

朱七七在桌子上悄悄抓住了沈浪的手掌，花容失色，只有火孩儿睁大了眼睛，道：“难道那些人都是中毒死的？”

枯瘦老人说道：“不错，毒……毒……那石门里每一处必然都有剧毒，常人只要手掌沾上了石门、石壁，甚至只要沾上那些中毒而死的人，只怕都活不过十二个时辰……如此霸道的毒药，老夫已有二十年未曾见过了。”

那胖大和尚道：“难道比你这‘子午催魂’莫希所使的毒药还厉害么？”群豪听得这老人竟是当今武林十九种歹毒暗器中名列第三之“子

午催魂沙”的主人，面容都不禁微微变色。

莫希却惨然笑道：“老夫所使的毒药，比起人家来，只不过有如儿戏一般罢了。”

胖大和尚微一皱眉，竟突然放声狂笑起来道：“各位只要跟着洒家保险死不了，再厉害的毒药，在洒家眼中看来，也不过直如白糖一般而已。”笑声一顿，厉声道：“那入口可是被人封了？”

黄马道：“那魔洞一日一夜间害死了二百余人，还有谁敢去封闭于它，甚至连这沁阳城，行旅俱已改道而过，若还有人走近那魔洞去瞧上一眼，那人不是吃了熊心豹胆，想必就是个疯子。”

胖大和尚仰天笑道：“如此说来，这里在座的人，只怕都要去瞧瞧，难道全都是疯子不成？”

黄马怔了一怔，面色惨变，“噗”地跪了下来，叩首如捣蒜，颤声道：“小人不敢，小人不……不是这意思。”

胖大和尚道：“还不快滚。”

黄马如蒙大赦一般，膝行几步，连滚带爬地逃了，连银子都忘在地上。火孩儿突然一个纵身，倒翻而出，伸手抄起了银子，抛了过去，银子“当”地落在黄马前面门外，火孩儿已端端正正坐回椅上，笑嘻嘻道：“辛苦赚来的银子，可莫要忘了带走。”

群豪见他小小年纪，竟露了这么手轻功，都不禁为之悚然动容，胖大和尚抚掌笑道：“好孩子，好轻功，是跟谁学的？”

火孩儿眼珠转了转，道：“跟我姐姐。”

胖大和尚道：“好，好孩子，你叫什么？”

火孩儿道：“叫朱八爷，大和尚，你叫什么？”

胖大和尚哈哈笑道：“朱八爷，哈哈，好个朱八爷，洒家名叫一笑佛，你可听过么？”大笑声中，离座而起，缓缓走到火孩儿面前，全身肥肉，随着笑声不住地抖，看来真是滑稽。

但朱七七与沈浪却半点也不觉滑稽，一笑佛还未走到近前，两人暗中已大加戒备，沈浪右掌，悄悄搭住了火孩儿后心。突然间，一笑佛那般臃肿胖大的身子，竟自横飞而起，但却并非扑向火孩儿，而是扑向坐在角落中那丁家兄弟两人。这一招倒是出了群豪意料之外，只见一笑佛这一击，虽然势如雷霆，丁家兄弟出手亦是快如闪电。

蓝衫少年丁雷身子一缩，便将桌子踢得飞了起来，反手自腰畔抽出一柄百炼精钢软剑，迎面一抖，伸得笔直。华服少年丁雨纵声狂笑道："好和尚，我兄弟还未找你，不想你倒先找来了。"兄弟两人身形闪动间已左右移开七尺。

一笑佛身形凌空，眼见桌子飞来，竟然不避不闪，也不伸手去挡，迎头撞了过去，只听"砰"的一声大震，一张桌子竟生生被他撞得四分五裂，木板、杯盏、酒菜，暴雨般四下乱飞，一笑佛百忙中还顺手抄着两条桌腿，大喝一声，震起双臂，着力向丁家兄弟扫出。他身形本大，双臂又长，再加上两条桌腿，纵横何止一丈，但闻风声虎虎，满眼烛火飘摇，当真有如泰山压顶而来，丁家兄弟俱都已在他这一击威力笼罩之下，眼见已是无法脱身，群豪更被他这一击之威所惊，有的变色，有的喝彩，也有的暗为丁家兄弟担心。哪知丁家兄弟身形一闪，竟自他袖底滑了过去，他兄弟若是后退闪避，纵然躲得开这一招，也必定被他后招所制。但这兄弟两人年纪虽轻，交手经验却极丰，临敌时判断之明确迅速更是超人一等，竟在这间不容发的刹那间，作了这常人所不敢作之决定，不退不闪，反而迎了上去，自一笑佛肋下，轻轻滑到他身后，要知两肋之下，真力难使，自也是他这一击攻势最弱之一环。

一笑佛眼前一空，丁家兄弟已无影无踪，但觉身后掌声划空袭来，显然丁家兄弟头也未回，便自反手一招击出。这时正是一笑佛攻势发动，威力上正俱巅峰之际，要想悬崖勒马，撤招抽身，原是难如登天。

但这狂僧武功也实有惊人之处，左肘一缩，右臂向左挥出，左腿微曲，右腿向左斜踢，巨大的身形，竟借着这一挥一踢之势，风车般凌空一转，竟自硬生生转了身，左手桌腿，随着臂肘一缩之力，巧妙地挡住了丁雷剑锋，右腿却已踢向丁雨肩胛之处。

方才他那一招攻势，固是威不可当，但此刻这一招连踢带打，攻守兼备，更是武林罕见之妙招，时间、部位拿捏之准，俱是妙到峰巅，不差分毫，谁也想不到如此笨重的身子，怎地使得出如此巧妙的招式来。

丁家兄弟冷笑一声，头也不回，飞掠而出，等到一笑佛身形落地，他兄弟两人已远在门外。只听丁雷冷笑道："要动手就出来。"

丁雨道："他既已来了，还怕他不出来么。"

自一笑佛攻势发动，到此刻也不过是瞬息之事，双方招式，俱是出人不意，来去如电，无一招不是经验、武功、智慧三者混合之精粹，群豪都不禁瞧得呆了，直等丁家兄弟语声消失，方自情不自禁喝起彩来，彩声中一笑佛面容紫涨，竟未追出。

“子午催魂”莫希阴恻恻道：“雷雨双龙剑，壮年英发，盛名之下早无虚士，大师此后倒真要小心了。”

一笑佛突然仰天狂笑道：“这两个小毛崽子，洒家还未放在眼里，莫不是这档子正事要紧，洒家还会放他们走么？”笑声突顿，目光四扫，大声道：“那件事各位想必早已听得清清楚楚，各位中若有并非为此事来的，此刻就请离座，只要是为此事来的，都请留在这里，洒家和各位聊聊。”

朱七七冷道：“你凭什么要人离座？”

一笑佛凝目瞧了她两眼，哈哈笑道：“女檀越既如此说话，想必不是为此事而来的了。”

朱七七暗暗忖道：“此人看来虽是有勇无谋，不想倒也饶富心计，果然是个厉害角色。”心里虽已知道他是个厉害角色，可全没有半点惧怕于他，冷冷一笑道：“你想错了，本姑娘偏偏就是为了此事来的。”说到这里，情不自禁偷偷瞟了沈浪一眼，一笑佛目光也已移向沈浪。只见沈浪懒洋洋举着酒杯，浅浅品尝，这厅堂中已闹得天翻地覆，他却似根本没有瞧上一眼。

这样的人，一笑佛委实从未见过，呆了一呆，哈哈大笑道：“好……好……”转身走向旁边一张桌子，道：“你们呢？”

这张桌上的五条大汉，一起长身而起，面上俱已变了颜色，其中一人强笑道：“大师垂询，不知有何……”

话未说完，一笑佛已伸手抓了过去，这大汉明明瞧见手掌抓来，怎奈偏偏闪避不开，竟被一笑佛凌空举起，“砰”地摔在桌面上，酒菜碗盏，四下乱飞。另四条大汉惊怒交集，厉叱道：“你……”

一个字方出口，只听一连串“啪、啪”声响，这四条大汉面颊上，已各各着了两掌，顷刻间两边脸都肿了。

一笑佛哈哈笑道：“好没用的奴才……”笑声一顿，厉声道：“办事的人，固然愈多愈好，但此事若有你们这样没有用的奴才插身在其间，却是成事不足，败事有余……咄，还不快滚？”

四个人扶起那条大汉，十只眼睛，面面相觑，有的摸着脸，有的叹着气。也不知是谁说了句：“走吧。”五个人垂头丧气，果然走了。

一笑佛却已转身走向另一张桌子，这张桌子上四条大汉，早已在眼睁睁瞪着他，双拳紧握，凝神戒备。此刻见他来了，四条大汉齐地暴喝一声，突飞扑过来，八只碗钵般大小的拳头，没头没脸向一笑佛打了过去。一笑佛仰天一笑，左掌抓着一条大汉衣襟，右掌将一条大汉打得转了两个圈子，方自跌倒，肘头一撞，又有一条大汉捧着肚子俯下身子，还剩下一条大汉，被他飞起一脚，踢得离地飞起，不偏不倚，竟似要跌倒在沈浪与朱七七的桌子上，沈浪头也不回，微一招手，那大汉被他这轻轻一招，飞过桌子，竟轻轻落在地上站住了，他又是惊喜，又是骇然，转首去望沈浪。沈浪仍是持杯品酒，对任何事都不理不睬。

一笑佛皱了皱眉，大喝一声，将左掌抓着的大汉，随手掷了出去，风声虎虎，灯火又有一盏灭了。旁边一张桌子，突也有人大喝一声，站了起来，振起双臂，双手疾伸，将这大汉硬生生接住了，脚下虽也不免有些踉跄，但身子却仍铁塔般屹立不动，正是那“神枪赛赵云”铁胜龙。

万事通早已喝起彩来。一笑佛哈哈笑道：“人道铁胜龙乃是河北第一条好汉，看来倒不是吹嘘之言。”

铁胜龙面上神采飞扬，满是得色，抱拳道：“不想大师竟也知道贱名，好教铁某惭愧。”

一笑佛道：“似铁兄这般人物，洒家正要借重，但别人么……”转目四扫一眼，只见满堂群众，慑于他的声势武功，十人中倒有七人站起身子，悄悄走了。

一笑佛哈哈笑道：“剩下来的，想必都是英雄，但洒家却还要试一试。”锐利的目光，突然凝注到万事通面上。

万事通干笑一声，悄声道：“隔壁桌上剩下的两位，着紫衣的是‘通州一霸’黄化虎，着花衫的是他义子‘小霸王’吕光，再过去便是‘泼雪双刀将’彭立人、‘震山掌’皇甫嵩、‘恨地无环’李霸、‘游花蜂’萧慕云，抽旱烟的那位便是两河点穴名家王二麻子。”他将这些武林名侠之名姓，说来如数家珍一般，竟无一人他不认识。

一笑佛颔首道：“好，还有呢？”

万事通喘了口气道："在这桌上的两位，乃是'赛温侯'孙通孙大侠、'银花镖'胜滢胜大官人，在下万诗崇，别人念起来，就念成'万事通'，至于那边桌子上的姑娘，不是'活财神'朱府的千金，就是江南海家的小姐，只有……那夫妻两位，小人却认不出了。"

一笑佛大笑道："如此已足够，果然不愧为万事通，日后洒家倒端的少不得你这般人物。"

万事通大喜道："多谢佛爷抬举……"

一笑佛道："胜大官人，请用酒。"突然一拍桌子，那桌上酒杯竟凭空跳了起来，直飞到胜滢的面前。

胜滢微微笑道："赐酒拜领。"手掌一伸，便将酒杯接住，仰首一干而尽，杯中酒一滴不漏。此人年轻貌秀，文质彬彬，看来只是个富家巨室的纨绔公子，但手上功夫之妙，却端的不同凡俗。

一笑佛哈哈笑道："好，好……孙大侠，洒家也敬你一杯。"出手一拍，又有只杯子直飞对面的"赛温侯"孙通。

这孙通亦是个俊少年，只有眉宇间微带傲气，见到酒杯飞来，也不伸手，突然张口咬了过去，酒杯果然被他咬住，孙通仰首吸干了杯中美酒，只听"咔"的一响，原来酒杯已被他咬破了，显见他反应虽快，目力虽准，但内力修为，却仍差了几分火候。

孙通面颊不禁微红，幸好一笑佛已颔首笑道："常言道：俊雁不与呆鸟同飞。在座的四人果然都是英雄。"

孙通只当他未曾瞧见自己失态，方自暗道侥幸，哪知一笑佛却又放低声音，道："嘴唇若是破了，快用酒漱漱，免得给人看到。"

孙通苦笑一声，垂首道："多承指教。"

一笑佛仰天大笑几声，身躯突地一翻，两道风声，破空而出，原来他不知何时已抄起两只筷子在手里，此刻竟以"甩手箭"中"一龙抢珠"的手法，直取那"小霸王"吕光的双脚。

吕光似是张皇失措，来不及似的纵身跃起，眼见那双筷子便要击上他足趾，突见吕光后腿一曲，双足凌空，连环踢出，将那双筷子踢起五尺，车轮般在空中旋转，吕光疾伸双掌，将筷子抄在手里，飘身落下，夹了块白切鸡在嘴里，一面咀嚼，一面笑道："多谢赐筷。"但是他面不红，气不喘，露的那一手却当真是眼力、腰力、腿力、手力无一不足，轻功也颇具火候。

群豪瞧在眼里，俱都暗暗喝彩，“通州一霸”黄化虎却是面容凝重，全神戒备，只等那一笑佛前来考较。

哪知一笑佛却只是大笑道：“有子如此，爹爹还会错吗？”大步走过，黄化虎松了口气，暗暗地抹汗。

只见一笑佛大步走到“泼雪双刀将”彭立人面前，上上下下，瞧了他几眼，忽然沉声道：“立劈华山。”

彭立人瞠目呆了半晌，方自会过意来，这一笑佛竟乃以口叙招式，来考较自己的刀法。他浸淫刀法数十年，这正如考官试题出到他昨夜念过的范本上，彭立人不禁展颜一笑，道：“左打凤凰单展翅，右打雪花盖顶门。”这一招两式，攻守兼备，果然不愧名家所使刀法。

一笑佛道：“吴刚伐桂。”

彭立人不假思索，道：“左打玉带拦腰，右打玄鸟划沙。”这两招亦是一攻一守，正不失双刀刀法中之精义。

一笑佛道：“明攻拨草寻蛇，暗进毒蛇出穴。”

要知刀法中“拨草寻蛇”一招，长刀成反复蜿蜒之势，变化虽繁复，却失之柔弱，“毒蛇出穴”却是中锋抢进，迅急无俦，用的乃是刀法中极为罕见的“制”字诀，是以两招出手虽相同，攻势却大异其趣，对方若不能分辨，失之毫厘，便错之千里。

彭立人想了想，缓缓道：“左打如封似闭，右打腕底生花，若还未接住，便将双刀搭成十字架……不知成么？”

一笑佛道：“好，我也以腕底生花攻你。”

彭立人呆了一呆，苦思良久，方自将破法说出，一笑佛却是愈说愈快，三招过后，彭立人已是满头大汗。

一笑佛又道：“我再打‘立劈华山’，你方才既使出‘枯树盘根’这一招，此刻便来不及再使‘雪花盖顶’了。”

彭立人皱眉捻须，寻思了几乎盏茶时分，方自松了口气，道：“左打‘朝天一炷香’，右打‘龟门三击浪’，攻你必救。”

一笑佛微微道：“好……挥手封喉。”

彭立人抹了抹汗珠，展颜笑道：“我既已攻你下盘小腹，你必须抽撤退步，怎能再使出这一招‘挥手封喉’来？”

一笑佛道："别人不能，洒家却能……你瞧着。"突然一伸手，已将彭立人腰畔斜挂之长刀抽了出来，虚虚一刀"立劈华山"砍了下去，但招式未满，突似遇袭，下腹突然向后一缩，肩不动脚不移，下腹竟似已后退一尺有余，一笑佛刀锋反转，果然一招"挥手封喉"攻出，匹练般的刀光，直削彭立人咽喉，但刀锋触及他皮肤，便硬生生顿住。

一笑佛大笑道："如何？"

彭立人满头大汗，涔涔而落，顿声道："大师若果真施出这一招来，小人脑袋已没有了。"

一笑佛道："但你也莫要难受，似你这般刀法，已是武林一流身手，若换了别人，在洒家那一招'腕底生花'时，便已送命了。""锵"的一声，已将长刀送回鞘中，再也不瞧彭立人一眼，转身走向皇甫嵩。

彭立人松了口气，只觉双膝发软，遍体冰凉，原来早已汗透重衣，一阵风吹来，不禁激灵灵打了个寒噤，"泼雪双刀"成名以来与人真刀真枪，立搏生死之争战何止千百次，但自觉若论惊心动魄，危急紧张之况，却以此次舌上谈兵为最。

"震山掌"皇甫嵩、"恨地无环"李霸、"游花蜂"萧慕云三人，似是早有商议，此刻不等一笑佛走到面前，李霸突然转身奔出，将院中一方青石举起，这方青石足有桌面般大小，其重何止五百斤，若非天生神力，再也休想将之移动分毫。

但李霸竟将之平举过顶，一步步走了进来，只见他虎背熊腰，双臂筋结虬现，端有几分霸王举鼎之气概。

"震山掌"皇甫嵩轻喝道："好神力。"身子一跃而起，右掌急挥而出，但闻"砰"的一声，有如木石相击，那方青石竟被他这一掌震出一道缺口，石屑四下纷飞，巨石夹带风声，向院外飞去。

"游花蜂"萧慕云身子微微向下一俯，颀长瘦削的身形，突似离弦之箭一般，急射而出。巨石去势虽快，但他身形竟较巨石尤快三分，眨眼间便已追及，伸手轻轻托住巨石，脚下丝毫不停，接连几个起落，竟将这方巨石生生托出了院墙，过了半盏茶时分，只听远处"砰"的一响，又过了半盏茶时分，萧慕云燕子般一掠而回，面不红，气不涌，抱拳笑道："那块石块摆在院中，也是惹厌，兄弟索性借着皇甫大哥一掌之威，将它送到后面垃圾堆去了。”那垃圾堆离此地最少也有百余丈远近，“游花蜂”萧慕云竟一口气将巨石送到那里，虽是借力使力，有些取巧，但身手之快，劲力运用之妙，已远非江湖一般武师所能梦想，正可与“恨地无环”李霸之神力、“震山掌”皇甫嵩之掌功，鼎足而三，不分上下。

一笑佛微微笑道：“三位功夫虽不同，但异曲同工，各有巧妙。李兄出力多些，萧兄唬的外行人多些，若论上阵与人交手，却还是皇甫兄功夫有用得多。”

李霸面上微微一红，转过头去，显然有些不服。萧慕云伸手一拍皇甫嵩肩头，似是要说什么，却未说出口来。

突听那旱烟袋打穴，名震两河的王二麻子哈哈大笑道：“大师立论精辟，果然不愧为名家风范，但以在下看来，皇甫嵩的掌力与人动手时，也未必有用。”

一笑佛道：“何以见得？”

王二麻子道：“他掌力虽刚猛，但驳而不纯，方才一掌击下，落下的石屑，大小相差太过悬殊，击出的巨石，亦是摇摆不稳，可见他掌力尚不足，掌上功夫，最多也不过只有五六成火候。”

皇甫嵩面色微变，但对这王二麻子分析之明确，观察之周密，目力之敏锐，亦不禁为之暗暗心惊。

一笑佛微微笑道：“如此说来，王兄你一掌击出，莫非能使石碎如飞，石出如矢不成？”

皇甫嵩厉声道：“兄弟也正想请教。”

王二麻子拍了拍身上那件长仅及膝的黄铜色短褂，在桌沿磕了磕烟锅，缓缓长身而起。只见他焦黄脸，三角眼，一脸密圈，一嘴山羊胡子，连身子都站不直，摇摇晃晃，走到皇甫嵩面前，微微笑道：“你且打俺一掌试试！”

皇甫嵩沉声道：“在下掌力不纯，到时万一把持不稳，有个失手将阁下伤了，又当怎的？”

王二麻子捋须笑道：“你打死了俺，也是俺自认倒霉，怪不了你，何况俺孤家寡人，想找个传宗接代的都没有，更没有人会代俺报仇。”

皇甫嵩转目四望，厉声道：“这是他自家说的，各位朋友都可作见证……咄！”吐气开声，一声大喝，长髯飘动间，一掌急拍而出，掌风虎虎，直击王二麻子胸腹之间，声势果自不凡。

王二麻子笑道：“来得好。”手掌一沉，掌心反蹬而出，竟以“小天星”的掌力硬生生接下了这一掌。

双掌相击“蓬”的一响，“震山掌”皇甫嵩威猛的身形竟被震得踉跄不稳，接连向后退了几步，胸膛不住起伏，瞪眼瞧了王二麻子半晌，突然张口喷出一股鲜血，萧慕云骇然道：“皇甫兄，你……”方自前去扶他，但皇甫嵩却甩开他的手掌，狠狠一顿足，反身向外奔去，萧慕云似待追出，但却只是苦笑着摇了摇头，全未移动脚步。

一笑佛哈哈笑道：“不怕不识货，只怕货比货。王兄你今日果然教洒家开了眼了。”

王二麻子一掌退敌，仍似无事一般，捻须笑道：“好说好说，只是大师将人比作‘货’却有些叫人难受。”

这时厅堂中已是一片混乱，桌椅碗盏，狼藉满地，只有朱七七与那夫妻两人桌子，仍是完完整整，毫无所动。

沈浪犹自持杯浅啜，那种安闲之态，似是对任何事都不愿理睬，也不愿反抗，这种对生活的漫不经心与顺良……还有些绝非笔墨所能形容之神情，便造成他一种奇异之魅力，这与其说是他已对生活失去兴趣，倒不如说他心中藏有一种可畏的自信，是以便可蔑视一切别人加诸他的影响。朱七七只是痴痴地瞧着他，那夫妻两人，只是含笑瞧着他们的孩子，但他们的孩子——那穿着绿衣衫的小女孩，却不时回首向火孩儿去伸舌头做鬼脸，火孩儿只作没有瞧见，却又不时皱眉，叹气，作大人状——这六人似是自成一个天地，将别人根本未曾瞧在眼里。

一笑佛早已走了过去，但那夫妻两人仍是不闻不见。

朱七七悄声笑道：“这胖和尚去惹他夫妻两人，准是自讨苦吃。”满堂群豪，人人俱在瞧着一笑佛与这夫妻两人，要瞧瞧一笑佛究竟是能将这夫妻两人怎样，还是碰个大钉子，自讨没趣。

哪知一笑佛还未开口……突然间，远处传来一连串惨呼，一声接着一声，有远有近，有的在左，有的在右，有的竟似就在这客栈房舍之间。呼声凄厉刺耳，听得人毛骨悚然。群豪面色俱都大变，但闻寒风吹窗，呼声刺耳。一笑佛飞步掠到窗前，一手震开了窗户，一阵狂风，带着雪花卷入，仅剩的几只灯火，在狂风中一齐熄灭。

黑暗中忽地传来一阵歌声："冷月照孤冢，贪心莫妄动。一入沁阳城，必死此城中……"歌声凄厉，缥缥缈缈，若有若无，这无边的酷寒与黑暗中，似乎正有个索命的幽魂，正在狞笑着长歌，随歌而舞。

群豪只觉血液都似已凝固，也不知过了多久，只听一笑佛厉喝道："追！"接着黑暗中便响起一阵衣袂带风之声，无数修长人影穿窗而出。一笑佛当先飞掠，全力而奔，但闻"嗖"的几声，似乎有三四条人影自他身侧飞过，抢在前面。

月黑风高，雪花扑面。

一笑佛也瞧不清他们的身影，但见这几条人影三五个起落后，突然顿住脚步，齐地垂首而望，似已发现了什么。掠到近前，才瞧出这三条人影正是沈浪与那夫妻两人，面前的雪地上，却倒卧着七八具尸身，正都是方自厅堂中走出的武林豪士。这些人身形扭曲，东倒西歪，似是猝然遇袭而死，连反抗都未及反抗，一笑佛骇然道："是谁下的手？好快的手脚。"

能在刹那间将七八个武林豪士一齐杀死，无论他用的是何方法，这份身手都已足骇人听闻。突听尸身中有人轻轻呻吟一声。

那大汉手里抱着的小女孩拍掌欢呼道："还有个人没有死。"

沈浪已将那人扶抱了起来，右掌抵住了他后心，一股真气自掌心逼了过去，那人本已上气难接下气，此刻突似有了生机，深深呼吸了一口，颤抖着伸手指，指着心窝，道："箭……冷箭……"

沈浪沉声道："什么箭？哪里来的？"

那人道："是……"身子突然一阵痉挛，再也说不出话来，伸手一触，由头至脚，俱已冰冷，纵是神仙，也救不活了。

常人身死之后，纵在风雪之中，血液至少也要片刻才会冷透，而此人一死，立刻浑身冰凉，实是大违常理之事。

沈浪双眉紧皱，默然半晌，道："谁有火？"

这时群豪大都已赶来，立刻有数人燃起了火折子。飘摇惨暗的火光中，只见这人满面惊骇，双睛怒凸，面容竟已变为黑色，而且浮肿不堪，那模样真是说不出的狰狞可怖。群豪齐地倒抽一口冷气，只听"子午催魂"莫希颤声道："毒，好厉害的毒药暗器……"

一笑佛俯下身子，双手一分，撕开了那人的衣襟，只见他全身肌肤，竟也都已黑肿，当胸一处伤口箭镞般大小，汩然流着黑水，也分不出是血，还是脓，但伤口里却是空无一物，再也寻不出任何暗器。再看其他几具尸身，也是一般无二，人人俱是被一种绝毒暗器所伤，但暗器却是踪影不见，群豪面面相觑，哪有一人说得出话？

寒风呼啸之中，但闻一连串“咯咯”轻响，也不知道谁的牙齿在打战，别人听了这声音，身子不禁簌簌颤抖起来。一笑佛倒抽了口凉气，沉声道：“各位可瞧得出，这些人是被哪一种暗器所伤？”

沈浪道：“瞧这伤口，似是箭创。”

莫希嘶声道：“箭！箭在哪里？”

一笑佛沉吟道：“若说那暗中施发冷箭之人，将这些人杀了后又将箭拔走，这实是有些不近情理，但若非如此，箭到哪里去了？……”

突然间，那凄厉的歌声，又自寒风中传了过来。“冷月照孤冢，死神夜引弓。燃灯寻白羽，化入碧血中……”

一笑佛大喝一声：“追！”

但歌声缥缈，忽前忽后，忽左忽右，谁也摸不清是何方向，却教人如何追法？一笑佛闻声立起也只有呆呆愣在那里。突听“哇”的一声，那绿衫女孩放声哭了起来，伸出小手指着远处，道：“鬼……鬼……那边有个鬼，一晃就不见了。”

那大汉柔声道：“亭亭，莫怕，世上哪里有鬼？”但目光也情不自禁，随着她小手指瞧了过去，但见夜色沉沉，风卷残花。

群豪虽也是什么都未瞧见，却只觉那黑暗中真似有个无形无影的“死神”，手持长弓，在狂风中随着落花飞舞，乘人不备，便“嗖”的一箭射来，但等人燃灯去寻长箭，长箭却已化入碧血，寻不着了。

一笑佛突然仰天狂笑道：“这些装神弄鬼的歹徒，最多不过只能吓吓小孩子，洒家却不信这个邪，走，有种的咱们就追过去，捣出他老巢，瞧瞧他究竟是什么变的？”

王二麻子悠悠道：“若是不敢去的不如就陪这位小妹妹，一起回客栈吧，免得也被吓哭了。”他话说得尖刻，但别人却充耳不闻，不等他话说完，便有几人溜了，那大汉将他女儿亭亭交给他妻子，道：“你带着她回去，我去追。”

疤面美妇道："你带她回去，我去追。"

那大汉跺脚道："咳！……你怎地……"亭亭突又放声大哭起来，道："我要爹爹、妈妈都陪着我……"那大汉长吁短叹，百般劝慰，亭亭却是不肯放他走，他平日本是性如烈火，但见了这小女儿，却半点也发作不出。

沈浪道："贤伉俪还是回去吧，追人事小，吓了这位小妹妹，却怎生是好？那当真是任何收获都万万补偿不来的。"

大汉夫妻齐地瞄了他一眼，目光已流露出一些感激之色，亭亭道："还是这……这位叔叔好……"

疤面美妇叹了口气，道："既是如此，咱们回去吧……"忽又瞪了王二麻子一眼，冷冷道："若有谁以为咱们害怕……哼哼！"玉手一拂，不知怎地已将王二麻子掌中旱烟袋夺了过来，一折为二抛在地上，携着她丈夫的手腕，扬长而去，竟连瞧也未瞧王二麻子一眼。

王二麻子走南闯北数十年，连做梦都未想到过自己拿在手里的烟袋，竟会莫名其妙地被人夺走，一时之间，呆呆地愣在地上，目定口呆地瞧着这夫妻两人远去，连脾气都发作不出。群豪亦自骇然，一笑佛道："快，真快，这么快的出手，洒家四十年来，也不过只见过一两人而已。"

王二麻子这才定过神来，干咳一声，强笑道："她不过也只是手脚快些而已，俺若不瞧她是个妇道人家，早就……早就……"他虽在死要面子，硬找场面，但"早就给她难看了"这句话，却还是没有那么厚脸皮说出来。

沈浪微微笑道："只是手脚快些么？却未必见得。"

王二麻子满腹怨气，正无处发作，闻言眼睛一瞪，满脸麻子都发出了油光，厉声道："不只手脚快些，还要怎样？"

沈浪也不生气，含笑指着地上，道："你瞧这里。"

群豪俯头瞧去，这才发现那已折断了的两截旱烟管，竟已齐根而没，只剩下两点黑印，要知积雪数日，地面除了上面一层浮雪外，下面实已被冻得坚硬如铁，那女子随手一抛，也未见如何用力，竟能将两截一尺多长的烟管一掷而没，这份手力之惊人，群豪若非眼见，端的难以相信。

王二麻子道："这……这……"伸手一抹汗珠，冷笑道："果然不差。"口中说得轻松，但寒天雪地里，他竟已沁出汗珠。

一笑佛叹道："这夫妻两人，的确有些古怪……"仰天一笑，又道："但咱们却用不着去管他，还是快追。"

王二麻子乘机下台阶，道："不错，快追。"

一笑佛瞧着沈浪，道："不知这位相公可是也要追去么？"

沈浪转目四望，只见朱七七姐弟仍未跟来，他皱了皱眉，沉吟半晌，微笑道："好，追。"

这些人本来非但互不相识，甚至彼此完全不对路道，但此刻同仇敌忾，倒变得亲切起来。众人口中虽未商议，但脚步却是不约而同，向沁阳城北那"鬼窟"所在之地奔了过去，这其间轻功上下，已大有分别。

一笑佛一马当先，"子午追魂"莫希紧紧相随，沈浪是不即不离，跟在他两人身后。王二麻子、"游花蜂"萧慕云，两人与沈浪相差亦无几。铁胜龙勉力追随，也未被甩下。

"赛温侯"孙通、"银花镖"胜滢虽落后些，但两人一路低声谈笑，状甚轻松，显见未尽全力。过了半晌，"泼雪双刀将"彭立人也赶上前来，笑道："那黄化虎父子，看来倒是英雄，哪知却和万事通一样，悄悄溜了，看来当真是人不可貌相。"

胜滢微微一笑，不加置评。

孙通却道："后面没有人了么？"

彭立人道："还有个'恨地无环'李霸，但已落后甚多。唉，此人武功不弱，只是轻功差些……"话犹未了，突听一声凄厉的惨呼，自后面传了过来。

彭立人骇然道："李霸……"群豪亦都悚然变色，再不说话，转身向那惨呼传来之处，身形飞掠而去。

一笑佛沉声喝道："有家伙的掏家伙，身上带有暗青子的，也将暗青子准备齐，只要看见有人，就往他身上招呼。"

几句话说完，群豪已瞧见前面雪地中，伏着一条黑影。但四下却绝无他人踪影，孙通、胜滢正待抢先奔上，突听一笑佛厉叱道："站住！燃起火折子，先瞧瞧雪地上的足印。"

胜滢、孙通对望一眼，暗道："这一笑佛看来肥蠢，不想是心细如发的老江湖。”两人暗中都起了钦佩之心，再也不觉此人可厌。

彭立人、莫希、萧慕云三人已燃起火折，这“游花蜂”萧慕云本是个夜走千家的独行盗，火折制造得极是精巧，火光可大可小，拨到大处，竟如火把一般，照得周围丈许地一片雪亮。只见伏地的黑影，果然正是“恨地无环”李霸，他身子前后，有一行足印，左右两旁的雪地，却是平平整整，一无痕迹。

一笑佛道：“各位请小心些走上前去，认自己脚印。”胜滢当先认出，道：“这是我的。”用手在足印旁画了个“×”，要知每人脚形有异，大小各别，轻功亦有上下，鞋子也有不同，是以个人要认别人足印虽然困难，要认自己足印却甚是容易。

孙通亦自认出，道：“这是我的。”也画了个“×”，话休烦絮，片刻之间，王二麻子、萧慕云、铁胜龙、彭立人亦都认出了自己足印，彭立人这才发现自己足印最深，面上已有些发红。

但众人却知此事关系重大，是以人人俱都十分仔细小心，纵然自己足印比别人深些，也无人敢胡乱指点。只见雪地上未被认出的足印，已只剩下两个，火光照得清楚，这两个足印虽最轻，也可看得出鞋底乃是粗麻所编就。

群豪情不自禁，都瞧了一笑佛足上所穿的麻鞋一眼，一笑佛道：“剩下的这个足印，正是洒家的，但……但相公你……”

群众这才想起足印还少了一双，又情不自禁转目去瞧沈浪，沈浪微微一笑，道：“只怕在下身子瘦些，足印看不出来。”他说的可真是客气，群豪却仍不禁悚然动容，谁也未瞧出，这年纪轻轻，文文弱弱，受了气也不还嘴的无名少年，竟然身怀“踏雪无痕”的绝顶轻功，群豪既是惊佩，又是怀疑——怀疑这少年怎么会练成这等功夫，又怀疑这少年的身份来路，但此刻可没有一人敢问出口来。

一笑佛哈哈笑道：“真人不露相，相公端的有本事。”笑声一顿又道：“四面俱无他人足痕，亦无搏斗之象，李霸显见也是被暗器所伤，这次咱们可要瞧瞧，这暗器究竟是什么？”扶起李霸尸身，但见他尸身亦已黑肿，撕开他衣襟，肩下也有个伤口，黑血源源在流……

但伤口还是瞧不见有任何暗器。群豪再次面面相觑，人人咬紧了牙关，自不闻牙齿打战之声，但心房“怦、怦”跳动，却听得清清楚楚，莫希颤声道："那……那暗器莫非真不是人间所有？……否则又怎会化入血中？……"

要知尸身无翻动之痕，四下亦无他人足印，李霸前胸所中的暗器，便绝不可能是被别人取去的，反过来说，李霸前胸中了暗器，便扑面跌倒，无论是谁，也无法丝毫不留痕迹，便将暗器取回。

群豪翻来覆去，左思右想，怎么也想不出这其中道理，但觉身上寒气，愈来愈重，彭立人颤声道："这莫非是种无形剑气？……"

一笑佛冷笑道："你是在做梦么？"

彭立人似乎还想分辩，但转目一望，却又吓得再也不敢开口，但见一笑佛满面俱是杀气，目中光芒闪动，似是只已被人激怒的猛兽一般，突然反手扯下了身上穿着的那件宽大僧袍，精赤着上身，雪花飘落在他身上，他非但毫无畏寒之意，身上反而冒出一阵阵蒸腾热气。群豪俱都瞧得舌矫不下，只见他竟将那僧袍，撕成一条条三四寸宽的布带，缠在自己手臂、大腿、胸腹之上，将这些地方颤动的肥肉，都紧紧缠了起来，雪花化作汗水流下，浸湿了布带，一笑佛长身而起，抬臂，伸了伸腿，试出举动间果然已比先前更灵便，目光方才往众人身上一扫，厉声道："要保命的快回去，要去的便得准备着不要命了。"

彭立人道："去……去哪里？"

一笑佛放声狂笑道："除了那鬼窟，还有哪里？"抓起一团冰雪，塞入嘴里，嚼得"咯咯"直响，振声大喝道："捣烂那鬼窟，有胆的跟着洒家走。"喝声之中，当先飞奔而出。

胜滢、孙通、莫希、王二麻子、铁胜龙、萧慕云，俱是满腔热血沸腾，哪里还计较安危生死，想也不想，跟着他一拥而去。

彭立人抬头只见沈浪还站在那里，垂首强笑道："相公请，在下与李霸交情不错，总不能瞧着他暴骨荒郊……唉，在下埋了他尸身，立刻就赶去。"沈浪微微一笑，等彭立人再抬起头，他身形已只剩下一点黑影，彭立人见他去远，暗中松了口气，再也不瞧李霸尸身一眼，回身向客栈狂奔而回。

沈浪恍眼间便已追着胜滢等人，但并未越过他们，只是远远跟在后面，这时他已是最后一人，若是再有冷箭射来，自然往他身上招呼，沈浪面带微笑，非但毫不在意，反似在欢迎那"死神"再次出现，他也好瞧瞧那死神长弓里射出来的鬼箭究竟有多么神奇。

哪知道一路上偏偏平安无事，眼看出城既远，想必就已快到那“鬼窟”所在之地，沈浪方自失望地叹息一声，突听前面一笑佛厉喝一声，莫希一声惊呼，人声一阵骚乱，接着便是一笑佛的怒骂之声，道：“有种的就过来与洒家一拼高下，装神弄鬼，藏头露尾的都是畜生。”

沈浪微一皱眉，脚步加紧，箭也似的赶上前去，只见众人身形都已停顿，一笑佛满面神光，手里紧抓着一块白布，正在破口大骂，但四下既无人影，亦无回应，沈浪轻轻问道：“什么事？”

一笑佛道：“你瞧这个。”将手中白布抛了过来，沈浪伸手接过，就着雪地微光，只见白布上写着几个鲜红的血字。

“奉劝各位，及早回头，再往前走，追悔莫及。”

沈浪道：“这是哪里来的？”

一笑佛厉声道：“方才洒家正在前奔……”

原来一笑佛方才当先而行，但见前面雪地一片空旷，那空旷的雪地里突然扬起一大片冰雪泥沙，狂卷着扑向他的面门，一笑佛眼前一花，但觉这片冰雪中，竟似乎还夹带着条白忽忽的人影，一头撞了过来，却又“呼”地自一笑佛头顶上飞了过去，却将这布条留在一笑佛手里。

沈浪听了，不禁皱眉道：“此人去了哪里？各位为何未追？”

一笑佛怒道：“那影子说他是人，委实又有些不像人，只有三尺长短，像是个狐狸，以洒家目力，在他未弄鬼前也未瞧出他伏在雪地里，等到洒家能张开眼睛，四下去看时，却又不见了。”

沈浪心念一动，暗道：“这手段岂非与‘天魔迷踪术’中的‘五色护身障眼法’有些相似，听他们说，这人影八成也像是花蕊仙，但花蕊仙与那‘鬼窟’毫无关系，怎会来趟这浑水？”

只听一笑佛道：“相公莫要想了，无论这花样是怎么弄的，都还骇不倒洒家，只要相公肯与洒家开路，要莫兄与胜……胜什么？”

胜滢笑道：“滢。”

一笑佛道：“对了，胜滢与莫希断后，咱们就往前闯。”

沈浪微一沉吟，道：“闯。”

胜滢道：“好。”

群豪齐声喝道：“闯，闯！”喝声虽响，有的声音里却已有些颤抖。

只是此时此刻，已是有进无退之局，硬着头皮，也要往前闯，当下群豪又复前奔，但是脚步都已放缓许多，远较方才谨慎。

只见远远山影已现，朦胧的山影中，似乎笼罩着一层森森鬼气，群豪人人俱是惴惴自危，不知在这“鬼窟”中究要发现些什么，他们本虽是为了算定那洞穴中必有珍宝，是以赶来，而此刻各人心中却已都不再有贪得之念，沈浪暗叹忖道：“幸而那位大小姐此番还老实，竟未跟来，否则……”

突听前面暗影中传来一声脆笑，道：“各位此刻才来么？”

彭立人脚步不停，气也不敢喘，亡命般奔回客栈，客栈中也是一片惊乱，似乎还有人在往外抬着尸身，还有人叹道：“唉，又是十几条命……”彭立人看也不敢看，听也不敢听，一口气奔回自己的房里，“砰”地撞开房门，撞了进去，反手关上门，身子也靠了上去，用背脊抵住了门，这才松了口气，喃喃道：“命可捡回来了，快回家吧，墓里就是有成堆的宝贝，我也不……”

突觉有些不对，房里不知谁燃起了灯。目光转处，语声突然停顿，血液亦似凝结，张开的嘴，再也合不拢，一双腿却簌簌颤抖起来。

只见房子中央，端端正正坐着个灰袍人，只是背向着门，彭立人也瞧不清他面目，但那灰渗渗的长袍，披散着的长发，在这阴森暗淡，飘飘摇摇的灯光下，哪里像个活人，直似方自墓中复活的幽灵。

彭立人颤声道：“朋……朋友是谁？……”

那灰袍人咯咯一笑，一字字缓缓道：“冷月照孤冢……”

彭立人双膝一软，沿着门滑了下去，“噗”地坐到地上。

灰袍人道：“你怕死么？你想回去么？……”

彭立人道：“我……我想……”

灰袍人阴森森笑道：“已入沁阳城，必死此城中……”

彭立人咬了咬牙，突然奋起全身气力，扑了上去，一掌拍向灰袍人头顶，他成名多年，这一掌当非泛泛。

灰袍人头也不回，长袖突然反挥而出，彭立人但觉一股阴柔之极，却又强劲之极的内力，当胸撞了过来，胸前立时有如被千钧巨锤重重一击，震得他仰面飞了出去，“砰”地撞在门上，“噗”地跌倒，张口喷出了口鲜血，灰袍人冷冷道：“区区人力，也想与鬼争雄。”

彭立人望着面前斑斑血迹，身子抖得再也不能停止，将房门带得“咯咯”直响。

灰袍人缓缓道：“你想死还是想活？”

彭立人道：“……”张开了嘴，却只是说不出话来。

灰袍人厉声道：“快说。”

彭立人道：“……想……想……活……”他说了三次，才算将“活”字说清楚，身上冷汗已一连串落了下来。

灰袍人冷冷道：“你若想活，便得听我吩咐。”

“各位此刻才来么？”

这七个字虽然简简单单，普普通通，但群豪却宛如夜闻鬼哭，身子齐地一震，铁胜龙踉跄后退了几步，萧慕云险些跌在地上，一笑佛紧握双拳，嘶声大喝道：“什……什么人？出来。”

只见暗影中飘飘然掠出一条白影，全身僵直，既不弯曲，也不动弹，更未看出他抬腿举步，他只光直直地飘了出来。他由顶至踵，俱是惨白颜色，举手以袖掩面，似乎不愿让别人瞧出他那狰狞的容貌，足下更是轻飘飘的，似乎离地还有一尺。

群豪只觉一股凉气自脚底冒了上来，全身俱已冰冷，若说这白影是人，世上哪有人能如此行动。

一笑佛虽然胆大包天，此刻却也不得不信这白影确是墓中的幽灵，骇得呆了半晌，突然厉喝道：“就算你是鬼，洒家也宰了你。”振起双臂，飞身扑了上去，凌厉的掌风，直击那白影胸膛。

那白影衣袂俱被震得飞起，冷笑一声，身子竟平平向后移开两尺，一笑佛又是一惊，咬紧牙关，正待再次扑上，哪知身畔风声一响，沈浪已掠到他前面，厉声道：“朱七七，你玩笑还未开够么？”那白影忽然“扑哧”一声，垂下衣袖，蒙眬望去，但见她风姿绰约，颜如春花，不是朱七七是谁？

她足下也是哈哈一笑，道：“还是沈大哥厉害。”火孩儿笑嘻嘻钻了出来，原来火孩儿方才在后面抱住了朱七七双腿，朱七七身子自然不需弯曲，更不需抬腿，便能来去自如，群豪虽都是眼里不揉沙子的老江湖，但在这鬼墓前，雪夜中，胆气已先寒了，竟无一人瞧出这一手来。

一笑佛亦不知是惊是怒，却只有顿足道：“姑娘，你这手未免露得太吓人了。”

火孩儿笑道：“但这位大和尚的确有些胆气，连鬼都骇不倒你。”

一笑佛仰天大笑道：“洒家虽非伏魔的罗汉，多少也总有些降鬼的本事。”所谓千穿万穿，马屁不穿，火孩儿轻轻一句话，便将一笑佛说得怒气毫无，反向沈浪道：“他姐弟俩天真活泼，与大家取个乐子，相公也莫要生气。”

朱七七瞟了沈浪一眼，道：“哼，他敢生气么？他揭穿我的把戏，我不生他的气已经蛮不错了。”

一笑佛大笑道：“妙极妙极，这位相公委实未生气……谁若能令这位相公生气，那人的本事，也算不小了。”

朱七七也忍不住展颜一笑，道：“他呀，他……”悄悄走过去，悄悄拧了沈浪一把，道：“你是木头人么？说话呀。”

沈浪说道：“好，我说话，我且问你，你是怎么来的？何时来的？可曾进去瞧过了么？可曾瞧见那花……花夫人？”

朱七七笑道：“你瞧你，不说话也罢，一说话就像审问犯人似的……好，我告诉你，你们在瞧那些尸身时，我就来了，一直闯了进去，本想瞧个仔细，但是里面实在太暗，我们又没有火折子，我虽不怕，老八却吓得直抖，我怕他吓出病来，只得出来了。”

火孩儿道：“羞不羞，你不害怕么？为什么紧紧拉着我的手，死也不肯放，我见你的手都吓凉了，才……”

朱七七跺脚道：“小鬼，你再说。”

火孩儿哈哈笑道：“你不说我，我自然不说你……”

突听前面山岩中，传出一声惨呼，自远而近，呼声虽低，但凄厉尖锐，慑人心魂，到后来声音已嘶哑，一条人影，跌跌撞撞，自暗影中奔了出来，瞧见群豪，呆了一呆，伸手指了指，一个字还未说出，仆地跌倒。

群豪屡经惊骇，此刻竟似已有些麻木，还是沈浪一掠而出，扶起了那人，暗中一面以真力相济，一面呼道：“兄台，醒来。”

那人得了沈浪传过的一股阳和之气，果然缓缓张开眼帘，四望一眼，突也轻唤道：“铁……铁兄……”

铁胜龙走过去一瞧，骇然道：“原来是金兄，怎……怎会落得如此模样？”

那人道：“我……我们五……五人……只剩下我……我也……”

铁胜龙变色道：“莫非‘安阳五义’，俱已丧……丧生在此？这……这……这究竟是谁下的毒手？”

那人面上泛起一丝惨笑，喃喃道：“那……里面有……有鬼，进去不得……进去不得……进……”突然嘶声大喝道：“不是鬼，是——”

沈浪连忙问道：“是什么？兄台，是什么？兄台醒来……醒来……”但那人双目紧闭，再也醒不过来了。

沈浪缓缓长身而起，长叹一声，仰脸望天，群豪却不禁都垂下头去，望着自己的脚尖。一笑佛沉声道：“此人乃是‘安阳五义’中人么？”

铁胜龙黯然道：“此人正是‘安阳五义’之首金林，想必也是闻得墓中藏宝，是以抢先赶来，不想竟……竟……”长叹一声，脱下一件外衣，盖起了那金林的身子。

一笑佛突然叫道：“掀起衣衫。”铁胜龙呆了一呆，一笑佛又道：“洒家要瞧瞧这位金兄是如何死的。”

莫希道：“他所受致命之伤，与李霸他们都不相同……”

第四章

冷日窥鬼舞

一笑佛撕开金林衣襟，前胸一无伤痕，但背后却有个紫色的掌印，五指宛然，浸然入肉。莫希倒抽一口凉气，道：“好厉害的掌力。”

一笑佛目光瞬也不瞬地瞧着那掌印，直有盏茶工夫，方自抬起头来，望着沈浪，道：“相公可瞧出来了？”

沈浪道：“瞧出来了。”

朱七七跺脚道：“你瞧出来什么？说呀！”

沈浪道：“紫煞手！”

朱七七身子一震，道：“这掌印是紫煞手，真、真的？”

一笑佛道：“半分不假。近五十年来，武林中有这功夫的，只有塞上神龙、毒手搜魂以及要命神丐三人而已，此外江湖中便无人具此掌力。”

莫希道：“但……但这三人岂非都已死了？”

一笑佛一字字缓缓道：“不错，这三人正是都已死了。”

群豪对望一眼，情不自禁，各各移动脚步，靠到一起，朱七七娇笑道：“哎哟，听你们说的，倒实在有些怕人，既然再没有别人会使这‘紫煞手’，难道是那三人自坟墓里爬出来将金……金林打死的么？”笑声愈来愈轻，转眼四望，但见人人俱是面色铁青，无人说话，她心头也不觉泛起一阵寒意，再也笑不出来。

火孩儿听朱七七说到死人，心中有些害怕，不自主地将身子靠近了沈浪，低声道：“这……这里不好玩，又……又冷得紧，咱们回去吧。”声音已有些颤抖了。

沈浪道：“你们两个回去吧。”

火孩儿道："你呢？"

沈浪微微笑道："我平生从未见过鬼魂，今日若能瞧瞧，倒也有趣得很……但瞧鬼的人，却不可太多，否则就要将鬼骇跑了。"他平生不愿说话，但等别人都已吓得难以开口，他却还能谈笑自若。

一笑佛哈哈大笑道："洒家这模样也和鬼差不了许多，无论男鬼女鬼，见了洒家却会当是同类来了，万万不会跑的。"

沈浪笑道："大师同去最好……"目光有意无意间，瞧了瞧"子午催魂"莫希和那"银花镖"胜滢一眼。

胜滢举步而前，微微笑道："在下追随兄台之后。"

莫希亦自咯咯笑道："江湖中人，都将在下唤作催魂鬼，今日看我这假鬼，要去会会真鬼了。"笑得虽勉强，却终是大步走出。

沈浪道："好，有四人便已足够……"

朱七七道："我呢？"

沈浪道："你回去。"

朱七七道："哼哼，你凭什么能命令我，我偏不回去，老八，伸出脖子来，放大胆子，若鬼弄死咱们，咱们岂非也变成鬼了，有什么可怕的？咱们先进去，看看有谁敢拦阻咱们。"

火孩儿道："我……我……"眼珠一转摇头笑道："我不去，我看你也莫要去了吧。"

朱七七恨声道："对鬼你怕了么？"

火孩儿笑道："我虽不怕鬼，可是我怕沈大哥，我可不敢不听他的话。"悄悄一拉朱七七衣襟，耳语道："你老是跟他作对，他怎会对你好？若是有人老和你作对，你会喜欢他么？"

朱七七眼波一转，叹道："小鬼，早知不带你来了。带了你来，又不能不看着你，好吧，回去就回去。"

火孩儿笑道："这样才是。"

群豪似乎还不肯走，沈浪笑道："客栈之中，只怕也有变故，便全得仰仗各位大力前去镇压了。"

王二麻子道："对！这里虽危险，回去也未见轻松，咱们各办各的事，谁也不能闲着。"

沈浪微一笑，道："正是如此。"转身走向那神秘的"鬼窟"。

突听朱七七道："沈浪，你……"

沈浪回首道："如何？"

朱七七咬了咬樱唇，道："你……你可莫真要被鬼捉了去。"

火孩儿笑道："沈大哥，我姐姐还是关心你的，但要凭你的真本事，什么鬼也捉不了你，我放心得很……"转首瞧了王二麻子、萧慕云等人一眼，突又笑道："你们早就想走了，还等什么？走走，咱们一起走吧。"

沈浪、一笑佛、胜滢，莫希四人，终于走入了那已不知夺去多少人性命的鬼窟之中，直到他四人身形全都没入暗影之中，王二麻子等人也都走了，朱七七犹在痴痴地瞧着；双目之中，突然流下泪来。

火孩儿道："你哭什么，他又不是不回来了。"

朱七七垂首道："不知怎地，我……害怕得很，老八！他……他若也……也……不……能……回来……"

火孩儿身子突也一阵颤抖，瞧着那鬼气森森的山影，通红的小脸已变得煞白，久久都说不出话来。突见朱七七身形一展，发狂地奔了进去。

火孩儿骇然大呼道："姐姐……"

朱七七头也不回，道："你回去吧，去找花婆，我……我要去瞧瞧他……"窈窕的白衣身影闪了两闪，便瞧不见了。

火孩儿转目四望，但见四下风吹枯木，宛如幢幢鬼影，在漫天雪花中狰狞起舞，火孩儿活到现在，这才知道害怕是什么滋味，忍不住放声大叫道："姐姐等我一等……等我一等……"放足狂奔而去。

山崖下，那漆黑漆黑的洞窟，一如妖魔张开的巨口正待择人而噬。四下乱石高堆，石上满积冰雪，漆黑的洞窟，衬着皑皑白雪，更显得阴森黝暗，深不见底，单只"鬼窟"两字，实还不足形容此地之恐怖。朱七七却毫不迟疑，一跃而进，去后是生是死，她已全都不管，只因纵然死了，也比在外面等着沈浪时那种焦急的滋味好些。

突听火孩儿在后面大呼道："姐姐……等我一等……"唤了两声，似是跌了一跤，呼声突然停顿，但他显然立刻便自爬起，又自呼道：

“等我一等……”这次呼声中的惊惧之意，更是浓重，连声音都已嘶哑，他胆子纵然大极，但终究也不过只是个孩子。

朱七七有心不等他，却又不忍，顿住身形，恨声道：“小鬼，叫你回去不回去……小心些，莫又摔着了……”

黑暗中只见火孩儿身形果然又是一个踉跄，跌跌撞撞冲了进来，朱七七赶紧扶住了他，道：“摔疼了么？”

火孩儿道：“不疼。”嘴里说不疼，声音却已疼得变了，戴着鹿皮手套的小手，紧紧抓住朱七七的纤掌，再也不肯放松。

朱七七叹了口气，喃喃道：“我真不知爹爹怎肯放你出来的……唉，还是没有火折子，你可得小心着走。”姐弟两人，双手互握，一步步走了进去，入窟愈深，便愈是黑暗，端的是伸手不见五指。

沈浪等四人，已不知去向，但闻洞外寒风呼啸，到后来风声也听不见了，四下一片死寂，唯有一阵阴湿之气，扑鼻而来。忽然间，一个冷冰冰、黏湿湿的东西撞了过来，朱七七骇得尖叫起来，全力一掌挥出，那东西“吱”一声，又飞了过去，朱七七道：“老八，莫……莫怕，那……那只……是蝙蝠。”她虽叫别人莫怕，自己却又怕得浑身直抖。

突见前面人影一闪，一条人影，急掠而来，朱七七颤声道：“什……什么人？”

那人影道：“是七七么？我是沈浪。”

朱七七大呼一声，整个人扑了上去，紧紧抱住了沈浪，冰冷的脸，贴在他温暖的胸膛上，但身子犹在不停地抖。

沈浪忍不住轻轻一抚她头发，叹道：“要你莫来，你偏要来，骇成这个样子……唉！这是何苦？”

朱七七突然狠狠推开了他，跺脚道：“是我该死，谁要我救了你这个死鬼。我若让你死了，现在怎么……怎么会受这种苦？”

远处火光闪动，映得她面上泪痕闪闪发光，她赶紧转过头去，这倔强的女孩子，眼泪虽是为沈浪而流的，却也不愿让沈浪瞧见她面上泪光。但沈浪又怎会瞧不见，呆了半晌，柔声笑道：“你瞧，老八多乖，他倒像个大人，你却像个孩子。”

朱七七道：“你才像个孩子哩……”瞪了沈浪一眼，却已破涕为笑。这一笑之间，实是含蕴着无限温柔，无限深情，便是铁石人瞧了也该热心，但沈浪却转过头去。

只见一笑佛手持火折，大笑道：“是朱姑娘么，洒家就知道你定会赶来的……前面便是石门了，两位快过来吧。”洪亮的笑声，震得地道四下回应不绝，使得这死气沉沉的“鬼窟”，也突然有了生气。

朱七七精神一振，拭去泪痕，大声道：“不是两位，是三位。”一手拉着沈浪，一手拉起火孩儿，大步向前奔去。

一笑佛目光闪动，眼见火孩儿脸上又戴起了那火红鬼面，不禁大笑道：“好，好孩子，将这鬼脸儿戴起了，真的鬼来了，也要被你骇上一跳。”

沈浪接过了胜滢手中的火折子，左手高举，当先而行。

闪动的火焰，将窟道中四面岩石，映得说不出的狰狞可怖，看来那一方方岩石，都似是不知名的妖魔。正待随着地底的阴风，飞舞而出，一道石门，挡住了众人去路，石门上毫无浮雕装饰，但却高大无比，众人立身其下，仰首望去，几乎瞧不见顶。

刹那之间，人人心中，都不禁突然感觉自身之渺小，而对这神秘之墓窟，更加深了几分敬畏恐惧。

只见两扇沉重的石门，当中微开一线，石门上虽有斧凿之痕迹，但这两扇厚达尺余，重逾千斤的门户，却显然绝非被人强行打开。

沈浪顿住了脚步，转首沉吟道：“首批发现此地之掘矿夫，他们是如何进去的？不知那黄马可说清楚了？”

一笑佛两道浓眉，紧紧皱在一起，沉声道：“据黄马所叙，那掘矿夫乃是在酒酣耳热之际，合力破门而入的。”

沈浪叹道：“但这门户却显然不是被人力破开的，黄马所述，显然也有不尽不实之处。”众人面面相觑，默然半晌，朱七七颤声道：“门户既非被人力破开，莫……莫非是墓中的幽灵，自己出来开门的不成？”这句话人人虽然都曾想过，但此刻被朱七七说出口来，众人也不由自主打了个寒噤。

火孩儿道：“但……但……”他声音也被骇得嘶哑，也咳了两声，才能接着说道：“但这墓中鬼魂，既禁止别人闯入，如何又要开门，莫……莫非是他们在……这墓中嫌太寂寞了，所以故意骗几个人进去送死，好多有些新鬼陪他们？”

这句话更无异火上加油，朱七七嗔道：“小……小鬼，胡……说八道。”声音也在不住地抖。

“子午催魂”莫希更似已骇得站不住身子，道：“不……不如先停下来等天亮了再……再进去吧。”

一笑佛冷冷道：“子午催魂走南闯北数十年，在江湖中也可算是有头有脸的人物，今日怎地说出这样的话来？”

莫希道：“但……但……”终于只是垂下头来，一个字也未说出。

沈浪轻轻一叹，代他接了下去，道：“但这墓窟之中，怪事委实太多，莫兄此刻不愿进去，实也并非无理。”

一笑佛怒道：“既已来到这里，还有谁能不进去？”

沈浪沉声道：“不然，此刻无论是谁，只要跨入这石门一步，此后生死祸福，便无人能预料，你我纵可勉强他人做他不愿意做之事，但却万万不可勉强他人，平白送他自己的性命。”一笑佛怔了一怔，还未答话，沈浪却已接口道：“莫兄若不愿进去，尽管请回……”

一笑佛突然大笑道：“他一个人行路，只怕也休想活着回去。”

莫希身子一震咬了咬牙，忽然厉喝道：“进去就进去。”飞身闯入了石门，犹自厉声大呼道：“墓里的鬼魂，有种的就出来与我莫三太爷拼个你死我活，……出来……出来呀……咯咯，哈哈，不敢么？你不敢么？……哈哈……”凄厉的笑声，激荡在窟道间，震得石屑灰粉簌然而落。

朱七七喃喃道：“这厮莫非已骇疯了？”

沈浪微微皱眉，闪身而入，只见莫希手舞足蹈，果然有如疯狂一般，沈浪出手如电扣住他的脉门，沉声道：“莫兄如此，难道不要命了么？”

莫希身子又是一震，黯然垂首发起愣来。这时众人已相继而入，但见石门之中，乃是个圆形大厅，四周又有九重门户，圆形的拱顶，高高在上，似是绘有图画，只是拱顶太高，火折光焰终究不及，是以也瞧不清那上面画的是什么。

厅中空空荡荡，唯有当中一张圆桌，什么也没有了。这空寂而宽阔，使此间更显得异样的阴森，朱七七等人置身其中，宛如置身于一片空旷的荒坟墓地一般，那圆形拱顶有如苍穹高高在上，而四下鬼影幢幢阴风森森……

朱七七道："这……这究竟会是谁的陵墓？"

胜滢道："只怕是古代一位帝王亦未可知。"突似发现了什么，一步掠到那孤零零的石桌旁，伸出手来。

沈浪轻叱道："住手。"

胜滢回首道："这桌上有……"

沈浪道："此间无论有什么，你我俱都不能用手触摸，此点胜兄务必要切切记牢……"

朱七七道："为什么？"

沈浪叹道："你莫忘了那些人是怎么死的么，此间任何一处都可能附有剧毒，你我只要伸手一摸，便休想……"

突听火孩儿惨然惊呼一声，道："鬼果然来了。"

众人齐地大惊，转头望去，只见火孩儿左边的一道门户外，果然有火光一闪而没，碧磷磷的火花，赫然正与鬼火一般无二。

一笑佛厉声道："追。"

沈浪又自轻叱道："且慢，这陵墓之中，必定有秘道交错，大师若是轻易陷身其中，只怕也无法觅路而回，是以你我切切不可轻举妄动。"

胜滢叹道："兄台说得的确不错，据小弟所知，古代陵墓之中秘路，除能寻得当时建墓时之原图外，谁也无法来去自如……"无意中回首瞧了一眼，面色突又惨变，伸手后面石桌，手指不住颤抖，口中嘶嘶作声，却说不出一个字。

一笑佛变色道："什么事如此惊惶？"

胜滢定了定神，道："方才小弟曾亲眼见到，这石桌上有块黑黝黝的铁牌，哪知就在这转眼之间，竟……竟已没有了。"

莫希大骇道："你……你可瞧……瞧清楚了？"

胜滢道："小弟自七岁时候便在暗室之中凝视香火，至今已有十五年，目力虽非极佳，但三丈内一蚊一蚁都休想逃得过小弟双目……方……方才小弟瞧得清清楚楚，万万不会错的。"

要知"银花镖"胜滢乃是中原武林，暗器世家"胜家堡"门下子弟中最最杰出之一人，胜氏子弟目力之佳，手法之准，已是江湖公认之事，此刻胜滢既然说得如此肯定，那是万万不会错的。

莫希额角之上，汗如雨下，颤声道：“此事玩笑不得，铁牌究竟是谁取去的，还请快快说出，免得大家担心。”

众人面面相望，俱是面色凝重，却无一人说话，莫希嘶喝道：“没有谁来拿，难道那铁牌是自己生了翅膀飞走的么？”

四下回音，有如雷鸣一般，隆隆不绝，自近而远，又自远而近，显然，这陵墓实是深邃广大已极。但回音响过，众人还是无人说话。

朱七七望着莫希冷笑暗忖道：“这厮獐头鼠目，装模作样，说不定就是他在暗中弄鬼也未可知。”

莫希瞧着胜滢，暗暗忖道：“难道他根本什么都没有瞧见，口中却故意说瞧见了？好教别人疑神疑鬼，他便可从中取利？”

胜滢冷眼瞧着一笑佛，忖道：“这一笑佛武功不弱，但江湖中却从未听过此人名声，莫非也是这陵墓里鬼堂中的一人，故意将大伙诱来此地送死？若是如此，这铁牌自也是他拿去的。”

一笑佛似有几次想开口说话，却又不敢说出口来，只瞧着沈浪忖道：“哼，这小子来历实在可疑，年纪这么轻，武功却是这么高，这些可惊可疑的事，莫非都是他在暗中捣鬼。”众人彼此之间，却起了怀疑之心，情不自禁，各自退后了几步，你留意看我的神情是否变化，我留意看你的手掌究竟会有何动作。

唯有沈浪却是神色自若，一点也不着急，只听火孩儿道：“门外有鬼，铁牌也被鬼拿去了，这地方实在耽不得，咱们还是赶紧回去吧。”

话犹未了，莫希突地惨呼一声，仆地跌了下去。众人更是悚然大惊，一笑佛、胜滢似待赶过去扶起他，但方自迈出三步，又不禁齐地顿住了脚。

沈浪扶起了莫希，只见他面色惨白，目中充满惊骇之意，但一双眼珠子，还能转来转去，胸膛也还在不住起伏；沈浪见他未死，不禁为之松了口气，道：“莫兄没有什么事吧？”

莫希道：“有……有……有事。”

沈浪笑道：“什么事？”

莫希道：“方……方才有……有人在我背后打了一拳。”

朱七七冷笑道："你背后哪里有人，你莫非是在做梦？"

莫希嘶声道："明明有人打了我一下，我此刻背后还在隐隐作痛，我……我若有半句虚言，管教天诛地灭，不得好死。"

众人再次面面相望，非但没有人说话，连喘气的人都似也没有了。

胜滢冷笑暗忖道："哪有什么人打他，这不过是他故意如此说罢了，好教别人疑神疑鬼，他便可从中取利了。"

朱七七忖道："这究竟是谁在捣鬼？莫非是这胖和尚？"

一笑佛忖道："非但这小子可疑，便是这女子，只怕也不是什么好来路，我莫要着了这两个人的诡计。"

于是众人心中疑惧之心更重，彼此怀疑，彼此提防，目光灼灼，互相窥望，火光闪动下，众人面上俱是一片铁青，眉宇间都已泛起了杀机。

死一般静寂中，只听莫希喃喃道："这一拳是谁打的？是谁打的？……"突然大喝一声，扑向胜滢，厉声笑道："方才只有你站得离我最近，那一拳莫非是你在暗中施的手脚不成？"

胜滢怒道："你自己装神弄鬼，却来血口喷人。"

莫希怒喝道："放屁……"迎面一拳，击了过去。

胜滢翻身退出数尺，一手已摸入镖囊之中，莫希喝道："你胜家堡暗器虽然厉害，我'子午催魂'莫非还怕了你不成？来来来，莫某倒要瞧瞧，是你银花镖厉害，还是我催魂针厉害。"两人俱是剑拔弩张，一触即发，这两人暗器功夫，在武林中俱是卓有声誉，这一发之下，必定不可收拾。

但此时此刻，别人又怎会坐山观虎斗，一笑佛厉喝着拉住莫希，沈浪也劝住胜滢，沉声道："此时此刻，两位怎能自相残杀，岂非教暗中敌人瞧见了……"

莫希颤声道："暗中哪有什么人？"

沈浪沉声道："若是无人，那拳是谁打的？"

火孩儿锐声道："鬼……鬼……一定是鬼……"

突听"噗"的一响，一笑佛手中火折子竟忽然熄了，四下更是黝暗，众人心头寒意更重。

一笑佛嘶声笑道："好，好，打吧，你们打吧，反正今日咱们谁也不想活着出去了，索性看你们打个痛快。”

他虽然放松了莫希的手臂，但莫希手掌颤抖，哪里还敢出手？

胜滢大声道：“你我是进是退，此刻需得快些决定，要么就冲过去，纵然死了，也比留这里等死的好。”

话犹未了，忽见沈浪张口吹熄了手中火折子，四下立时变得一片漆黑，当真是伸手不见五指。众人齐地大叫，一笑佛道：“相……相公你这是做什么？”

沈浪沉声道：“这火种此刻已是珍贵已极，你们无论进退，都少它不得，岂能让它在此白白浪费，等你我作了决定，那时已无火可照，又当如何是好？”

众人想到若无火照路时的情况，都不禁倒抽一口凉气。

胜滢叹道：“还是相公想得周到……若是火种燃尽，你我进既不得，退又不能，便当真要被活活困死在这里了……”

忽然间，黑暗中，只听得火孩儿的声音，大喝一声，嘶声呼道：“七姐你拧我一下做什么？”

朱七七道：“我……我哪有拧你？”

火孩儿道：“不……不是你，是……是谁？”

沈浪、胜滢、莫希、一笑佛齐地脱口道：“也不是我。”

话一说完，立刻顿住话声，人人心上，俱是毛骨悚然，想到黑暗中不知道有什么人会在自己身上拧上一把，打上一拳，众人但觉一粒粒寒栗自皮肤里冒了出来，衣衫凉飕飕的，也已被冷汗湿透。

火孩儿颤声道：“走……走吧，再迟就走……”

话声突又停顿，黑暗中，只听一阵轻微的脚步声，噔！噔！噔……一步接着一步，隐隐传来，每一脚都似踩在众人心上。

众人情不自禁，俯下身子，嘶声道：“什……什么人？”

只听外面一人沉声道：“你是什么人？”

一笑佛、朱七七双拳护胸，胜滢、莫希掌中紧紧捏着暗器，但见一道火光，自门外照射而入。足声突然停留在门外。

微弱的火光中，一笑佛闪身掠到门后，向胜滢打了个手势，胜滢干咳一声，道：“门外的朋友请进来。”

外面黯然半晌，突有一只手掌自门后伸出，一掌击在石门上，只听

“砰”的一声大震，那沉重的石门，竟被震得移开数尺，一笑佛自也无法在门后藏身，凌空后掠数尺，石门豁然而开。门外人影一闪，“子午催魂”莫希闷声不响，扬手一把毒针撒出。但闻一片叮叮轻响，毒针全都打在石门上，这称雄一世的暗器名家“子午催魂”，此刻心虚手软，竟连暗器也失了准头。

火光闪动间，一条大汉，高举火把当门而立。身形有如金刚般挺得笔直，被身后无尽的黑暗一衬，更显得威风凛凛，不可逼视。众人这才瞧清，此人便是那鸢背蜂腰、鹰目阔口的大汉，显见他将妻女送回客栈后，便又去而复返。

莫希喘了口气，道：“原来是你。”

那大汉冷冷道：“朋友不分皂白，便骤下毒手，不嫌太鲁莽了么？”

莫希咯咯干笑一声，道：“这……”

一笑佛忽然厉声道：“此时此刻，人人性命俱是危如累卵，自是先下手的为强，纵然错了，也比被人取了性命的好，朋友你若还不肯说出姓名来历，我等不辨敌友，还是难免要得罪的。”

那大汉怒道：“某家难道也是这古墓中的幽魂不成？”

一笑佛道：“这也难说得很。”

那大汉仰天笑道：“你定要瞧瞧某家来历，也未尝不可，但我却先要问你，可知道昔年大悲上人临去时所念的四句偈语么？”

一笑佛忖思半晌，面色又变，沉声道：“莫非是，‘白云重出日，紫煞再现时。莽莽武林间，大乱从此始！’”

那大汉厉声道：“不错，这一代高僧，十年前便似已能预见武林今后之灾难，是以念出这最后四句禅偈，方自含泪而去，其意乃是说只要紫煞手重现江湖，武林中的大乱之期便又要到了。”

一笑佛大喝道：“这与你又有何关系？”

那大汉狂笑道：“你且瞧瞧这是什么。”

狂笑声中，缓缓伸出手掌，火光闪动下，只见他一只手掌，五指竟似一般长短，掌心赫然竟是深紫颜色，发出一种描叙不出的妖异之光。

众人齐地大惊，脱口道：“紫煞手。”

那大汉一字字深深地道：“不错，乱世神龙紫煞手……”

莫希嘶喝道：“好贼子，安阳五义原来竟是被你杀死的。”手掌疾扬，又是一把暗器撒出。

那“乱世神龙紫煞手”厉喝一声，挥手之间，便将暗器全部劈落，口中厉喝道：“你疯了么？胡说什么？”

莫希咬牙切齿，怒道：“安阳五义明明是死于紫煞手下，除你之外，还会有谁能使紫煞手？你……你还他们五人性命来吧。”怒喝声中便自和身扑上，一掌拍向那大汉胸膛，但掌势还未发出，便被沈浪轻轻托住了手肘，莫希嘶喝道：“你……要做什么？”

沈浪道：“莫兄请冷静一些，仔细想想，安阳五义被害之时，这位兄台正与你我同在一起，又怎能分身前来这里？”莫希呆了一呆，手掌垂落。

那大汉怒道：“这究竟怎么回事？这厮来到这里，莫非已被骇疯了不成？”

沈浪抱拳笑道：“不敢请教兄台，据闻昔年塞上神龙柳大侠，有位独生爱女，自幼生长于塞外万里大漠之间，却不知与阁下……”

大汉截口道：“那便是拙荆。”

沈浪道：“不想阁下竟是柳大侠高婿，失敬失敬。”语声微顿又道：“武林中人人俱知紫煞手阳刚之劲，举世无传，但必需纯阳男子之体才能练成，而昔年毒手搜魂师徒同时遇难，要命神丐生性孤僻，更无后人，塞上神龙柳大侠也唯有一女，是以江湖间都只当威名赫赫的‘紫煞手’，已将从此绝传，却不想柳大侠的千金自身虽不能练得此等掌力，却将练功秘诀相授予兄台，武林绝技，从此得传，当真可贺可喜。”

那大汉嘴角微露笑容，缓缓道：“兄台年少英俊，叙及武林掌故，如数家珍一般，想必亦属名门子弟。”

沈浪道：“在下沈浪，小卒耳。兄台高姓？”

那大汉道：“铁化鹤。”

沈浪抚掌笑道：“乱世现神龙，斯人已化鹤，名士自有佳名。”

铁化鹤哈哈笑道：“兄台言辞端的风雅得很。”眉宇间一股肃杀之气，在沈浪三言两语中便已消失无形。

沈浪敛去笑容，沉声道："但当今江湖之中，除了铁兄之外，必定还有一人亦自身怀'紫煞手'秘技，只是兄台尚不知情而已。"

铁化鹤皱眉道："怎见得？"

沈浪当下便将安阳五义中大义士金林身中"紫煞手"而死之事，一一说了出来，铁化鹤面色立时大变，厉声道："不想这古墓之中，竟有如许怪事，毒手搜魂一门死绝，要命神丐亦无后人，那么这'紫煞手'乃是自哪里学来的，某家今日好歹也得探个明白。"高举火把，大步走了进去。

一笑佛大笑道："对，还是这位铁兄够胆气，不入虎穴，焉得虎子？"与铁化鹤并肩走入了右面第一道门户，回首道："莫希、胜滢，你们敢来么？"

莫希、胜滢对望一眼，终于硬着头皮走了进去。

朱七七瞧着沈浪，道："咱们呢？"

沈浪举目望去，只见铁化鹤等四人身形都已转入门后，火光渐渐去远，嘴角突然泛起一丝奇异之笑容，瞧着火孩儿道："你说怎样？"

火孩儿颤声道："咱们还是走吧，这里必定有……"

"鬼"字还未说出，沈浪突然出手如风，拇、食、中三指，紧紧扣住了火孩儿脉门间穴道经脉，左掌一抬，拍了他肘间曲池大穴。

朱七七大骇道："你这是做什么？"

沈浪道："你还当这是你八弟么？"左手晃起火折，交给朱七七，厉声又道："你瞧瞧他是谁。"随手扯下了"火孩儿"面具，露出一张鸡皮鹤发的面孔——原来火孩儿入洞之时，便已变作花蕊仙了。

朱七七更是大惊失色，道："八弟呢？你……你将他怎样了？"

花蕊仙骤然被制，亦是满面惊惶，垂首道："老八被我点了晕穴，用皮裘包住，藏了起来，一时间绝不会出事。"

朱七七这才想起自己入洞之时，火孩儿隔了半晌方自追来，在洞外便曾惊呼一声，想必在那时便已被花蕊仙做了手脚，入墓后她虽也发现"火孩儿"声音有些变了，只当他是受惊过甚，又着了凉，声音难免嘶哑，是以竟未曾留意。

此刻她骤然发现花蕊仙竟如此相欺于她，心中自是惊怒交集，顿足道："你……你为何要对他如此？你疯了么？"花蕊仙头垂得更低，朱七七道：“你说话呀，说话呀……我倒要听听，你为了什么竟使出这种手段对付我。”

沈浪沉声道：“她对付的又不止是你一人。方才门外有绿火一闪，也是她弄的手脚，等到别人目光都被吸引时，她便将桌上的铁牌藏起了，然后又悄悄打了那莫希一拳，别人都将她当作个孩子，自不会疑心到她，至于她在黑暗中大嚷有人拧了她一下，那自然更是她自己在故弄玄虚……”语声微顿，一笑又道：“也就因为这最后一次，才被我看出破绽，试想她面上根本戴着面具，又有谁能在她脸上拧一下？”

朱七七更是听得目定口呆，呆了半晌，方自长长喘了口气，道：“原来是她，全是她，倒真的险些把我骇死了。”

沈浪微微笑道：“险些被她骇死了的，又何止你一个？”

朱七七道：“我们全家一直待她不薄，她如何反倒要帮这古墓中的怪物来骇我们？还把老八也制住了……”愈说愈是气恼，忽然反手一掌，掴在花蕊仙脸上，“你说，为什么？为什么？为什么？”

花蕊仙霍然抬起头来，凝目望着朱七七，目光中散发着一种怀恨而怨毒的光芒，但却仍然紧紧闭着嘴，绝不肯说出一个字来。朱七七与她相处多年，从未见到她眼神如此狠毒，只觉心头一寒，突见花蕊仙嘶吼一声，拼尽全力，飞起两足，踢向沈浪下腹。

沈浪轻轻一闪，便自躲过，花蕊仙似已被朱七七一掌激发了她凶恶的本性，此刻竟有如一只发狂的野兽般，拳打足踢，怎奈脉门被制，连沈浪衣袂也沾不到，花蕊仙张嘴露出了森森白牙，一口往沈浪手背咬了下去，沈浪反手一提，便已将她手臂拗在背后。

花蕊仙纵有通天的本事，此刻也无法再加反抗，但面上所流露出的那种乖戾凶暴之气，却仍然叫人见了心寒。

沈浪柔声道：“我知道你在古墓中故意造成一种恐怖意境，只是要我们快些退出此地，但这是为了什么？莫非这古墓中有什么秘密，你不愿让我们知道？莫非你竟和这古墓有什么关系？只要你好生说将出来，我绝不会难为你。”

花蕊仙嘶声道：“你放手，我说。”

沈浪微笑道：“我放了手，便再难抓住你了。”

花蕊仙低吼一声，身子倒翻而起，双足自头顶上反踢而出，直踢沈浪胸膛，但沈浪手掌一抖，便又将她双足甩了下去。花蕊仙咬牙切齿，道："好，你折磨我，我要教你死无葬身之地，我要将你舌头拔出，眼睛挖下，牙齿一只只敲碎，头发一根根拔光……"

朱七七骇得惊呼一声，颤声道："住口……你……你莫要再说了。"

花蕊仙狞笑道："我说说你就害怕了么，等我真的做出了，你又当如何，快叫他放手，否则……"

朱七七顿足道："你受伤将死，我家收容了你；你被人冤屈，我想尽法子替你出气；你昔日作孽作得太多，有时半夜会做噩梦，我晚上就陪着你……哪知……哪知我换来竟是如此结果……"说着说着语声渐渐哽咽，两行清泪，自双目中夺眶而出。

花蕊仙怔了一怔，垂下头去，乖戾的面容上，露出一丝惭愧之色，张口似乎要说什么，但终于还是一个字没有说出。

沈浪缓缓道："你为何如此做？你为何直到此刻还不肯说？莫非这古墓中有个什么人，你必定维护着他，这人莫非是你的姐妹兄弟……"

花蕊仙厉喝一声，叫道："你怎会知道？"语声出口，才发觉自己说漏了嘴，怒骂道："小畜生，你……你休想再自我口中骗出一个字来。"

沈浪脸色微变，但仍是心平气和，缓缓说："想不到花夫人你竟还有兄弟姐妹活在世上，你为着他们，也该说的。说出来后，我也可帮你设法，否则今日纵被你将我们骗出去了，但这古墓的秘密，既已传说出去，迟早总有一日，要被江湖豪杰探个明白，那时你后悔只怕也来不及了。"他语声虽平静，却带着种奇异的慑人之力。

火光下，只见花蕊仙双目之中，突也流下泪来，顿声道："我说出来，你会帮着我么？"

沈浪道："我若不帮着你，方才为何不当着别人揭穿你的秘密，你是聪明人，这道理难道还想不通？"

花蕊仙咬一咬牙，道："好，我说。二十年前，我们就知道这里有个藏宝的古墓，那时我十三天魔虽正值横行武林之际，但时时刻刻都得防备着仇家追踪，是以也无暇前来挖宝，后来衡山一役，十三天魔几乎死得干干净净，我也只有将这古墓的秘密，永远藏在心底，想不到这秘密终于被人发现了。”

朱七七动容道：“你为了维护这古墓的秘密，不让别人染指，所以就使出这手段来么？”

花蕊仙苍老的面容，起了一阵抽搐，道：“不是。”

朱七七讶然道：“那又是为了什么？”

花蕊仙道：“只因……只因我发觉在古墓中这些中毒被杀的人，全是被‘立地销魂散’毒死的，而这‘立地销魂散’，却是我花家的独门秘方，普天之下，只有我大哥‘销魂天魔’花梗仙能够配制。”

沈浪、朱七七陡然地悚然变色，朱七七骇然道：“销魂天魔花梗仙，岂非早已在衡山一役中丧命了么？”

花蕊仙道：“衡山一役，到了后五天中，情况已是大乱，每日里都有许多不同之谣言传出，但谁也不知道真相如何。那时当真是人心惶惶，每个人都已多少有了些疯狂之征象，我十三天魔本自分成两帮觅路上山，到后来却已四零八散，我只听得大哥花梗仙死在乱云涧中，却始终没有见到他的尸首。”

朱七七道：“如此说来，你大哥死讯可能是假的。”

花蕊仙缓缓道：“想来必是假的。”

朱七七道：“如……如此说来，莫非你大哥此刻便在这古墓中不成？”

花蕊仙垂眉敛目，冷冷道：“想来必是如此，‘立地销魂散’既在这古墓中出现，‘销魂天魔’自然也在这里了。”

沈浪突然微笑道：“那‘立地销魂散’，说不定乃是你大哥的鬼魂在墓中炼制的亦未可知。”

花蕊仙身子一震，但瞬即狞笑道：“在这古墓中，纵是我大哥的鬼魂，我也要帮着他的，绝不能容外人前来骚扰。”突然用左手自怀中掏出一面铁牌，又道：“你又认得这是什么？”

沈浪就着朱七七手中火折光亮，凝目瞧了两眼，只见那黝黑的铁牌上，竟似隐隐有烟波流动，瞧得愈是仔细，感觉这小小一块铁牌上，竟似含有苍穹险暝，云气开阖之势，变化万端，不可方物。沈浪不禁微微变色道：“这岂非昔年天下第一绝毒暗器‘天云五花绵’的主人，云梦仙子之‘天云令’么？”

花蕊仙道：“果然有些眼光。”

朱七七骇然道：“威震天下之‘天云令’突然重现，云梦仙子那女魔头莫非也未死么？”

花蕊仙缓缓道：“别人之生死，我虽不敢断定，但这云梦仙子昔年死在‘九州王’沈天君‘乾坤第一指’下时，我却是亲眼见到的。”

朱七七变色道：“死人的东西，怎……怎会在这里？”

花蕊仙冷冷道：“‘紫煞手神功’‘立地销魂散’‘天云令’，这些有哪件不是死人的东西？而如今却都在这古墓中出现，可见这古墓中鬼魂非只一人。我与他们生为良朋，死为鬼友，岂容他们灵地为外人所扰？你们还是快快出去吧，否则也要与一笑佛、铁化鹤他们同样的下场了。”

沈浪悚然道：“他们如何下场？”语声未了，突然发觉一笑佛、铁化鹤这些人走进去的那扇门户，竟已不知在何时无声无息地关了起来，沈浪等专神留意着花蕊仙，竟未发现。

朱七七不禁骇然大呼道：“这……这扇门……”

花蕊仙纵声大笑道：“你们此刻才发现么？……这古墓之中，又添了几个义鬼，我留在这里，怎会寂寞？……但念在昔日之情，我劝你们还是快快走吧……”凄厉的笑声，听来当真令人毛骨悚然。

沈浪目光转动，断定这八扇门户，确是依“八卦”之理所建，不禁皱眉道：“他们走的这扇乃是生门，怎会成为绝地？”拉着朱七七掠过去，全力一掌，拍在门上，只听“砰”的一声大震，石门纹风不动，显见这石门之沉厚，却非任何人力所能开启。

石门的震击声，凄厉的狂笑声，四下回应，有如雷鸣。

忽然间，十余个身持火把，腰佩利刃的大汉，自门外一拥而入，原来四下回声，掩住了他们的脚步声，是以直到他们入门后，沈浪与朱七七方才发觉，齐地骇然回顾，只见当中两人，竟是那彭立人与万事通。

沈浪道：“彭兄居然真的来了，倒教在下……”

一句话未曾说完，彭立人身后突有几人狂吼而出，道：“小贱人，原来你在这里，爷倒追你追得好苦呀。”这几人正是那“穿云雁”易如风、“扑天雕”李挺、“神眼鹰”方千里，与那“威武镖局”之总镖头展英松。

原来他几人一路追至沁阳，虽未追着朱七七，却见到了彭立人，彭立人与他们才是素识，一见他们之面，就忙着将这古墓的秘密说出，而且定要催着他们到古墓中一瞧究竟，方千里与展英松等人本是好事之徒，被彭立人、万事通再三鼓动，便齐地来到这里。

朱七七眼波一转，悄声道：“不好，对头找上门来了……”身形突然斜斜掠起，闪入了另一重门户，却偏偏还要回首笑道：“这里面可全都是厉鬼冤魂，你们可敢过来么？”眼角有意无意间向沈浪一瞟，沈浪暗中跺了跺脚，只得拉着花蕊仙，相随而入。

“扑天雕”李挺怒喝道：“你就算跑到鬼门关，李某也要追去。”长刀出鞘，身形乍展，却已被方千里一把拉住。

但见白衣飘拂，朱七七已没入黑暗中。

沈浪追过去，沉声道：“你好大的胆子，怎地如此轻易闯入？”

朱七七轻笑道：“一不做二不休，花蕊仙说得愈是怕人，我愈是要看个清楚，反正咱们有她陪着，她哥哥无论是人是鬼，总得给咱们留下点情面，何况，与其叫我落入方千里那群人手中，还不如索性被鬼弄死的好。”

沈浪叹道：“你这样的脾气，只怕连鬼见了都要头疼。”

突听“哗”的轻轻一响，身后的石门，又紧紧关起，将门外的人声与火光，一齐隔断。朱七七手中火折已熄，四下立时被黑暗吞没。

门外的“扑天雕”李挺正在向方千里厉声道：“大哥怎地不让我追，莫非又要眼见这贱人逃走了不成？”

方千里冷笑道：“他们走的乃是‘死门’，反正也休想活着回来了，咱们追什么？”话犹未了，果然有一道石闸落下，隔断了门户。

李挺悚然道：“好险，若非大哥还懂得奇门八卦之学，小弟此刻只怕也被关在里面了。”

方千里两眼一翻，冷冷道：“话又说回来了，这古墓中所藏如若是人，奇门八卦之术自然有用，这古墓中所藏若是鬼魂……嘿嘿，只怕纵然诸葛武侯复生，也一样要被困在绝路之中。”

“穿云雁”易如风沉声道：“那丫头既已被逼得走入绝路，咱们这口怨气总算已出，不如就此全身而退，也免得多惹事故。”

展英松等人俱都沉吟不语，显见心里已有些活动，要知这些人虽然俱是胆大包天的角色，但见了这古墓中之森森鬼气，仍不觉有些心寒。

万事通与彭立人偷偷交换了个眼色，彭立人突然大声道：“这古墓中藏宝之丰，冠于天下，咱们入了宝山，可不能空手而回，无论这里藏的是人是鬼，咱们这些人也未见怕了他们。”

万事通悠悠道：“各位若是怕了，不妨退去，但我与彭兄么……嘿！好歹都是要闯上一闯的。”

展英松怒道：“谁怕了，我‘威武镖局’门下，从无临阵退缩之人，咱们闯。”立有七八人哄应一声，抢步而出。

神眼鹰方千里冷冷道：“我‘风林三鸟’，也未必是怕事的人，但却也不是单逞匹夫之勇的鲁莽之徒，咱们纵然要闯，也得先要有个通盘之计，展总镖头，你说愚兄可有道理？”

展英松道：“依方兄之意又待如何？”

方千里道：“咱们这些人，正好分作两拨，一拨前去探路，一拨留此接应，一面连以长索，以免探路的人迷失路途，走不回来。”

彭立人抚掌道：“方兄果然计虑周详，但，谁去探路？”

方千里道：“待我与展总镖头猜枚定赌局，负者探路。”

展英松道：“就是这么说。”

方千里将一只手藏在背后，道：“总镖头请猜我手指单双。”

展英松沉吟半晌，道：“单。”

方千里微微一笑，伸出两根手指，道：“双。”

展英松厉声道：“好，咱们去探路，威武门下，跟着我来。”

彭立人冷忖道：“这方千里当真是个老狐狸！他手掌藏在背后，展英松赌单，他便伸出两指，展英松赌双，他便伸出五指，如此赌法，赌到明年，展英松也休想胜上一盘。只是……今日你们既已入了古墓，便休想有一个人直着走出去，胜负又有何两样？”当下大声道：“小弟陪展兄一同探路。”

方千里取出一盘长索，将绳头交给了展英松，道："总镖头且将绳头缚在身上，长索尽时，无论走到哪里，总镖头都必须回来，一路上也必须留下标志。如若半途有变，总镖头只需将长索一扯，我等立去接应。"

展英松道："知道了。"将绳头系在腰间，大喝道："跟我来。"高举火把，大步当先，走入了一重门户，随行之镖头中，突有一人颤声道："这道门若是也落下来，咱们岂非要被关在其中？"

李挺道："这个无妨，此门若有石闸落下，我与易三弟还可托住一时，那时展大哥扯动绳索，各位便可赶紧回来。"

展英松大笑道："人道'扑天雕'非但轻功卓绝，而且还具有一身神力，看来此话果然不虚……如此，就有托李兄了。"声落，和彭立人及手下镖头，九人鱼贯而入，九只火把，将门内石道照得通明。

直待九人身形去远，李挺叫道："展英松倒也是条汉子。"

方千里冷冷道："只可惜太蠢了些。"

展英松当先而行，脚步亦是十分沉稳，但是这秘道顶高两丈，四面皆石，曲折绵长，似无尽头。石道两旁也有着一扇扇门户，但都紧紧关闭，推之不开。

彭立人却远远压在最后，手持双刀，面带微笑，一副心安理得之态，似乎深信这些人都死光了，他也绝不会有任何凶险。走了段路途，彭立人长刀突展，将绳索割断，前行之人，自然谁也没有瞧见，彭立人这才赶上前去，沉声道："展兄有何所见？"

展英松摇头叹道："想不到这古墓竟有这般的大……"突见前路一扇门户，竟开启了一半，门里竟似隐隐有火光闪动，展英松心头一震，骇然道："这里莫非还有人在？"一步掠了过去，探首而望。

只见门里乃是一间六角石室，六角分放着六具铜棺，当中竟还有一盏铜灯，发出像鬼火般光芒，此外别无人踪。这铜灯也不知是何人燃起的，何时燃起的，绿惨惨的火光映着绿惨惨的铜棺，一种诡秘恐怖之意，令人几将窒息。

展英松长长喘了口气，道："进不进去？"

彭立人沉吟道："你我不如拉动绳索，让方兄等人进来再作商议。"

展英松道："好。"反手扯着绳索，扯了一阵，只觉绳索空荡荡的，毫无着力之处，展英松面色微变，猛力收索，突见绳头又现，这才发现长索竟已断了，众人齐地惊呼，一人道："咱们快退吧，"

彭立人跺足道："这……这是谁弄的手脚？此刻事变已生，再退也来不及了，不如索性往里面闯一闯，好歹瞧个究竟。"

展英松沉吟半晌，猛一顿足咬牙道："生死由命，富贵在天，展英松今日若要死在这里……唉，就死吧，闯。"身形一闪，入了石室。

彭立人道："我来守着这道门户，各位请进。"众人面色苍白，脚步犹疑，彭立人目光一闪又道："那铜棺之中，说不定便是宝藏所在之地……"话犹未了，众人已蜂拥而入，彭立人嘴角泛起一丝狞笑，脚步一缩，突然将那石门一推，门里暗藏机簧，"咯"的一声，便关得死死的了。

门内人发现不好，惊呼出声时，石门已闭，瞬即将惊呼之声隔断。这时石道中突有一条灰影闪出，行动间了无声息，彭立人还未觉察，只是狞笑低语道："展英松，你莫怪我，这……"

突听身后响起一个冷冰冰的语声，阴恻恻截口道："这件事你办得不错，现在，快回去扯动那根断索，好教方千里等人进来送死。"

彭立人辨出这语声正又是那灰袍人发出的，双膝虽已骇得发软，但仍勉强颤抖着举步而行。只听那鬼魅般语声又道："一直走，别回头，对你自有好处，你若想回头偷看，便教你与他们一般下场。"

在外面，方千里目光凝注着长索，李挺、易如风，紧立在展英松走入的那扇门户两旁。长索渐尽，突然不再动了。方千里自不知绳索已断，只是皱眉沉吟道："展英松为何不往前走了，莫非已发现了什么……"

众人屏息静气，等候动静，只觉这时间实是过得缓慢无比，众人手脚冰冷，呼吸渐渐沉重，也不知过了多久……突见绳索被扯动三下，过了半晌，又扯动三下，李挺悚然道："里面有变，咱们去接应。"

方千里冷笑道："你真要去接应么，莫非要陪他送死？"

李挺呆了一呆，道："这……"

万事通目光一转，突然说道："展英松只怕在里面发现了藏宝亦未可知，各位不去，在下却要进去的。"展动身形，掠了进去。

方千里阴沉的面色，亦已动容，默然半晌，突也大声道："咱们与展某虽无交情，但江湖道义却不可不守，走，进去助他一臂。"率领手下，亦是一拥而入，李挺、易如风双双断后。

万事通暗笑忖道："老狐狸，满腹阴险，满口仁义，明明是贪得宝藏，偏偏还要嘴上卖乖，但这次也要叫你这老狐狸有进无出。"众人方自走出一箭之地，身后门户已然紧紧关闭。

易如风首先发觉，大喝道："不好，咱们中计了。"

方千里自也大骇，反身察看，但集众人之力，也休想将那石门动弹分毫，方千里悚然道："今日你我已是有进无退，索性往里闯吧。"又走了两箭之地，便赫然发现那已被斩断的绳头。

众人更是大惊失色，李挺颤声道："展……展英松他们到哪里去了？莫非已遭了毒手？"

方千里面寒如铁，闭嘴不答，目光凝注着前方一步步走了进去，众人虽然心寒胆怯，但事已至此，只得跟在他身后。突然一道紧闭着的石门前，有支已熄灭的火把，火把虽灭，犹有余温，可见熄灭还未多久。方千里拾起火把，容颜更是骇人，缓缓道："这正是他们拿进来的，看来……"戛然住口，再向前行。

他话虽未说出，但众人自已知他言下之意，正是说展英松已是凶多吉少，人人心中除了恐惧之外，又不觉加了一分悲痛。但此时多言亦无益，众人只有闭着嘴巴，硬着头皮前行。前面突然现出三条岔路，三岔路口上，赫然竟有条血淋淋的手臂，鲜血犹未凝固，手掌紧握成拳，唯有食指伸出，指着左面一条路。右面一条路上，火光可照之处，一路竟都是枯骨，有的完整，有的震散，有的枯骨手中还握着刀剑。闪闪寒光，森森白骨，衬托出一种凄迷诡异之画面，有如人们在噩梦中所见景象一般。

李挺倒抽口冷气，道："还……还往前走么？"

方千里道："不走又如何？"

李挺道："但前面也似是……死……死路一条。"

方千里冷冷道："本就是死路一条。"

李挺嘶声道："这古墓中人，为何定要将咱们全都置之死地？"

方千里沉声道："此番被诱入这古墓之人，来历不同，互相亦毫无关系，但古墓中人却要将这些人置之死地，可见绝非为了仇怨……"

易如风道："却又是为了什么？"

方千里道："依我看来，这古墓中必定蕴藏着一个绝大阴谋，这阴谋也似乎正是武林动乱之前奏，你我便都成了这次阴谋中之祭品。"

万事通道："方兄已认定这古墓是人非鬼么？"

方千里冷笑道："世上哪有什么鬼魂，除非……"突听身后传来一声冷笑，方千里毛发立时为之悚然，一齐转身望去。

但见后面石道空荡荡，哪有一条人影，再回头时，那条血淋淋的手臂，已改变了方向，手指赫然已指着中央一条道路。众人再也忍不住，放声惊呼起来，也不知是谁，颤声呼道："这……这……这不是鬼是什么？"

方千里飞起一步，将断臂踢开，大喝道："是鬼我也要斗一斗。"展动身形，向中央一条道路冲了过去。

万事通面上泛起一丝诡秘之笑容，悄悄俯下身子，抹去了足尖一点血迹——这血迹自是他在暗中将断臂踢得方向改变时留下的。只见"风林三鸟"与门下弟子都已奔入中央那条秘路，万事通方自举步跟去，突有一条手臂，扯住了他衣角，一个灰衣人，自石壁间走出，站到他身后，阴恻恻笑道："你也要跟去送死么？"

万事通浑身发抖，道："小……小人……"

灰衣人道："你还有用，我怎会要你死？记着，往右面那条满布枯骨的路上走去，你那朋友彭立人自会来接应于你。"

万事通道："知……知道了……"突听中央道路那方，传来"风林三鸟"等人一声惊呼，但惨厉的呼声方自发出，又被一齐隔断。万事通身子足抖了盏茶时分，渐渐平息，四面静寂如死，火光下，那血淋淋的手臂更是凄艳可怖，万事通忍不住偷偷回望一眼，身后哪有人影？那灰衣人鬼魅般出现，此刻竟又鬼魅般消失了。

"风林三鸟"与门下弟子奔入中央那条通路，方自弯过两个转折，突见前面一间石室，洞开的门户中，隐隐有珠光宝气映出。方千里精神一振，喜道："看来咱们这条路果然选对了！"当先掠入门户，但见石室之中，并排放着四口石棺，棺盖俱已掀开，四口石棺之中，竟满堆着不知名的奇珍异宝，辉映着奇异的光彩。

"风林三鸟"虽也都是大秤分金的武林豪强，但一生中却也未曾见过这许多珍宝，目光瞥过，忍不住脱口惊呼出声来。风林门下弟子，更是惊得目定口呆，呆了半晌，突然齐地欢呼一声，飞扑过去，各自伸手攫起了成串的珠宝。

哪知珠宝入手，突然碎裂，一连串多彩的水珠，自碎裂的珠宝中飞激而出，溅在风林门下弟子们的身上、手上、面上，风林门下弟子只觉水珠触处，有如火炙一般，惨呼一声，翻身跌倒。但见只要是水珠所溅之处，无论衣衫、肌肉、毛发，在刹那之间，便已完全腐烂，直烂入骨，而风林弟子也在这一刹那间，便已疼得满地翻滚，全身痉挛，那模样当真是惨不忍睹。风林三鸟虽是满心惊怖，却又生怕也被毒汁所染，竟不敢伸手去触及他们弟子的身子。只见弟子们挣扎渐停，呼声渐微，终于在一阵剧烈的颤抖之后，动也不再动了，而那入骨的腐烂，却已蔓延更广。几个精壮剽悍的小伙子，眼见在转眼间便要化作一堆白骨，方千里又是惊心，又是心疼，嘶声道："好毒……好毒……"突然一声轻响，回首望处，他们身后的石门也关上了。

且说沈浪、朱七七与花蕊仙三人，自石门落下后，便置身一片黑暗中，咫尺之间也难见对方面目。沈浪更是紧抓住花蕊仙手腕不放，朱七七却伸手勾住了沈浪的脖子踮起足尖，娇靥贴上了沈浪的面颊，轻轻叹息一声，道："真好……"

花蕊仙冷笑道："人都快死了，还好什么？"

朱七七悠悠道："我能在这梦一般的黑暗中，相依相偎，纵然死了，也是好的。"轻轻一拧沈浪耳朵，道："我不要有第三人在我们身旁，你……你放开她的手，让她走吧。"

沈浪道："小姐，你虽然想死，我却还没有活够，我不放她的。"

朱七七转过头，狠狠咬了他一口，恨声道："你这个无情无义，不解风情的小畜生，我恨死你了，我……我真想咬死你。”

花蕊仙冷冷道：“快咬快咬，愈快愈好。”

沈浪扳开朱七七的手，道：“拿来。”

朱七七道：“拿什么？”

沈浪道：“火折子。”

朱七七道：“没有了。”

沈浪缓缓道：“我瞧见你将火折熄灭，藏在左面怀里，还用一块白色的手帕包着，是么？”

朱七七连连跺足道：“死鬼，死鬼……拿去死吧。”掏出火折子，掷了过来。

虽在黑暗之中，但沈浪伸手一接，便将火折接住，一晃即燃。只见朱七七双颊嫣红中，眼波中流露的也不知是恨？是爱？

沈浪微微一笑，道：“有了火光，便可往里闯了，走吧。”

朱七七道：“谁要跟你走。”跺着脚，转过身子，过了半晌，还是忍不住偷偷回眼一瞟，却见沈浪已拉着花蕊仙走了。

朱七七咬一咬牙，大声道：“好，你不管我，你走吧，我……我就死在这里，看你怎么样。”

沈浪头也不回，笑道：“你瞧你身后有个什么人？莫要被他……”话未说完，朱七七已“嘤咛”一声，奔了过去，举起粉拳，在沈浪肩上捶了十几拳，口里虽连声骂着：“死人，我掐死你。”但落手却是轻轻的，口里虽在说：“我偏不跟你走。”但脚下还是跟他走了。

三人走了半晌，但见一重门户半开，门里有棺，棺上有灯。朱七七道：“这里莫非有人，我进去瞧瞧。”方自举步，还未入门，突听沈浪轻叱道：“进去不得。”

朱七七道：“为什么，我就偏要进去。”

沈浪叹道：“姑娘，你难道还瞧不出这是对方诱敌的陷阱？你若进去，门户立刻就会关上。”

朱七七转了转眼波，突然“扑哧”一笑，道：“算你聪明。”

三人再往前行，又走了半晌，但见前面三条岔路，路口一条血淋淋的断臂指着左方。右方的道路，隐隐可见死人白骨。

朱七七眨了眨眼睛，道："咱们往中间这条路走。"

沈浪一沉吟，道："常言道，实中有虚，虚中有实。右面这条路，看来虽凶险，但是通向这古墓中央的唯一道路，而这古墓的秘密枢纽，也必定是在墓之中央，中间这条路，是万万走不得的。"

朱七七道："外面为何却有八道门户？"

沈浪道："如今我已看出，外面那八道门户，俱是疑兵之计。这八条道路非但全都一样，而且必是通向同一终点，只是每条道路上，必有许多岔路，也必有许多陷阱，只要我等能避开陷阱，踏上正路，便必能探出此间最终之秘密。"说话之间，三人俱已走入了右面那条道路。

花蕊仙冷笑道："花梗仙行事从来最是谨慎小心，你们万万不会探出他之秘密的，还是快回去吧，又何必要送死？"

沈浪非但不睬她，根本瞧也不瞧她一眼，突听朱七七一声欢呼，道："对了……对了，咱们必定走对了。"只见她手指一处，光华灿烂，一间石室中，竟满是奇珍异宝。

花蕊仙脸色大变。朱七七虽然生长在大富之家，但无论哪一个年轻的少女，见着这么多珠宝，总难免由心底深处发出一种喜爱之情，忍不住奔过去要抓起那些珠宝，轻轻抚摸，仔细瞧瞧，哪知她手掌方伸出，又被沈浪一把拉住。

朱七七道："拉我手做什么？"

沈浪道："你生长大富之家，难道未看出世上哪有光华如此灿烂之珠宝？这其中必有古怪之处。你若想活着探出此间之秘密，还是莫要动它的好。"

朱七七咬了咬嘴唇，道："好，再听你一次。"

花蕊仙又自冷笑道："算你聪明，这一手又是花梗仙的拿手好戏，这珠宝外壳乃是他秘方所制，其中满贮毒汁，无论是谁，一触即死……嘿嘿，但你也莫要得意，花梗仙素来心灵手巧，你纵能识破他这一手，他还不知有多少花样在等着你哩，我看你不如快些放开我，他瞧我的面子，只怕还可放过你们。"

她唠唠叨叨说了一大套，沈浪还是不理她。再往前行，转折愈多，忽然间，一条人影自左方掠出，右方隐没。就在这身形一闪间，他已扬手发出三道灰惨惨的光华，夹带风声，直击沈浪、朱七七与花蕊仙三人。

两人相距既近，又是骤出不意，再加上秘道黝暗漫长，纵有火折微光映照，仍是朦胧不明，这三道来势如此迅急之暗器，本非任何人所能抵挡，哪知沈浪右手突然划了个圆弧，竟似有一种无形无影之引力，将这三道暗器，全都吸了过来，“噗、噗、噗”三声，三通灰光，俱都投入沈浪袖中。

朱七七又惊又佩又喜，定了定神，眼角一瞥，已瞧出这三道暗器，竟是三支打造奇特、灰光闪闪的九寸短箭。这下朱七七再也忍不住，颤声道：“箭……箭……莫非这就是那……那死神手中射出来的？”

沈浪撕下片衣袖，垫在手里，把三根箭一根根拔出来，虽然中间隔了块布，但沈浪触手之处，仍觉一片奇寒彻骨。他面上虽不动声色，但心中又已不禁充满惊异，就着火折微光，注目瞧了几眼，双眉立刻展开，长笑道：“原来如此。”

朱七七面上神情，亦是又惊又喜，竟已拍起手来，道：“原来如此……原来这死神弓中射出的鬼箭，看来虽是那般神妙，其实也不过如此而已。”

只听甬道曲折间，隐隐约约，又传来那慑人的歌声：“冷月照孤冢，死神夜引弓。燃灯寻白羽，化在碧血中。”这歌声方才听来，确实充满了阴森恐怖诡异之意，但沈浪此刻听了，却再也忍不住放声大笑起来，道：“什么鬼箭，只不过是几根冰箭而已。”这人人再也猜想不出的秘密，说穿了其实不值一文——原来这死神弓中射出的鬼箭，竟是以寒冰凝结而成，加上内家真力，自可穿肌入肤，但被人体中沸腾的热血一激，立刻又必将融化为水，是以等人燃灯去寻时，自然什么也瞧不见了。

朱七七喘息着笑道：“真亏这些人想出的鬼花样，若不揭破，当真要被他吓得半死，但若非如此天寒地冻之时，他这花样也休想要得出来。”

沈浪道：“只是你也莫要将这瞧得太过简单，凝成这冰箭的水中，必定含有极为厉害之毒汁，一遇人血，立刻融化，散布四肢，方能立即致人于死。”说话之间，随手一抛，将那三枚“鬼箭”，俱都远远抛了出去。

朱七七撇了撇嘴，道：“但无论如何，我们总算将这古墓中的鬼花样全都识破了，我倒要看看，他们究竟还有些什么……”话犹未了，她身后平整的石壁，突然开了一线，一股浓烟急涌而出，朱七七还未来得及闭住呼吸，头脑已觉一阵晕眩，人已倒了下去，什么都不知道了。

第五章

古墓多奇变

等朱七七醒来之时，头脑虽然仍是晕晕沉沉，有如宿酒初醒一般，但眼前已可瞧出自己乃是坐在一间充满了湿腐之气的石室角落中，四肢虽然未曾束缚，但全身却是软绵绵的不能动弹。

转眼一瞧，沈浪与花蕊仙竟也在她身旁，身子也是动也不能动，朱七七又惊又骇，嘶声呼道："沈浪，你……你怎么也会如此了？"她对自身之事倒并不如何关心，但瞧见沈浪如此可真是心疼如裂。

沈浪微微一笑，摇头不语，面色仍是镇静如常。

花蕊仙面上却不禁现出得意之色，缓缓道："这迷香也是花梗仙独门秘制，连我都不知道，其名为'神仙一日醉'，就算是神仙，只要嗅着一丝，也要醉上一日，神智纵然醒了，四肢还是软绵绵的不能动弹，你们此刻若是肯答应此后永不将有关此事的秘密说出去，等下我见着花梗仙时，还可为你们说两句好话。"

朱七七用尽平生之力，大叫道："放屁，不想你这忘恩负义的老太婆，竟如此混账，怪不得武林中人人都想宰了你。"

花蕊仙怒道："好泼辣的丫头，此刻还敢骂人……"

突见石门缓缓开了一线，一道眩目的灯光，自门外直照进来，花蕊仙大笑道："好了好了，我大哥来了，看你这小姐脾气还能发狠到几时。"

灯光一转，笔直地照在沈浪、朱七七与花蕊仙三人脸上。这眩目的光亮，也不知是自哪种灯里发出来的，委实强烈已极，沈浪等三人被灯光照着，一时间竟难以张开眼睛，也瞧不见眼前的动向。

但此刻已有一条灰衣人影翩然而入，大模大样，坐在灯光后，缓缓道："三位远来此间，在下未曾远迎，恕罪恕罪。"

他说的虽是客套之言，但语声冰冷，绝无半分人情味，每个字发出来，都似先已在舌尖凝结，然后再自牙缝里迸出。

花蕊仙眯着眼睛，隐约瞧见有条人影闪入，只当是她大哥来了，方自露出喜色，但听得这语声，面目又不禁为之变色，嗄声道："你是什么人？可是我大哥花梗仙的门下？还不快些解开我的迷药？"

那灰衣人似是根本未曾听到她的话，只是冷冷道："三位旅途奔波，既已来到这里，便请安心在此静养，三位若是需要什么，只管吩咐一声，在下立时着人送来。"

朱七七早已急得满面通红，此刻再也忍不住大叫道："你究竟是谁？将我们骗来这里是何居心，你……你究竟要将我等怎样？要杀要剐，你快说吧。"

灰衣人的语声自灯光后传来："闻说江南朱百万的千金，也不惜降尊纡贵，光临此地，想就是这位姑娘了？当真幸会得很。"

朱七七怒道："是又怎样？"

灰衣人道："武林中成名的英雄，已有不少位被在下请到此间，这原因是为了什么，在下本想各位静养好了再说，但朱姑娘既已下问，在下又怎敢不说，尤其在下日后还有许多要借重朱姑娘之处……"

朱七七大声道："你快说吧。"

此刻她身子若能动弹，那无论对方是谁，她也要一跃而起，与对方一决生死，但那灰衣人却仍不动声色，还是冷冷道："在下将各位请来此间，并无丝毫恶意，各位若要回去，随时都可回去，在下非但绝不拦阻，而且还必将设酒饯行。"

朱七七怔了一怔，忖道："这倒怪了……"

一念还未转完，那灰衣人已经接口道："但各位未回去前，却要先写一封简短的书信。"

朱七七道："什么书信？"

灰衣人道："便是请各位写一封平安家书，就说各位此刻俱都十分安全，而对于各位的安全之责，在下却多多少少尽了些微力，是以各位若是稍有感恩之心，便也该在家书中提上一笔，请各位家里的父兄姐妹，多多少少送些金银过来，以作在下辛苦保护各位的酬劳之资。"

朱七七颤声呼道："原来你……你竟是绑匪！"

灰衣人喉间似是发出了一声短促、尖锐，有如狼嗥般的笑声，但语声却仍然平平静静。

那是一种优雅、柔和，而十分冷酷的平静，只听他缓缓道："对于一位伟大之画家，姑娘岂能以等闲匠人视之，对于在下此等金银收集家，姑娘你也不宜以'绑匪'两字相称。"

朱七七道："金银收集家……哼哼，狗屁。"

灰衣人也不动气，仍然缓缓道："在下花了那么多心思，才将各位请来，又将各位之安全，保护得这般周到，就凭这两点，却只不过要换各位些许身外物，在下已觉十分委屈，各位如再吝惜，岂非令在下伤心？"

沈浪忽然微微一笑，道："这话也不错，不知你要多少银子？"

灰衣人道："物有贵贱，人有高低。各位的身价，自然也有上下不同，像方千里、展英松那样的凡夫俗子，在下若是多要他们的银子，反而有如抬高了他们的身份，这种事在下是万万不屑做的。"

他明明是问人家要钱，但他口中却说得好像是他在给别人面子，朱七七当真听得又是好气，又是好笑，忍不住问道："你究竟要多少？"

灰衣人道："在下问展英松要的不过只是十五万两，但姑娘么……最少也得一百五十万两……"

朱七七骇然道："一百五十万两？"

灰衣人缓缓道："不错，以姑娘如此冰雪聪明，以姑娘如此身份，岂非高出展英松等人十倍？在下要的若是再少过此数，便是瞧不起姑娘了，想来姑娘也万万不会愿意在下瞧不起姑娘你的，是么？"

朱七七竟有些被他说得愣住了，过了半晌，方自怒目道："是个屁。你……你简直是个疯子，豺狼黑心鬼……"

但这时灰衣人的对象已转为沈浪，她无论骂什么，人家根本不理。灰衣人道："至于这位公子，人如玉树临风，卓尔不露，心如玲珑七窍，聪明剔透，在下若要个一百五十万，也不算过分……"

沈浪哈哈笑道："多谢多谢，想不到阁下竟如此瞧得起我，在下委实有些受宠若惊，这一百五十万两银子又算得了什么。"

灰衣人尖声一笑，道："公子果然是位解人，至于这位花……花……"

花蕊仙大喝道："花什么？你难道还敢要我的银子？"

灰衣人缓缓道："你虽然形如侏儒，老丑不堪，但终究也并非一文不值……"

花蕊仙怒骂道："放屁，畜生，你……你……"

灰衣人只管接道："你虽看轻自己，但在下却不能太过轻视于你，至少也得问你要个二三十万两银子，略表敬意。"

朱七七虽是满胸急怒，但听了这种话，也不禁有些哭笑不得。花蕊仙额上青筋，早已根根暴起，大喝道："畜生，我大哥少时来了，少不得要抽你的筋，剥你的皮，将你碎尸万段。"

灰衣人道："谁是你的大哥？"

花蕊仙大声道："花梗仙，你难道不知道么？装什么糊涂。"

灰衣人冷冷道："花梗仙，不错，此人倒的确有些手段，只可惜远在衡山一役中，便已死了，在下别的都怕，鬼却是不怕的。"

花蕊仙大怒道："他乃是主持此事之人，你竟敢……"

灰衣人截口道："主持此事之人，便是区区在下。"

他语声虽然平静轻缓，但无论别人说话的声音多么大，他只轻轻一句话，便可将别人语声截断。

花蕊仙身子一震，但瞬即怒骂道："放屁，你这畜生休想骗我，花梗仙若是死了，那易碎珠宝、神仙一日醉，却又是自哪里来的？"

灰衣人一字字道："乃是在下手中做出来的。"

花蕊仙面色惨变，嘶声呼道："你骗我，你骗我……世上除了我大哥外，再无一人知道这独门秘方……花梗仙……大哥，你在哪……"

突然一道风声穿光而来，打在她喉下锁骨左近的"哑穴"之上，花蕊仙"哪里"两字还未说完，语声突然被哽在喉间，再也说不出一个字来。这灰衣人隔空打穴手法之狠、准、稳，已非一般武林高手所能梦想。

灰衣人道："非是在下无礼，只是这位花夫人声音委实太大，在下怕累坏了她，是以只好请她休息休息。"

朱七七冷笑道："你倒好心得很。"

灰衣人道："在下既已负起了各位安全之责，自然处处要为各位着想的。"

朱七七被他气得快疯了，气极之下，反而纵声大笑起来。

沈浪瞑目沉思已有许久，此刻忽然道："原来阁下竟是快活王座下之人，瞧阁下如此武功，如此行径，想必是酒、色、财、气四大使者中的财使了？"

他忽然说出这句话来，灰衣人面色如何，虽不可见，但朱七七却已不禁吃了一惊，脱口道："你怎会知道？"

沈浪微微一笑，道："花梗仙的独门秘方，世上既无旁人知晓，而此刻这位朋友却已知晓，这自然唯有一个理由可以解释。"

朱七七道："我却连半个理由也想不出。"

沈浪道："那自是花梗仙临死前，也曾将这独门秘法留给了玉关先生，这位朋友既是金银收集家，自然也必定就是玉关先生快活王门下的财使了。"

朱七七完全被惊得怔住，许久说不出一个字。

沈浪又道："还有，花梗仙既然早已知道这古墓的秘密，那时必也将此秘密与他所有独门秘法一起留下，是以玉关先生便特令这位财使东来掘宝，哪知这古墓中藏宝之说，只不过是谣言，墓中其实空无所有，财大使者一急之下，这才想到来打武林朋友们的主意。他将计就计，正好利用这古墓，作为诱人的陷阱。"

朱七七道："但……但他既要将人诱来此间，却又为何又要作出那些骇人的花样，威吓别人，不许别人进来？"

沈浪微笑道："这就叫欲擒故纵之计，只因这位财大使者，深知武林朋友的毛病，这地方愈神秘，愈恐怖，那些武林中的知名之士，愈是要赶着前来，这地方若是一点也不骇人，来的便必定多是些猫猫狗狗，无名之辈，这些人家里可能连半分银子也没有，却教财大使者去问他要什么？"

朱七七喘了几口气，喃喃道："不错，不错，一点也不错……唉！为什么总是他能想得起，我就偏偏想不起？"

灰衣人默然良久，方自缓缓道："阁下大名可是沈浪？嘿……沈兄你果然是位聪明人，简直聪明得大出在下意料之外。"

沈浪笑道："如此说来在下想必是未曾猜错了。"

灰衣人道："古人云，举一反三，已是人间奇才，不想沈兄你竟能举一反七，只听得花蕊仙几句话，便能将所有的秘密，一一推断出来，除了在下之名，财使金无望，那是我的徒儿阿堵，还未被沈兄猜出外，别的事沈兄俱都猜得丝毫不差，宛如目见。”原来他身后还跟着一个童子。

沈浪道：“金兄倒也坦白得很。”

财使金无望道：“在沈兄如此聪明人的前面，在下怎敢虚言，但沈兄岂不闻，聪明必遭天忌，是以才子夭寿，红颜薄命。”

沈浪微微笑道：“但在下今日却放心得很，金兄既然要在下的银子，那想必是万万不会又要在下的命了，是么？”

金无望冷冷道：“但在下平生最最不喜欢看见世上还有与在下作对的聪明人，尤其是像沈兄你这样的聪明人。”

朱七七颤声道：“你……你要拿他怎样？”

金无望微笑着露出了他野兽般的森森白齿，缓缓道：“在下今日纵不能取他性命，至少也得取他一手一足，世上少了沈兄这般一个劲敌，在下日后睡觉也可安心了。”

朱七七骇极失声，沈浪却仍然微微笑道：“金兄如此忍心？”

金无望道：“莫非沈兄还当在下是个慈悲为怀的善人不成？”

沈浪道：“但金兄今日纵是要取在下身上的一根毫发，只怕也不容易。”

金无望冷笑道：“在下且来试试。”缓缓站起身子，前行一步。

沈浪突然仰天大笑起来，道：“在下本当金兄也是个聪明人，哪知金兄却未见得多么聪明。”

笑声突顿，目光逼视金无望：“金兄当在下真的已被那‘神仙一日醉’所迷么？”

金无望不由自主，顿住了脚步。

沈浪接道：“方才浓烟一生，在下已立刻闭住了呼吸，那‘神仙一日醉’纵然霸绝天下，在下却未嗅入一丝。”

金无望默然半晌，唇间又露出了那森森白齿，道：“这话沈兄纵能骗得到别人，却未见能骗得到在下，沈兄若未被‘神仙一日醉’所迷，又怎肯做我金无望的阶下之囚了？”

沈浪道：“金兄难道连这道理都想不通么？”

他面上笑容愈见开朗，接道："试想这古墓中秘道千奇百诡，在下纵然寻上三五日，也未见能寻得着此间中枢所在，但在下此刻装作被迷药所醉，却可舒舒服服地被人抬来这里，天下可还有比这更容易更方便的法子么？"

金无望面色已微微变了，但口中仍然冷笑道："沈兄说辞当真不错，但在下……"

沈浪截口道："但金兄怎样？"

一句话未曾说完，身子已突然站起。

金无望早已有如死灰般的面色，此刻变得更是可怖，喉间"咯"的一响，脚下情不自禁后退了一步。

沈浪目中光芒闪动，逼视在他脸上，缓缓道："今日在下能与金兄在这里一决生死，倒也大佳。你我无论是谁战死在这里，都可不必再寻坟墓埋葬了。"

金无望闭口不语，冰冷的目光，也凝注着沈浪。两人目光相对，谁也不曾眨一眨眼睛，沈浪目中的光芒更是无比地冷静，无比地坚定……

朱七七面上再也忍不住露出狂喜之色，道："沈浪，你还是让他三招吧，否则他怎敢和你动手。"

沈浪微微笑道："若是让三招，岂非等于不让一般。"

朱七七笑道："那么……你就让七招。"

沈浪道："这才像话，在下就让金兄七招，请！"

金无望面上忽青忽白，显然他必须努力克制，才忍得住沈浪与朱七七两人这一搭一档的激将之计。

朱七七笑道："怎么，他让你七招，你还不敢动手？"

金无望突然一个翻身，倒掠而出，大厅石门"咯"的一声轻响，他身子便已消失在门外。

朱七七叹息："不好，让他逃了。"

沈浪微笑道："逃了最好……"突然翻身跌倒。

朱七七大骇道："你……你怎样了？"

沈浪苦笑道："那神仙一日醉是何等厉害，我怎能不被迷倒，方才我只不过是以体力残存的最后一丝气力，拼命站起，将他骇走而已。"

朱七七怔了半晌，额上又已沁出冷汗，颤声道："方才他幸好未曾被激，否则……否则……”

沈浪叹道：“但我却早已知道金无望这样的人，是万万不会中别人的激将之计的……”话声未了，突听一阵大笑之声自石门后传来。

笑声之中，石门又启，金无望一步跨了进来。

朱七七面色惨变，只听金无望大笑道：“沈兄果然聪明，但智者千虑，终有一失，沈兄千算万算，却未算出这石室之中的一举一动，室外都可看得清清楚楚的。”

笑声顿处，厉声道：“事已至此，你还有什么话说。”

沈浪长长叹息一声，闭目不语。

金无望一步步走了过来，狞笑道：“与沈兄这样的人为敌，当真是令人担心得很，在下不得不先取沈兄一条手臂，来安安心了。”

说到最后一句，他已走到沈浪面前，狞笑着伸出手掌……

朱七七又不禁嘶声惊呼出来。

哪知她呼声未了，奇迹又现，就在金无望方自伸出手臂的这一刹那之间，沈浪手掌突地一翻，已扣住了金无望的穴道。

这变化更是大出别人意料之外，朱七七在片刻之间连经极惊、极喜几种情绪，更是目定口呆，说不出话来。

沈浪缓缓站起身来，右手扣住金无望腕脉间大穴，左手拍了拍衣衫上的尘土，微微笑道：“这一招金兄未曾想到吧？”

金无望额角之上，汗珠一粒粒涌现。

朱七七这才定过神来，又惊又喜，忍不住娇笑着道：“这……这究竟是怎么回事？”

沈浪道：“其实在下并未被迷的，这点金兄此刻想已清楚得很。”

朱七七道：“你既未被迷，方才又为何……”

沈浪笑道：“方才我与金兄动手，实无十足把握，而且纵能战胜金兄，也未必能将金兄擒住，但经过在下此番做作之后，金兄必将已对我毫无防范之心，我出其不意，骤然动手，金兄自然是躲不开的。”

朱七七喜动颜色，笑着道：“死鬼，你……你呀，方才不但骗了他，也真将我吓了一跳，少时我少不得还要找你算账的。”

金无望呆了半晌，方自仰天长长叹息一声，道：“我金无望今日能栽在沈浪你这样的角色手上，也算不冤。你要我怎样，此刻只管说吧。”

沈浪笑道：“如此就相烦金兄先将在下等带出此室，再将今日中计被擒的一些江湖朋友放出，在下必定感激不尽。”

金无望深深吸了口气，道：“好！随我来。”

沈浪背负朱七七，手擒金无望，出了石室，转过几折，来到另一石室门前。朱七七全身无力，但双手勾住沈浪的脖子，而且勾得很紧，此刻大声问道：“这里面关的是些甚么人？”

金无望目中似有诡异之笑意一闪，缓缓道：“神眼鹰方千里、扑天雕李挺、穿云雁易如风以及威武镖局展英松，共计四人之多。”

朱七七怔了一怔，道：“是这四人么……”

金无望道：“不错，可要放他？”

朱七七突然大喝道：“等等……放不得。”

沈浪皱眉道：“为何放不得？”

朱七七叹了口气，道：“这四人都是我的仇家，他们一出来，非但不会感激我们，还要找我拼命的，怎能放他？”

金无望目光冷冷地看着沈浪，道：“放不放全凭相公作主……”

朱七七大怒道：“难道我就作不得半点主么？我此刻全身没有气力，若是放了他们，岂非等于要我的命……他四人动起手来，沈浪你可也拦不住。”

金无望目光仍是看着沈浪，冷冷道：“到底放不放？”

沈浪长长叹了口气，道：“放……不放……这可把我也难住了……他四人难道未被那‘神仙一日醉’所醉倒？”

金无望冷笑道：“神仙一日醉虽非什么灵丹妙药，但就凭方千里、展英松这几块材料，还配不上来被此药所醉。”

沈浪道：“石门如何开启？”

金无望道：“石门暗扣机关，那一点石珠便是枢纽，将之左转三次，右转一次，然后向上推动，石门自开。”

沈浪微微颔首，不再说话，脚步却已向前移动。

朱七七面上立时泛出喜色，俯下头，在沈浪耳背重重亲了两下，媚笑道：“你真好……”

金无望却又冷冷笑道："我只当沈相公真是大仁大义，救苦救难的英雄豪杰，哪知……嘿嘿，哈哈。"仰首向上，不住冷笑。

那阿堵年纪虽小，但心眼却不小，眼珠子一转，接口道："常言道，英雄难过美人关。英雄为了美人，自然要将一些老朋友俱都放到一边，这又怎怪得了沈相公？"居然也冷嘲热讽起来。

沈浪充耳不闻，只作没有听见，朱七七却忍不住又骂了起来，只见沈浪拖着金无望，转了一个弯，突然在暗处停下脚步，沉声道："这古墓中的秘密，金兄怎能知道的？"

金无望道："先父是谁，你可知道？"

沈浪道："答非所问，该打。"

金无望沉声道："先父人称金锁王。"

沈浪展颜一笑，道："这就是了，江湖传言，金锁王消息机关之学，天下无双，金兄家学渊源，这古墓中的秘密自瞒不了金兄耳目，快活王将金兄派来此间，正是要用金兄所长。"语声微顿，又道："金兄既说这古墓中再无他人走动，想来是必无差错的了。"

金无望道："有无差错，阁下当可判断得出。"

沈浪笑道："好。"指尖一颤，突然点了金无望身上三处昏睡之穴，反手又点了那阿堵肋下三处穴道。

他出手虽有先后，但手法委实快如闪电，金无望、阿堵两人，看来竟是同时倒下。朱七七奇道："你这是做什么？"

沈浪反臂将她抱了下来，轻轻倚在石壁上，柔声道："你好好在这里等着，古墓中已别无敌踪，你大可放心。"

朱七七瞪大了眼睛，道："你……你要去放……"

沈浪含笑道："不错，我先去将那四人放了，令他们即刻出去，这也用不着多少时候，盏茶工夫里我就会回来的。"

朱七七本是满面惊怒，但瞬即长长叹了口气，道："我早就知道你若不放了他们，就像身上刺满了针，一时一刻也不能安心。"

沈浪笑道："我就去就回。"方自转身。

朱七七突又轻唤道："等等。"

沈浪道："还等什么？"

朱七七道："你……你……"抬起目光，目光中有些恐惧之情，也有些乞怜之意，颤抖的语声，轻轻道："不知怎地，我……我突然害怕了起来，仿佛……仿佛有个恶鬼，正在暗中等着要……要害我。"

沈浪微微一笑，柔声道："傻孩子，金无望与阿堵都已被我制住，你还有什么好怕的——乖乖地等着，我就回来。"挥了挥手，急步而去。

朱七七望着他身影消失，不知怎地，身上突然觉得有一阵彻骨的寒意，竟忍不住轻轻颤抖了起来。

石门上的枢纽被沈浪左旋三次，右旋一次，再向上推动后，石门果然应手而开。门里一盏铜灯灯油将竭，昏黄闪跳的火焰末端，已起了一股黑色的轻烟，在空中犹如恶魔般袅娜起舞。

光焰闪动中，石室里竟是空无一人，哪有方千里、展英松他们的影子！沈浪一惊一怔，凝目望去，只见积满尘埃的地面上，却有四处颇为干净，显然方才有人坐过，但此刻已不见，他们去了何处？难道他们竟能自己设法脱身？还是已被人救走了？救他们的人是谁？此刻在哪里？

沈浪心念数转，心头突也泛起一阵寒意，霍然转身，向来路急奔而回，心中轻轻呼唤道："朱七七，你没事么？……"

奔到转角处，身形骤顿，血液也似已为之凝结，全身立时冰冰冷冷——放在转角处的朱七七、花蕊仙、金无望与阿堵，就在这盏茶时刻不到的工夫里，竟已全都失踪，宛如真的被恶鬼吞噬了一般。

沈浪被惊得呆在当地，额上汗珠，有如叶上朝露，一粒粒迸发而出。突然，一个嘶哑的语声自他身后传来，狞笑着道："沈相公，久违了。"

这语声一入沈浪之耳，沈浪嘴角、颊下之肌肉，立时因厌恶与惊栗，起了一阵扭曲，有如闻得响尾蛇震动尾部时之嗞嗞声响一般。

他暗中吐了一口气，极力使心神仍然保持冷静，真力保持充盈，以准备应付此后之艰险。

只因此人现身后，无论任何一种卑鄙、凶毒、阴恶之事，便随时俱可发生。等到沈浪确信已准备充分，他仍不回身，只是放声一笑，道："两日未见，金兄便觉久违，难道金兄如此想念小弟？"

那嘶嘶的语声哈哈笑道："委实想念得紧，沈相公你何不转过身子，也好让在下瞧瞧你这两日来是否消瘦了些。”

沈浪微笑道：“多承关心……”突然旋身，身形一闪，已掠至语声发出之处，眼角方自瞥见一团黑影，手掌已抓了过去，出手之快与目光竟然相差无几，那黑影哪能闪避得开，立时被他一把抓在手里。

哪知阴影中却又发出了哈哈的笑声，笑声一起，火光闪亮，那“见义勇为”金不换斜斜地倚靠着石壁，一副优哉游哉、好整以暇的模样，左掌里拿着一只方自点燃的火折子，右手拿着根短木杖，杖头挑着件皮裘——被沈浪一手抓着的，竟是他杖头之皮裘。

金不换满面俱是得意之色，哈哈笑着道：“这件皮裘乃是沈相公相赠予在下的，莫非相公你此刻又想收回去了么？”

沈浪方才已当得手，此刻才知这金不换实在不愧是个大奸大猾之徒，早已步步设防。沈浪心中虽失望，口中却大笑道：“我只当这是金兄，方想过来亲热亲热，哪知却是块狐狸皮。”

伸手在皮毛上轻轻抚摸了几下，笑道：“幸好在下出手不重，还未伤着金兄的皮毛，金兄快请收回去，日后莫教别人剥去了。”

金不换亦自大笑道：“沈相公真会说笑，在下身上哪有皮毛……相公莫忘了，这块狐狸皮本是在下自相公你身上剥下来的。”顺手将狐皮披在肩上，又道：“但沈兄的狐皮，却端的暖和得很。”

沈浪暗骂：“这家伙竟连嘴上也不肯吃亏。”口中却笑道：“常言说得好，宝剑赠予烈士，红粉赠予佳人。这块狐狸皮，自然唯有金兄才配消受了。”

两人嘻嘻哈哈，针锋相对，你刺我一句，我刺你一句，谁也不肯饶谁，但沈浪竟绝口不提朱七七失踪之事，金不换却实在有些憋得发慌，终于忍不住道：“朱姑娘踪影不见，沈相公难道不觉奇怪么？”

沈浪微微笑道：“朱姑娘有那徐若愚徐少侠在旁照顾，怎用得着在下着急……”

金不换大笑道：“沈相公果然神机妙算，竟算准我徐老弟也来了。不错，我那徐老弟天生是个多情种子，对朱姑娘必定是百般照顾，百般体贴，他们小两口子，此刻……”哈哈一笑，戛然住口，目光却在偷偷地瞧沈浪是否已被他言语激怒。

哪知沈浪仍是满面微笑，道：“但金兄怎会来到这里，又怎会对这里的机关如此熟悉？这两点在下委实觉着有些奇怪了。”

金不换目光一转，笑道：“沈相公且随我来瞧瞧……”转身带路而行，沈浪不动声色，相随在后。火光闪闪烁烁，照着金不换身上的皮裘。

沈浪忍不住暗中叹了口气，忖道：“这厮身上穿的是我的皮毛，袋里装的是我的银子，却想尽千方百计要来害我，这样的人，倒也真是天下少有。”

一时之间，心里也不知是好气还是好笑。

两人走进这间石室，门户本是开着的。室中灯光甚是明亮，朱七七、花蕊仙、徐若愚、金无望、阿堵果然俱在室中。

金无望穴道未被解，朱七七正在咬牙切齿地骂不绝口，徐若愚已被她骂得远远躲在一旁，但见到沈浪来了，立刻一个箭步，蹿到朱七七身旁，以掌中长剑，抵住了朱七七的咽喉。

朱七七看到沈浪，登时一个字也骂不出来了，心中却是满腹委屈，撇了撇嘴，忍不住哭了，道：“我……我叫你莫要走的，现在……现在……”

终于还是忍不住流下泪来，徐若愚悄悄掉转头，似乎不忍见她流泪。

金不换以身子隔在朱七七与沈浪间，指着远处角落中一张石凳，道：“请坐。”

沈浪面带微笑缓步走过去，安安稳稳地坐下。

金不换伸手一拍徐若愚肩头，笑道：“好兄弟，那位沈相公只要一动，你掌中剑也不妨动一动，怜香惜玉的事，我们不如留在以后做。”

徐若愚道：“我有数的。”

金不换道：“但沈相公心里几件糊涂事，咱们不妨向他解说解说，他心里委实太过难受……沈相公，我演出戏给你看看，好么？”突然伸手，拍开金无望身上三处昏睡穴，却随手又在他腰下点了一指。

沈浪一时间倒揣摩不透金不换此举又在玩什么花样，只见金无望干咳一声，翻身而起，目光四扫，先是狠狠瞪了沈浪一眼，忽然看见金不换，面上立时布满惊怖之色，厉喝一声，似待跃起，却又惨喝着倒了下去。

原来金不换方才一指，正是点了他腰下“章门大穴”。

这“章门穴”，在大横肋外，季胁之端，又名“血囊”，乃是足厥阴肝经中大穴之一。若是被人以八象手法点了这穴道，下半身非但无法动弹，而且酸软麻痒不堪，当真有如千万虫蚁在双腿中乱爬乱咬一般，金无望虽也是铁铮铮的汉子，在这一动之下，竟也不禁痛出了眼泪。

沈浪冷眼旁观，见到金无望面上神情，恍然忖道：“原来这两人昔日是冤家对头，但金不换此刻竟以此等阴损狠毒的手段来对付他，却也未免太残酷了些。”

第六章

患难显真情

只见金不换远远伸出木杖，将金无望身子挑起，笑道："大哥在这里见着小弟，是否也会觉得有点奇怪？"

这一声"大哥"，当真把沈浪叫得吃了一惊，他再也想不到这两人竟是兄弟，不禁暗忖道："金不换用那手段来对付仇家，已嫌太过残忍，如今他竟用来对付他亲生手足，那真是畜生不如了。"

金不换笑道："我大哥只当这古墓中消息机关，天下再无人能破，却忘了他还有个兄弟，也是此道老手。"

金无望咬牙切齿，骂道："畜生……畜生，你怎地还不死？"

金不换道："似小弟这样的好人，老天爷怎舍得让我死，但大哥你一见面就咒我死，也未免太不顾兄弟之情了。"

金无望怒道："我爹爹将你收为义子，养育成人，又传你一身武艺，哪知你却为了爹爹遗下的些许产业，就想出千方百计来陷害于我，将我迫得无处容身，流亡塞外，历经九死一生……"说到后来，他已气得声嘶力竭，无法继续。

金不换微微笑道："你可知道如今我已是江湖中之仁义大侠，人称'见义勇为'，你却是那恶贼快活王手下，为搜刮金银的奴才，你胡乱造些谣言来诬害我，江湖中又有谁相信？我纵然将你杀了，江湖中人也必定要赞我大义灭亲……哈哈，那时'大义灭亲，见义勇为'金不换这名字被人唤将起来，便要更加响亮了。"居然愈说愈是高兴，索性仰天大笑起来。

金无望破口大骂，朱七七也忍不住骂道："恶贼，畜生……"

沈浪忽然道："方千里、展英松等人，可是被金兄放了？"

金不换道："不错，沈相公你怎会猜到？"

沈浪微笑道："金兄将那些人放了，尽快退出古墓，那些人非但要对金兄感激不尽，还要将金兄当作普天下最大的英雄，日后非要在各地为金兄宣扬侠名，而且金兄再去寻他们时，自也是要银子有银子，要人有人，那岂非比在此间勒索于他们强得多了……唉，只可惜那一位金兄身在快活王属下，纵然想到此点，也不能用，只好眼睁睁地瞧着被你这位金兄专用了。"

金不换仰天大笑道："生我者父母，知我者沈相公也。"

沈浪拍掌道："这出戏金兄你演得当真精彩已极，小弟委实叹为观止，但却不知金兄眼巴巴地要小弟来瞧这出精彩好戏，为的是什么？"

金不换道："只因在下深知沈兄既然瞧得欢喜，少不得便要赏我这演戏的些小彩头，在下此刻正等着领赏哩。"

沈浪大笑道："小弟早知道这出戏万万不是白看的，金兄有何吩咐，但请说出来便是。"

金不换道："沈相公端的是聪明人，只是……"咯咯一笑，接道："却未免太聪明了些，是以在下一见沈兄之面，便对自己言道：既生金不换，何生沈相公？江湖中既有沈相公这样的人在，你金不换还有什么好混的？"

沈浪道："多蒙夸奖，感激感激。"

金不换道："在下虽非恶人，但为了往后的日子，也不能不存下要害沈相公之心，只是凭在下这份德行，却又害不到沈相公。"

沈浪笑道："金兄快人快语，端的可佩。"

金不换道："但到了今日，在下却有个机会来了。"突然掠到朱七七身侧，微笑接道："沈兄请看，这位朱姑娘既有百万的身家，又是这般的冰雪聪明，花容月貌，却偏偏又对相公如此倾心，这岂非相公你上一辈子修得来的，此刻朱姑娘若是有了个三长两短，岂非可惜得很。"

沈浪故意笑道："朱姑娘好端端在这里坐着，又有徐少侠这样的英雄在一旁保护，怎会有什么三长两短，金兄说笑了。"

金不换道："不错，在下正在说笑。"身子突然一倒，撞在朱七七身上，朱七七下颏便撞着了徐若愚掌中剑尖，雪白粉脸的肌肤之上，立时划破了一道血淋淋的创口。朱七七咬牙不语，徐若愚有些失色，金不换却大笑道："原来在下方才不是在说笑，沈相公可看见了么？天有不测风云，人有旦夕祸福，在下方才那一跤若是跌得再重些，朱姑娘这一副花容月貌，此后只怕就要变作罗刹半面娇了。"

沈浪道："好险好险，幸亏……"

金不换面色突地一沉，狞笑道："事到如今，你也不用再装糊涂了，你若要朱七七平平安安走出这里，便得乖乖地答应我三件事。"

沈浪仍然笑道："金兄方才对小弟那般深情款款，此刻却翻脸便似无情，岂非要小弟难受得很。"

金不换冷冷一笑，也不说话，反手一掌，掴在朱七七脸上。

沈浪面色一变，但瞬即笑道："其实金兄的吩咐，纵无朱姑娘这件事，小弟必定答应的，金兄又何苦如此来对付一个柔弱女子？"

金不换冷冷道："你听着，第一件事，我要你立誓永不将今日所见所闻说出去。"

沈浪道："这个容易，在下本就非长舌妇人。"

金不换道："第二件事，我要你今世永不与我作对……这个也答应么？"

"好！"

金不换面上突又兴起一丝诡秘的笑容，接道："但你答应得却未免太容易了些，在下委实有些不放心，金某一生谨慎，这不放心的事，是万万不会做的。"

沈浪道："金兄要如何才能放心？"

金不换突然自怀中掏出一把匕首，抛在沈浪面前，冷冷道："你若死了，在下自然最是放心得过，但我与你无冤无仇，怎忍要你性命，自是宽大为怀。"

语声微顿，目光凝注沈浪，一字一字地缓缓道："此刻我只要你一只执剑的右手，你若将右臂齐肘断下，我便将朱七七平平安安，毫发不伤地送出这古墓。"

朱七七脸上鲜血淋漓，面颊也被打得青肿，但自始至终，都未曾皱一皱眉头，此刻却不禁骇极大呼道："你……你千万莫要答应他……"

话犹未了，金不换又是一掌掴在她面上。

朱七七嘶声喊道："打死我……要他打死我……你千万不要管，快快走吧……这些畜生拦不住你的。”

沈浪腮旁肌肉，不住颤抖，口中却缓缓道：“身体发肤受之父母，在下岂可随意损伤，何况在下右臂若是断去，金兄岂非立时便可要了在下性命？这个在下还……”突然一跃而起。

但他身子方动，金不换左手已一把抓住朱七七头发，右手衣袋里一抖，掌中又多了柄匕首，匕首直逼朱七七咽喉，冷冷地道：“这位徐老弟还有些怜香惜玉之心，但我却是个不解风情的莽汉，只要手一动，这活生生的美人儿，便要变得冷冰冰的死尸了。”

沈浪双拳紧握，但脚下却是一步也不敢逼近。

只见朱七七身子已被扯得倒下，胸膛不住起伏，一双秀目中，也已痛得满是泪光，但口中却仍嘶声呼道：“不要管我……不要管我……你……你快走吧……”

沈浪但觉心头如被针刺，情不自禁，颓然坐回椅上。

金不换狞笑道：“你也心软了么？……朱七七曾救过你一条性命，你如今拿条手臂来换她性命，又有何不可？”沈浪木然而坐，动也不动。

金不换道：“你若不答应，我自也无可奈何，只有请你在此坐着，再瞧一出好戏……”

刀锋一落，朱七七胸前本已绷紧了的衣衫，突然两旁裂开，露出了她那晶莹如玉的胸膛，胸膛中央，一道红线，鲜血丝丝沁出，朱七七惨呼已变作呻吟，金不换刀锋却仍在向下划动，冷冷道：“答应么？……”

朱七七呻吟着嘶声道：“你……千万莫要答应，你……你手若断了……他们必定不会放过你性命的……走吧……”

金不换狞笑道：“你忍心见着你这救命恩人又是情人这般模样？你忍心……”

口中说话，刀锋渐下，已划过朱七七莹白的胸膛，渐渐接近了她的玉腹香脐……那丝丝沁出的鲜血，流过了她丰满而颤抖的肌肤……雪白的肌肤，鲜红的血，交织着一幅凄艳绝伦、惨绝人寰的图画。

沈浪突然咬一咬牙，俯身拾起了那柄匕首道：“好！”

金不换仰天大笑道：“你还是服了。”

朱七七嘶声惨呼："不要……不要……你的性命……"

就连金无望都已闭起眼睛不忍看，只因沈浪手掌已抬起，五指紧捏着匕首，指节苍白，青筋暴现，手掌不住颤抖，额上亦自布满青筋，一粒粒黄豆般大小的汗珠，自青筋中迸出。

忽然间刀光一闪，"当"的一声发出，朱七七放声嘶呼……惨呼声中，竟是金不换掌中匕首被徐若愚一剑震脱了手。

金不换怒喝道："你……疯了么？"

徐若愚面色铁青，厉声道："我先前只当你还是个人，哪知你却是个猪狗不如的畜生，我徐若愚乃是顶天立地的汉子，岂能随你做这畜生一般的事。"

语声不绝，剑光如虹，刹那间已向金不换攻出七剑。

沈浪这惊喜之情自是非同小可，只见金不换已被那匹练般的剑光迫得手忙脚乱，当下一步蹿到朱七七身侧，掩起她衣襟，朱七七惊魂初定，得入情人怀抱，再也忍不住放声痛哭起来。

金不换又惊又怒大骂道："小畜生，吃里扒外，莫非你忘了我们这次的雄图大计，莫非你忘了只要沈浪一死，朱七七还是你的……住手，还不住手。"

徐若愚紧咬牙关，一言不发，非但不住手，而且一剑快过一剑。他既有"神剑手"之名自非幸致，此番激怒之下，竟施展出他平时向不轻使之"搜魂夺命追风七十二剑"起来。顾名思义，这一路剑法自然招招式式俱是杀手，雪片般的剑光撒将开来，当有攫魂夺命之威。

但金不换人虽奸猾，武功却也非徒有虚名之辈可比，方才虽在惊怒下失却先机，此刻将丐帮绝技"空手入白刃，十八路短截手"一施展开来，周旋在徐若愚怒涛般的剑光中，居然犹可反击。

但见剑光闪动，人影飞舞，壁上灯光，被那激荡的剑风震得飘荡闪烁，望之有如鬼火一般。

朱七七忍住哭声，抽咽着道："你……先莫管我，去将金不换那恶贼拿下……我……我要将他抽筋剥皮，才能出口气。"

沈浪柔声道："好，你等着……"方自飞身而起，但金不换急攻三招，退后三步，大喝道："住手，听我一言。"

徐若愚道："你已是瓮中之鳖，网中之鱼，还有什么话说？"

金不换笑道："我告诉你，你总有一日，要后悔的……"

身子忽然往石壁上一靠，只听"咯"的一声，石壁顿开，金不换一个翻身，便滚了出去，等到徐若愚一剑追击而出，石壁已阖，锋利的剑刃，徒在石壁上划出一道火花。

沈浪顿足道："该死，我竟忘了他这一招。"

徐若愚道："咱们追……"

忽听金无望缓缓道："这古墓秘道千变万化，你们追不到的。"

徐若愚怒道："你既然早知如此，方才为何不说出来？"

金无望冷冷道："你是我的兄弟，还是他是我的兄弟？"

沈浪苦笑一声，道："不错……这个徐兄也不可怪他……"

徐若愚仰天长叹，"当"的一声，长剑垂落在地。

朱七七道："都是你不好，你若不先来顾我，他怎逃得了。"

沈浪苦笑着拥起她的肩头，柔声道："你放心，总有一天，我要将此人擒来，放在你脚下，任你处置，让你出一出今天受的气。"

朱七七依偎在他怀中，眨了眨眼睛，忽道："其实，我现在已不大怎么恨他了……非但不恨他，甚至……甚至还有些要感激于他。"

沈浪奇道："这可连我也不懂了。"

朱七七道："若非他如此对我，我怎知你对我这么好，你平日对我那么冷冰冰的，但今日却肯为了我死……我只要知道这一点，就算再吃些苦，也没关系。"缓缓阖起眼帘，长长的睫毛上，还挂着晶莹的泪珠，但微泛嫣红的娇靥上，却已露出了仙子般的微笑。

徐若愚见她才经那般险难屈辱，此刻便已似乎忘怀，显见她全心全意都已放在沈浪身上，只要沈浪对她好，她便已心满意足，至于别人如何对她，对她是好是坏，是凶是恶，她根本全不在意。

一念至此，徐若愚不禁更觉黯然，垂首走到沈浪面前，长叹一声道："兄弟一念之差，以致为奸人所愚，此刻心中实是……"

沈浪朗声一笑，截断他的话，道："徐兄知过能改，这勇气岂是常人能及，从今之后，必成江湖一代名侠，小弟今日能得徐兄为友，实是不胜之喜。"

徐若愚道："既是如此，小弟……"目光扫了朱七七一眼，突然住口不语，转过身子，大步快奔而出。

沈浪急呼道："徐兄留步。"

徐若愚道："山高水长，后会有期，但愿沈兄与朱姑娘白头偕老……"语声未了，人已走得瞧不见了。

朱七七嫣然笑道："这倒是个好人，将来我们要好好帮帮他的忙……"

沈浪苦笑道："你不要别人来帮你，已算不错了。"

金无望忽然冷冷道："别人都已走了，如今你无论要拿我怎样，是杀是剐，都请快快动手吧……"

沈浪微微一笑，右手拉起他左腕，左手却点开了他的穴道。

金无望反而怔住，沈浪微笑道："在下从不愿失礼于天下豪杰，金兄既是英雄，在下自当以礼相待。"

金无望目中闪过一丝感激之色，但口中却冷冷道："我已是阶下之囚，还论什么英雄？"

沈浪微笑不语，却连抓住他左腕的手也放开了。

朱七七吃了一惊，失色道：

"你……你……你不怕他跑了么？"

这句话还未说出，便被沈浪使了个眼色止住。

但见金无望木立当地，竟然毫无逃跑之意，只是面上神色，忽青忽白，阴晴不定，突然咬了咬牙，大声道："我虽知你如此相待于我，必有所求，但你既以英雄之礼待我，我又怎能以小人之行径回报于你，你要我怎样，只管说吧。"

沈浪含笑道："相烦兄台带路出了这古墓再说。"

金无望不再说话，拍开阿堵的穴道，取下壁间一盏铜灯，转身大步行去。

沈浪背起朱七七，朱七七终于还是忍不住在他耳边低语道："你不怕他逃走？"

沈浪道："此时此刻，他万万不会逃走的。"

朱七七叹了口气，道："你们男人的所作所为，有时当真是莫名其妙，就连我……我都有些愈瞧愈糊涂了。"

沈浪微笑道："你们女子的心意，世上又有几个男人知道？"

朱七七眨了眨眼睛，道："一个也没有，连你在内，但……但我对你的心，你是真不知道，还是假不知道呢？”

沈浪仿佛没有听到，朱七七张开嘴，又想去咬他，但樱唇碰到他耳朵，却只是亲了亲，幽幽叹道：“快些走吧。”

这句话说得虽比那句话轻得多，沈浪却听到了，笑道：“还有个人在这里，你忘了么？”

朱七七瞪住那被金无望点住穴道，晕卧在角落中的花蕊仙一眼，恨声道：“这种忘恩负义的人，死在这里最好……”

过了半晌，但见沈浪身形不动，突又推了一下：“发什么呆，还不抱起她？”

沈浪失笑道：“既然恨得她要死，却又要救她，有时爱得人发疯，却恨不得他快死……这就是你们女子的心意，谁能弄得懂？”托起花蕊仙，大步而出。金无望手持油灯，果然还在前面呆立相候。

朱七七目光一转，瞧不到阿堵，皱眉道：“那小鬼呢？”

话犹未了，突听身后有人笑道：“小鬼在这里。”

阿堵自转角处急奔而出，手上已多了个似是十分沉重的青布包袱，背后斜着一张奇形长弓，弓身几乎比他身子还长，那包袱也比他腰围粗得多。但阿堵行走起来，却仍然轻巧无比，显见得轻功也颇有根底。

朱七七微笑忖道：“好个鬼精灵的孩子，老八见到他必定欢喜得很……”

一想到老八，心里不觉又是担心，又是气愤，恨恨道：“老八若是有了三长两短，我不活活剥下花蕊仙的皮才怪。”她一气愤起来，总是要剥别人的皮，其实真有人在她面前剥皮，她跑得比什么人都快。

金无望手持油灯，当先而行，对这古墓之间的秘道，自是熟得很。灯光照耀下，沈浪这才看到古墓之中，建造得当真是气象恢宏，不输人间帝王的宫殿，那内部机关消息之巧妙，密室地道之繁复，更是匪夷所思。

沈浪念及当初建造古墓工程之浩大，喟然叹道：“这又不知是哪一位帝王的手笔？”

朱七七道：“你怎知道这必定是帝王陵墓？”

沈浪叹道：“若要建起这样一座陵墓，不但耗费的财力、物力必定十分惊人，而且还不知要牺牲多少人的性命。且看这里一石一柱，甚至一盏油灯，有哪一件不是人类智慧、劳力与血泪的结晶，除了人间至尊帝王之外，又有谁能动用这许多人力物力，又有谁下得如此狠心……”

金无望突然冷冷道：“你错了。”

沈浪怔了一怔，道：“莫非这不是帝王陵墓？”

金无望道：“非是人间帝王，而是武林至尊……”

语声微顿，沉声接道：“九州王沈天君这名字你可听过？”

沈浪道：“听……听过。”

金无望道：“当今武林中人，只知道沈家乃是武林中历史最悠久的世家巨族，沈家子弟，两百年来，经历七次巨大灾祸，而又能七次中兴家道的故事，更是脍炙人口，却不知百年前江湖中还有一世家，不但威望、财势、武功都不在沈家之下，而且历史之悠久，竟可上溯汉唐。”

沈浪脱口道：“兄台说的，莫非是中原高氏世家。”

金无望道：“不错，这陵墓正是高家最后一代主人的藏灵之地。”

沈浪道：“最后一代主人？……莫非是高山青？”

金无望道：“正是此人，此人才气纵横武功绝世，中原高家传至他这一代，更是兴旺绝伦，盛极一时。哪知此人到了晚年，竟忽然变得孤僻古怪，而且迷信神佛，以致废寝忘食，非但不惜耗费千万，用以建造这古墓，而且还不令他后代子弟知道这古墓所在之地。”

朱七七忍不住道：“这又是为的什么？难道他不想享受后辈的香火？”

金无望道：“只因他迷信人死之后，若是将财产带进墓中陪葬，下世投身为人时，便仍可享受这些财宝，是以他不愿后辈子孙知道他藏宝之地，便是生怕他的子孙们，将他陪葬之财宝盗去花用。”

朱七七奇道：“但……但埋葬他的人，总该知道……”

金无望截口道：“他未死之前，便已将全部家财，以及高家世代相传的武功秘籍，全部带入了古墓，然后将古墓封起，静静躲在墓中等死……”

朱七七骇然道：“疯子，此人简直是个疯子。”

金无望长长叹息一声，道：“但那相传数百年，历经十余年代，威望之隆，一时无二的武林世家，便就此断送在这疯子手上。后代的高家子弟，为了寻找这陵墓所在地，非但不愿再事生产，就连武功也荒废了，为此而疯狂的，两代中竟有十一人之多，传到高山青之孙时，高家人已将仅存的宅园林木典当干净，富可敌国的高姓子弟，竟从此一贫如洗，沦为乞丐，威赫武林的高门武功，也渐渐消失，渐渐绝传。”

说到这里，朱七七抬眼已可看到古墓出口处透入的天光，她深深吸了口气，心中非但无舒畅之意，反觉闷得十分难受。

沈浪心中不觉也是感慨丛生，长叹一声，黯然道：“这只怪高家后代子弟，竟不思奋发，方至沦落至此。”

朱七七道：“若换了是我，知道祖先陵墓中有无穷尽之宝藏，我也什么事都不想做了，这才是人情之常，怎怪得了他们。”

沈浪唯有叹息摇头，走了两步，突又停下，沉声道：“百年以来，可是从来无人入过这古墓？”

金无望道：“我设计令人来开掘这古墓时，曾留意勘察，但见这古墓绝无外人踏入的痕迹，那高山青的灵柩，棺盖犹自开着一线，显见他还未完全阖起，便已气绝。高山青尸身早已成为枯骨，但棺木旁却还有他握在手中，死后方才跌落摔破的一只玉杯，他手掌还攀附着棺盖，最重要的是，墓中消息机关，亦无人启动过的痕迹……由此种种，我俱可判定百年间绝无人来过这里。”

沈浪皱眉道：“既是如此，那些财物珠宝、武功秘籍，必定还留在这古墓之中，只是金兄未曾发现罢了。”

金无望冷笑道：“这个倒可请阁下放心，墓中如有财宝，我必能找到，我此刻既未寻得任何财宝，这古墓中必是空无一物。”

沈浪默然良久，长叹道：“若是别人来说此话，在下必定不会相信，但金兄如此说话，那想必再无疑问，只是……那些财宝究竟到哪里去了？莫非他根本未曾带入墓中？莫非他钱财全已用来建造这陵墓，根本已无存留？……”

他突然仰天一笑，朗声道：“别人的财宝，我辛苦想他作甚？”紧随金无望之后，一跃而出了古墓之外。风雪已霁，一轮冬日，将积雪大地映照得闪闪发光，有如银妆玉琢一般。

朱七七娇笑道：“你就是这点可爱，无论什么事你都能提得起，放得开，别人定必要苦苦想上十年八年的事，你却可在转瞬间便已不放在心上……”

语声方住，突又娇呼道：“但你可不能将我的老八也忘记了，快，快，快拍开花蕊仙的穴道，问问她究竟将老八藏到哪里去了？”

花蕊仙穴道解开后，身子仍是站立不稳，显见那“神仙一日醉”药力犹存，朱七七厉喝道：“老八在哪里，快还给我。”

雪霁时，大地最是寒冷，朱七七身上感觉到那刺骨的寒意，心里就不禁更为火孩儿担心。

但她愈是着急，花蕊仙却愈是慢吞吞的，冷冷道：“此刻我脑中昏昏沉沉，怎能想得起他在哪里呢？”

朱七七又惊又怒，道：“你……你……我杀了你。”

花蕊仙道：“你此刻杀了我也无用，除非等我药力解开，恢复清醒，否则……”

沈浪突然截口道：“你只管将老八放出来，在你功力未曾恢复之前，我必定负责你安全无恙……”

他早已看出花蕊仙老谋深算，生怕交出火孩儿后，朱七七等人纵不忍伤害于她，但她气力全无时，若然遇敌，性命也是不保，而她在未交出火孩儿之前，朱七七与沈浪自然必定要对她百般维护。

此刻沈浪一句话说破了她的心意，花蕊仙面色不禁为之一变，目光数转，寻思半晌，冷冷又道：“我功力恢复之后又当如何？”

朱七七道：“功力恢复后，你走你的路，我走我的路，谁还留你不成。”

花蕊仙微一沉吟，但却冷冷道：“随我来。”

经过半日时间，她药力已渐消失，此刻虽仍不能任意行动，但已可挣扎而行。朱七七自也能下来走了，但她却偏偏仍伏在沈浪背上，不肯下来，双手有了些劲儿，反而抱得更紧了。

金无望相随而行，面上毫无表情，似是全无逃跑之意。阿堵紧紧跟在他身后，一双大眼睛转来转去，不时自言自语，喃喃道：“要是我，早已走了，还跟着别人做什么？等着人宰割不成？”

金无望也不理他，只当没有听到。

花蕊仙沿着山崖走了十余丈远近，走到一方巨石旁，方自顿下脚步，道：“搬开这石头，里面有个洞，你那宝贝老八就在里面……哼！可笑我还用那白狐氅将他裹得好好的，岂非冤枉。”

朱七七见这洞穴果然甚是安全严密，暗中这才放了心，口中却仍冷笑道："冤枉什么？你莫忘了那白狐氅是谁给你的……沈浪，推呀。"

沈浪转首向金无望一笑，还未说话，金无望已大步行来，挥手一掌，向大石拍出，这一掌看来似是毫未用力，但那重逾三百斤的巨石，竟被他这轻描淡写的一掌，震得直滚了出去，沈浪脱口赞道："好掌……"

"力"字还未说出，语声突然顿住，朱七七失声惊呼，花蕊仙亦是变色——洞穴中空无一人，哪有火孩儿的影子？

朱七七嘶声道："鬼婆子，你……你敢骗我。"

花蕊仙也有些慌了，道："我！我明明将他放在这里……"

朱七七厉声道："你明明什么！老八明明不在这里，你……将老八藏到哪里去了？……给我，快还给我。"

花蕊仙也急了，大声道："我为何要骗你，难道我不要命了……莫……莫非是他自己弄开了穴道，推开石头跑出去了。"

金无望冷冷道："他若是自己跑走，为何还要将洞口封起？"

朱七七道："是呀，何况他小小年纪，又怎会自己解开穴道……沈浪，杀了她，快为我杀了这鬼婆子。"

沈浪沉声叹道："此刻杀了她也无济于事，何况依我看来，花蕊仙倒也未曾说谎，你八弟只怕……唉！只怕已落入别人手中。"

花蕊仙叹道："还是沈相公主持公道……"

朱七七道："那……那怎么办呢，你快想个法子呀。"

沈浪道："此刻着急也无益，唯有慢慢设法……"

朱七七嘶声道："慢慢设法？老八小命只怕已没有了……你……你好狠的心，竟说得出这样的话……"说着说着，又是泣不成声，终于放声大哭起来。

金无望微微皱眉，道："她也可以睡了。"

沈浪叹道："看来也唯有如此……"

金无望袍袖一扬，袖角轻轻拂在朱七七"睡穴"之上，朱七七哭声渐渐低沉，眼帘渐渐阖起，片刻间便已入睡了。

一连串泪珠，落在沈浪肩头，瞬息便自凝结成冰。

金无望目光冷冷瞧着花蕊仙，一字字缓缓道：

"沈兄要将她如何处置？"

花蕊仙看到他这冰冷的目光，竟不由自主，激灵灵打了个寒噤，此刻在日色之下，她才瞧清这金无望之面容，当真是古怪诡异已极。

他耳、鼻、眼、口若是分开来看，也与别人没什么不同，但双耳一大一小，双眉一粗一细，鼻子粗大如胆，嘴唇却薄如利刃，两只眼睛，分开了一掌之宽，左眼圆如铜铃，右眼却是三角形状——看来竟似老天爷造他时，一个不留意，竟将本该生在五六个不同之人面上的器官，同时生在他一个人面上了，妇人童子只要瞧他一眼，半夜睡觉时也要被噩梦惊醒。

花蕊仙愈是不想瞧他，愈是忍不住要多瞧他一眼，但愈多瞧他一眼，心头寒意便愈重一分。她本待破口大骂金无望多管闲事，卑鄙无耻，但一句话到了嘴边，竟再也说不出来。

阿堵睁大了眼睛，吃惊地瞧着他的主人，似乎在奇怪这平日从来未将任何人瞧在眼里的金老爷，如今居然会对沈浪如此服帖。

沈浪微微一笑，道："金兄若是换了在下，不知要将她如何处置？"

金无望冷冷道："杀之无味，带着累赘，不如就将她留在此地。"

花蕊仙大骇道："你……若将我留在此地，不如杀了我吧。"

要知她此刻全身无力，衣衫单薄，纵无仇家再寻她的麻烦，但她无力御寒，只怕也要活活冻死。

金无望冷笑道："原来掌中天魔，也是怕死的……接着。"随手扯下了腰间丝绦，长鞭样抛了出去。花蕊仙伸手接过，却不知他此举究竟是何用意。

沈浪微笑道："金兄已饶了你性命，快把丝绦绑在手上，金兄自会助你一臂之力。"

金无望道："沈兄既无伤她之心，在下也只有带她走了。"

沈浪大笑道："不想金兄竟是小弟知己，竟能猜着小弟的心意。"

这时花蕊仙已乖乖地将丝绦绑着手腕。她一生伤人无算，只当自己必然不至怕死，但此番到了这生死关头之际，她才知道"不怕死"三字，说来虽然容易，做来却当真是艰难已极。

金无望道："自古艰难唯一死，花蕊仙怕死，在下何尝不怕，沈兄放过在下一命，在下怎能忘恩负义？沈兄要去哪里，在下愿相随尽力。”

沈浪笑道：“在下若非深信金兄是恩怨分明的大丈夫，又怎会对金兄如此放心？……在下领路前行，先远离此间再说。”转身急行，金无望拉着花蕊仙相随在后，两人虽未施展轻功，但是脚步是何等轻健，只可怜花蕊仙跟在后面，还未走出一箭之地，已是嘴唇发青，面无血色。

四野冷寂，鸟兽绝踪，但雪地上却满是杂乱的脚印，显见方千里、展英松等人必定走得甚是狼狈。

沈浪凝目望去，只见这些足印，来时痕迹极浅，而且相隔距离最少也有五六尺开外，但足尖向着去路的痕迹，入雪却有两寸多深，相隔之距离也短了许多，又显见方千里等人来时脚步虽轻健，但去时却似受了内伤，是以举步甚是艰难。

沈浪微一沉吟，回首笑道：“金兄好高明的手段。”

金无望怔了一怔，道：“相公此话怎讲？”

沈浪笑道：“在下本在担心方千里等人去而复返，再来寻朱姑娘复仇，如今他们既已被金兄所伤，在下便放心了。”

金无望道：“在下并未出手伤了他们。”

沈浪不觉吃了一惊，忖道：“此人既然如此说话，方千里等人便必非被他所伤，那……那却又是谁将他们伤了的？凭金不换的本事，又怎伤得了这许多武功高手？”他愈想愈觉奇怪，不知不觉间放缓了脚步。

但一路行来，终是走了不少路途，突见一条人影自对面飞掠而来，本只是淡淡灰影，眨眼间便来到近前，竟是那乱世神龙之女，铁化鹤之妻，面带伤疤的半面美妇。她怀抱着爱女亭亭，满面俱是惶急之色，一瞧见沈浪，有如见到亲人一般，骤然停下脚步，喘息着问道：“相公可曾瞧见我家夫君了么？”

沈浪变色道：“铁兄莫非还未回去？”

半面美妇伧急道：“至今未有消息。”

沈浪道：“方千里、胜滢、一笑佛等人……”

他话未说完，半面美妇已截口道：“这些人岂非都是跟着相公一同探访墓中秘密去了，他们的行踪妾身怎会知道？”

沈浪大骇道：“这些人莫非也未曾回去？”

他深知铁化鹤关心爱妻幼女，一获自由，必先赶回沁阳与妻女相会，此番既未回转，其中必然又有变故，何况方千里等数十人亦是不明下落，他们不回沁阳，却是到哪里去了？那半面美妇瞧见沈浪面上神情，自然更是着急，一把抓住沈浪的衣襟，顿声道："化鹤……他莫非已……"

沈浪柔声道："夫人且莫着急，此事……"目光动处，语声突顿。

那雪地之上，赫然竟已只剩下足尖向古墓去的脚印，另一行足尖向前的，竟已不知在何时中止了。

沈浪暗道一声不好，也顾不得再去安慰那半面美妇，立时转身退回。金无望面沉如水，半面美妇目光莹然，亭亭紧勾着她的脖子，不住啼哭……

一行人跟在沈浪身后，走回一箭之地，突听沈浪轻呼一声："在这里了。"

金无望凝目望去，但见那行走向沁阳去的零乱脚印，竟在这里突然中断，那老老少少几十个人，竟似在这里突然平地飞上天去了。

半面美妇嘶声道："这……这是怎么回事？"

沈浪沉声道："铁兄与方千里、一笑佛等人俱都已自古墓中脱险，一行人想必急着赶回沁阳，但到了这里……到了这里……"

那一行人到了这里怎会失踪？究竟遇着什么惊人的变故？沈浪亦是满头雾水，百思不解，只得长叹一声，住口不语。

那半面美妇究竟非同凡妇可比，虽在如此惶恐急痛之下，眼泪并未流出，但她凝目瞧了雪地上足印几眼，只见这行足印既未转回，亦未转折，果然似自平地升天一般——她虽然镇定，却也不禁愈瞧愈是奇怪，愈瞧愈是惊惶，连手足都颤抖起来，骇极之下，反而一个字都说不出来。

金无望与沈浪对望一眼，这两人平日都可称得上是料事如神之辈，但此刻竭尽心力，用尽智慧，却也猜不出是怎么回事来。

两人平日若是迷信鬼神，便可将此事委诸鬼神之作祟，他两人平日若是愚钝无知，也可自我解说为："此事其中必有古怪，只是我想不出来罢了。"

但两人偏偏却是头脑冷静，思虑周密之人，片刻间已想过无数种解释，其中绝无任何一条理由能将此事解释得通。

他两人既不迷信鬼神，又深信此事自己若不能想通，别人更决计想它不出，这才会愈想愈觉此事之诡异可怕，两人对望一眼，额上都不禁沁出了冷汗。

到了这时，那半面美妇终于也忍不住流下泪来，垂首道："贱妾方寸已乱，此事该如何处理，全凭相公作主了。"

沈浪笑道："这其中必定有个惊人的阴谋，在下一时间也想不出该如何处理，但望夫人此刻且莫作无谓之伤悲，且与在下……"

突听一声嘶哑的呼喝，道："铁大嫂莫听这人的鬼话，他身旁那厮便是快活王的门下，也就是这次在古墓中捣鬼的人，姓沈的早就与他串通好了，铁大哥、方大侠以及数十位武林朋友们，却早已被这两人害死了，我见义勇为金不换可以作证。"

这嘶哑的呼声，正是金不换发出来的，他躲在道旁远远一株树下，正指手画脚，在破口大骂。

他身旁还有四人，却是那"不败神剑"李长青、"气吞斗牛"连天云，与惜语如金的冷家兄弟。

原来李长青等人风闻沁阳城的怪事，便连夜赶来，却恰巧遇着了正想无事生非的金不换。此刻李长青虽还保持镇静，连天云却早已怒形于色，厉声喝道："难怪我兄弟猜不出这姓沈的来历，原来他竟然是快活王的走狗，冷大、冷三，咱们这次可莫要放过了他。"

那半面美妇本还拿不定金不换言语可是真的，此刻一听"仁义庄"主人竟然也是如此说话，心下再无迟疑，咬一咬牙，一言未发，一只纤纤玉手，却已拍向沈浪胸膛，掌势之迅急奇诡，较那"震山掌"皇甫嵩高明何止百倍？

沈浪怀中虽抱着一人，但身形一闪，便险险避过，他深知此时此刻已是万万解说不清，是以口中绝不辩白。

金不换更是得意，大骂道："你瞧这厮终究还是承认了吧，铁大嫂，你手下可莫要留情……连老前辈，你也该快动手呀。"

连天云怒道："老夫岂是以多为胜之辈。"

金不换冷笑道："对付这样的人，还能讲什么武林道义？连老前辈你且瞧瞧，坐在那边雪地中的是什么人？"

连天云一眼瞧见了花蕊仙，目光立刻被怒火染红，暴喝一声，扑将上去，突见一个煞眉煞脸的灰袍人，横身拦住了他去路，连天云怒道："你是什么人，也敢挡路？"

金无望冷冷地瞧着他，也不说话，连天云劈面一拳打了过去，金无望挥手一掌，便化开了他拳势。

连天云连攻五拳，金无望双掌飞舞，专切他脉门，脚下却仍半步未让，连天云怒极大喝道："花蕊仙是你什么人？"

金无望冷冷道："花某与我毫无干系，但沈相公既已将她托付于我，谁也休想伤她。"

雪地上的花蕊仙，虽被拖得浑身发疼，此刻面目上却不禁流露出感激之色，但见连天云须发怒张，瞬息间又攻出了九拳之多。

"气吞斗牛"连天云虽在衡山一役中将武功损伤了一半，但此刻拳势施展开来，却是刚猛威勇，无与伦比。

拳风虎虎，四下冰雪飞激，金无望却仍是屹立当地，动也不动。那边李长青愈瞧愈是惊奇。他固是惊奇于金无望武功之高强，却更是惊奇于沈浪之飘忽，轻功之高绝，怀中纵然抱着一人，但身形飞掠在雪地上，双足竟仍不留丝毫脚印，半面美妇掌力虽迅急，却也休想沾得他一片衣袂。

金不换瞧得眉飞色舞，别人打得愈厉害，他便是愈开心，忍不住又道："冷大、冷三，你们也该上去帮帮忙呀，难道……"

话声未了，忽然一道强锐之极的风声扑面而来，冷三右腕上那黑黝黝的铁钩已到了他面前。

金不换大骇之下，凌空一个筋斗，堪堪避开，怒喝道："你这是做什么？"

冷三道："凭你也配支使我。"说了七个字后，便似已觉说得太多，往地上重重啐了一口。金不换气得目定口呆，却也将他无可奈何。

这时雪地上两人已对拆了数十招之多，沈浪与金无望两人必是只有闪避绝未还手。沈浪虽有累赘，幸好半面美妇怀中也抱着一人，是以他身法尚流动自如，那边金无望却已有些对连天云刚烈的拳势难以应付，只因有守无攻的打法，委实太过吃力，除非对方武功相距悬殊，否则定是必败之局。

李长青眼观六路，喃喃地道：“这少妇必是塞外神龙之女柳伴风，不想她武功竟似已不在‘华山玉女’之下，她夫婿铁化鹤身手想必更见不凡，由此可见，江湖中必定还有甚多无名的英雄……但她夫妻终究是名家之后，这少年却又是谁？倒委实令人难以猜测。”

要知沈浪自始至终都未施出一招，别人自然无法瞧出他武功，李长青目光转向金无望瞧了半晌，双眉更是愁锁难展。

突见那半面美妇柳伴风倒退数步，她早已打得香汗淋漓，胸中也喘息不住，但仍未沾着沈浪一片衣袂，此刻戟指娇叱道：“你……你为何不还手？”

沈浪道：“在下与夫人素无冤仇，为何要还手？”

柳伴风道：“放屁，此事若不是你做的，人到哪里去了，你若不解说清楚……”

沈浪苦笑道：“此事连在下都莫名其妙，又怎能解说得出？”

柳伴风顿足道：“好，你……你……”

咬一咬牙，放下那孩子——亭亭早已吓得哭不出了，此刻双足落地，才放声大哭起来。柳伴风瞧瞧孩子，瞧瞧沈浪，眼中亦是珠泪满眶，突然弯下身子抱起她女儿，也轻轻啜泣起来。

沈浪仰天长叹一声，道：“真相难明，是非难分，叫我如何自处，夫人你若肯给在下半月时间，我必定探出铁大侠的下落。”

柳伴风霍然抬起头来，目光凝注着他。

那边金不换又想发话，却被冷大、冷三四道冰冷锐利的目光逼得一个字也不敢说了。只见柳伴风目光不瞬，过了半晌，突然道：“好！我在沁阳等你。”

沈浪转向李长青，道：“前辈意下如何？”

李长青沉吟半晌，微微一笑，道：“我瞧冷家兄弟对你颇有好感，想必也不愿与你动手，只是我那三弟……唉，除非你能将花蕊仙留下。”

沈浪道：“在下可担保她绝非是伤金振羽一家的凶手。”

连天云虽在动手，耳朵也未闲着，闻言怒喝道：“放屁，老夫亲眼见到的……”

沈浪截口道：“前辈可知道当今天下，已有许多绝传的武功重现江湖，前辈可知道安阳五义乃是死在紫煞手下，铁化鹤却绝未动手？在下今日不妨将花蕊仙留下，但在真相未明之前，前辈却必须担保不得伤害于她。”

李长青手捻长髯，又自沉吟半晌，慨然道：“好，老夫便给你半月之期。半月之后，你且来仁义庄一行，铁夫人也可在敝庄相候。”

柳伴风手拭泪痕，点了点头，李长青轻叱道：“三弟还不住手。”

连天云猛攻三拳，后退六步，目光仍忍不住狠狠地瞪着金无望，金无望仰首向天，只当没有见到。

金不换忍不住大喝道：“沈浪虽可放走，但那厮可是快活王手下，却万万放不得的。”

沈浪道：“你留得下他么？”

金不换怔了一怔，道：“这……这……”

沈浪一字字缓缓道：“无论他是否快活王门下，但各位既已放过在下，便也不得难为于他。在下若无他相助，万难寻出事情真相。”

李长青叹道：“那位兄台若是要走，本无人能拦得住他……”突然一挥袍袖，道：“事已决定，莫再多言，相烦铁夫人扶起那位花夫人，咱们走吧。”

沈浪向冷家兄弟含笑抱拳，冷大、冷三枯涩的面容上，似有笑容一闪，但目光望见金不换，笑容立时不见了。

金不换干咳一声，远远走在一边，更是不敢接触别人的目光。李长青瞧了他一眼，忍不住摇头叹息。

人群都已离去，阿堵方自一挑大拇指，又大声赞道：“沈相公果然够朋友，危难时也不肯抛下我师父，难怪师父他老人家肯对沈相公如此买账了。”

沈浪微微笑道：“好孩子，你要知道唯有患难中才能显得出朋友交情。”

阿堵道：“但阿堵却不懂，相公你怎肯将那……那姓金的轻轻放过？”

沈浪叹道：“我纵要对他有所举动，李二侠也必要维护于他。”

阿堵点了点头，沈浪忽然又道：“在下尚有一事想要请教金兄，不知……”

金无望不等他话问出来，便已答道：“快活四使唯有在下先来中原，但在下并未假冒花蕊仙之名向人出手，那金振羽是谁杀的，在下亦不知情。”

他事先便能猜出沈浪要问的话，沈浪倒不奇怪，但他说的这番话，却使沈浪吃了一惊，呆了半晌，喃喃道：“既是如此，那金振羽等人又是谁下手杀的？除了快活王一门之外，江湖中难道还有别人能偷学到武林中一些独门秘技？”

金无望沉声道：“想来必是如此，还有……‘塞外神龙’之不传秘技紫煞手，快活门下除了一人之外，谁也未去练它，而那人此刻却远在玉门关外，是以‘安阳五义’若是被紫煞手所伤，在下亦是全不知情。”

沈浪这一惊更是非同小可，骇然道：“在下平日自命料事颇准，谁知今日却事事都出了在下意料之外，但……但那‘安阳五义’乃是自古墓中负伤而出，若非金兄下的毒手，那古墓中难道还有别人在么？此人是谁？他又怎会学得别人的独门武功？”

金无望叹道：“局势愈来愈见复杂，看来江湖大乱，已在眼前了……”

沈浪黯然道：“火孩儿不知去向，铁化鹤等数十高手平白失踪，杀害金振羽等人之真凶难寻，江湖中除了快活王外居然还有人能窥及他人不传秘技……这些事其中无一不是含有绝大之隐秘，此刻每件事又都在迷雾之中，绝无半点头绪，却要我在半个月里如何寻得出其中真相？”

若是换了别人，此刻当真是哭也哭不出了，但沈浪叹息半晌，眉宇立又开朗，仰天笑道：“如今距离限期还有十五日之多，整整一百八十个时辰，我此刻便已担忧起来，当真要教金兄见笑了。”

他大笑着挥手前行，走了几步，但见金无望兀自站着发怔，不禁后退一步，含笑唤道：“金兄何苦……”

语声未了，心头突有灵光一闪，急忙又后退了几步，目光瞧向金无望。

两人对望一眼，面上俱是喜动颜色，再不说话，大步向古墓那边走了过去，阿堵又惊又奇，忍不住问道：“这是做什么？”

沈浪道："走路的人既不能上天入地，但脚印偏偏突然中断，除了那些人走到这里又倒退着走回去，还能有什么别的解释？"

阿堵恍然大悟道："不错，他们若是踩着原来的脚印退回，别人自然看不出来……难怪这些脚步踩得这么深，又这么零乱，原来每个脚印他们都踩过两次。"要知踩过两次的脚印，自然要比平时的深，也乱得多了。

金无望道："在下此刻只有一事不解，那些人如此做法，为的自是要混乱别人的眼目，但他们究竟要骗谁呢？"

沈浪道："要骗的自是你我，在下不解的是铁化鹤怎会连自己妻女都不愿见了，这除非……"

金无望目光一闪，道："除非这些人都已受了别人挟持，那人为了要将这数十高手俱都劫走，是以才令他们如此做法，布下疑阵，好让别人疑神疑鬼，再也猜不到他们的下落，但……但……但此人竟能要这数十高手乖乖地听命于他，非但跟着他走，还不惜倒退着走，这岂非太过不可思议。"

沈浪道："别人还倒罢了，那人能令铁化鹤别绝自己妻女，确是不可思议，除非……除非他能有一种奇异的手段，来迷惑别人的神智。"

金无望拍掌道："正是如此，否则他纵有天大的武功，能掌握别人的生死，但这些生性倨傲的武林豪杰，也不见得人人都肯听命于他。"

两人一面说话，目光一面在雪地上搜索，眼见已将走回古墓，两人对望一眼，同时停下了脚步。

只见那片雪地左旁，白雪狼藉一片，再往前面，那零乱的脚印便浅了许多，也整齐了许多。

金无望道："那些人必是退到这里，便自道旁上车，车后必缚有一大片枯枝，车马一走，枯枝便将雪地上的车辙痕迹扫了。"

两人骤然间将一件本似不可解释的事解释通了，心胸间俱是舒畅无比，但方过半晌，金无望又不禁皱眉道："此人行事如此周密，又能将数十高手迷走，在下实想不出江湖中有谁是如此厉害的角色。"

沈浪沉吟道："金兄可知道天下武林中，最擅那迷魂摄心大法的人是谁？"

金无望想也不想，道："云梦仙子。"

沈浪道："不错，那云梦仙子，昔年正是以天下最毒之暗器'天云五花绵'与'迷魂摄心催梦大法'名震江湖，纵是武林中顶尖高手，遇着这云梦仙子也只有俯首称臣，只是她那'天云五花绵'委实太过阴毒霸道，江湖豪杰便只记得她名字中那'云'字，反将'梦'字忘了。"

金无望道："但……但云梦仙子已去世多年……"

沈浪沉声道："柴玉关既可诈死还生，云梦仙子为何不可？"一面说话，一面自怀中摸出一道铁牌，接道："金兄可认得这是什么？"

金无望眼角一瞥，面色立变，骇然道："天云令。"

沈浪道："不错，这正是云梦仙子号令群魔之'天云令'。"

金无望道："相公是自何处得来的？"

沈浪道："古墓入口处那石桌上得来的，先前在下以为此令必是金兄所有，如今看来，将此令放在石桌上的，必定也就是那以'紫煞手'击毙安阳五义的人，此番将方千里等武林高手带走的，想必也就是她。"

金无望失色道："此人一直在那古墓之中，在下竟会全然不知，而在下之一举一动，想来却都不能逃过她的耳目……此人是谁，难道真是那云梦仙子？"

他想到那古墓中竟有个鬼魅般无形无影的敌人在随时窥伺着他，只觉一股寒气，自脚底升起，全身毛孔，都不禁为之悚栗。

沈浪沉声道："此人是否云梦仙子？云梦仙子是否真的重现江湖？她将铁化鹤等人俱都带走，究竟又有何诡谋？铁化鹤等人此刻究竟已被她带去哪里？杀死金振羽等人的凶手，是否也是她？……哦，这些疑团在下都必须在半月里查出端倪，不知金兄可愿助在下一臂之力？"

金无望接道："相公心中所疑之事，件件都与在下有关，这些疑团一日不破，在下便一日不能安枕。"

沈浪道："既是如此，金兄请随我来，好歹先将此事查个水落石出，至于日后你我是友是敌，此刻不妨先放在一边。"

金无望肃然道："正是如此。"

两人追踪那被枯枝扫过的雪迹，一路上倒也有些蛛丝马迹可寻，金无望目光四顾，微微叹道："幸好这满地大雪，看来他们是西去了。"

沈浪也皱眉道："这些人若是行走人烟繁多之处，必定惹人注目，但西行便是太行山，一路都荒僻得很。”

金无望道：“他们人多，车马载重，必走不快，你我加急赶路，说不定今日便可赶上他们也未可知。”

但两人追到日暮时分，却仍未发现有可疑的车马。路上只要遇着行人，金无望便远远走开，由沈浪前去打听，只因他生怕怪异的相貌吓得别人不敢开口。只是一路上沈浪却也未打听出什么，有人根本什么也未瞧见，有人固是瞧见车马行过，但若再问他究竟是几辆车？几匹马？车马是何形状？赶车的人是何模样？那人便也瞠目不知所答了。

日落时天上又飘下雪花，一行人在洛阳城外一家店歇下，朱七七药力已解，人也醒来，自然免不了要向沈浪悲泣吵闹，但沈浪将其中诡秘曲折向她说了后，朱七七亦是目定口呆，不寒而栗。

那村店甚是简陋，金无望抛出一锭银子，店家才为他们腾出一整张热炕。几人各自吃了碗热腾腾的牛肉泡馍，沈浪倒头便睡，阿堵也缩在角落里睡着了，但朱七七盘膝坐在炕上，望着那粗被棉枕，想到炕下烧着的便是一堆堆马粪，这养尊处优的千金小姐，哪里还能阖得上眼睛。

只是她若不阖起眼睛，金无望那张阴阳怪气的脸便在眼前，她想不去瞧都困难得很。

朱七七看见沈浪睡得愈沉，愈是恨得牙痒痒的，暗唾道：“没心没肺的人呀，你怎么睡得着？”一气之下，索性披衣而起，推门而出，身上虽然冷得发慌，但白雪飘飘，如天然梅花，倒也颇有诗意。

远处传来懒洋洋的更鼓声，已是三更了。

忽然间，一阵车辚马嘶之声，自风雪中传了过来。

朱七七精神一振，暗道：“莫非是那话儿来了，我得去叫醒沈浪。”

哪知她一念尚未转完，忽听“嗖”的一声，已有一条人影穿门而出，自她身旁掠过，正是沈浪。

睡得最沉的人，出来得竟然最快，朱七七也不知是恨是爱，暗骂道：“好，原来你在假睡……”方待呼唤，身旁又是一条人影，如飞掠过，却是那金无望。

这两人身法是何等迅快，眨眼掠出墙外，竟未招呼朱七七一声，等到朱七七赶着去追，追出墙外，但两人身形早已瞧不见了。

朱七七又是着急，又是气恼，暗道："好，你们不带着我，我自己去追。"

但这时车辚马嘶都已不复再闻，朱七七偏偏也未听清方才的车马声是自哪个方向传来的。

她又是咬牙，又是跺脚，忽然拔下头上金钗，抛在地上，只见钗头指着东方，她便展动身形，向东掠去。

但一路上连个鬼影子都没有，哪里瞧得见车马？地形却愈来愈是荒僻，风雪中的枯树，在寒夜里看来，有如鬼影幢幢，作势欲起。

若是换了别人，便该觅路回去，但朱七七偏是个拗极了的性子，愈找不着愈要找，找到后来还是找不着，朱七七身子却已被冻僵了。她自幼娇生惯养，一呼百诺，几曾受过这样的罪。

突然一丝寒气直刺入骨，原来她鞋子也破了，雪水透入罗袜，那滋味当真比尖刀割一下还要难受。

朱七七左顾右望，愈瞧愈觉寂寞，思前想后，愈想愈觉难受，竟忍不住靠在树上，捧着脚，轻轻哭了起来。

眼泪落在衣服上，转瞬之间便化作了冰珠，朱七七流泪道："我这是为了谁？小没良心的，你知道么？……"

一句话未完，枯林外突然有一阵沙沙的脚步声传了过来。风雪寒夜，骤闻异声，朱七七当真是毛骨悚然，连眼泪也都被吓了回去，跛着脚退到树后，咬紧银牙，用一双眼睛偷偷瞧了过去。

只听脚步声愈来愈近，接着，两条白衣人影穿林而入，雪光反映之下，只见这两人白袍及地，长发披肩，手里各自提着根二尺多长的乌丝长鞭，宛如幽灵般飘然走来，仔细一看，却是两个面目娟秀的少女。

她两人神情虽带着些森森鬼气，但终究是两个少女，朱七七这才稍定下些心，只是仍屏息静气，不敢动弹。

只见这两个白衣少女目光四下望了望，缓缓停下脚步，左面一个少女，突然撮口尖哨了一声。

哨声如鬼哭，如狼嚎，朱七七陡然又吓了一跳，但闻十余丈外也有哨声响应，接着脚步之声又响，渐近……

突然，十一二个男人，分成两行，鱼贯走入树林。

这十余人有老有少，有高有矮，但面容僵木，神情呆板，有如行尸走肉一般。后面两个白衣少女，也是手提长鞭，紧紧相随，只要有人走出了行列，她们的长鞭立刻挥起，“啪”地抽在那人身上，那人便立刻乖乖地走回去，面上亦无丝毫表情，似是完全不觉痛苦。

朱七七惊魂方定，又见到这种诡异之极，恐怖之极的怪事，一颗心不知不觉间又提到嗓子眼来了。她一生之中，只听过有赶牛的、赶羊的、赶马的，却连做梦也未想到世上竟还有“赶人”的事。

“赶尸！”朱七七突然想到湘西赶尸的传说，心头更是发毛，暗道：“这莫非便是赶尸么？”

但此地并非湘西，这些人面容虽僵木，却也绝不会是死人——不是死人，又怎会甘受别人鞭赶？

只见前面的两个白衣少女长鞭一挥，那十余人便也全都停下脚步，一个白衣少女身材高挑，轻叹道：“走得累死了，咱们就在这里歇歇吧。”

另一个白衣少女面如满月，亦自叹道：“这赶人的事真不好受，既不能休息，又怕人见着，大小姐却偏偏还给咱们取个那么漂亮好听的名字，叫什么‘白云牧女’……”

突然轻轻一笑，接道：“牧女，别人听见这名字，必要将咱们当作牧牛牧羊的，又有谁能猜咱们竟是‘牧人’的呢？”

那高挑牧女笑道：“牧人的总比被人牧的好，你可知道，这些人里面也有不少成名的英雄，譬如说他……”

长鞭向行列中一指，接道：“他还是河西一带，最负盛名的镖头哩。”

朱七七随着她鞭梢所指之处望去，只见行列中一人木然而立，身材高大，满面虬髯，那不是展英松是谁？

展英松既在这里，别的人想必都是自古墓中出来的了。

朱七七再也想不到自己竟在无意中发现这秘密，心中的惊喜之情，当真是难以描叙，暗暗忖道：“沈浪虽然聪明绝顶，却也未想到世上竟有‘赶人’的勾当，一心以为他们神智既已被迷，必然乘着车马……唉，差之毫厘，谬之千里，他全力去追查车马，别人却乘着半夜悄悄将人赶走了，他怎会追得着？”

展英松虽是她的对头，但她此刻见到展英松须发之上，都结满了冰层，神情委实狼狈不堪，心中又不禁泛起了怜悯之心，暗叹忖道：“我好歹也得将此事通知沈浪，要他设法救出他们。”

心念一转，立时忖道：“不行，沈浪一直将我当作无用的人，我就偏偏要做出一些惊人的事来让他瞧瞧，这正是大好机会，我怎能放过，等我将这事全部探访明白，再回去告诉他，那时他面上表情一定好看得很。”

想到这里，她眼前似乎已可瞧见沈浪又是吃惊，又是赞美的表情，于是她面上也不禁露出得意的微笑。

只听另一个娇小的白云牧女道：“时候不早了，咱们还是走吧，别忘了天亮之前，咱们就得将这些人赶到，否则大伙儿都要受罪了。”

圆脸牧女道：“急什么，一共四拨人，咱们早去也没用。”

高挑牧女长叹了口气，道：“早到总比迟到得好，还是走吧。”

长鞭一挥，带路前行，展英松等人，果然又乖乖地跟在她身后。

后面另两个牧女，挥动长鞭，将雪地上足印，全都打乱了，雪花纷飞中，一行人又鱼贯走出了树林。

朱七七恍然忖道：“原来她们竟是化整为零，将人分作四批，但我只要跟定这一批，跟到她们的老巢，她们一个也跑不了。”

这时她满腹雄心壮志，满腔热血奔腾，脚也不冷了，潜迹藏形，屏息静气，悄悄跟踪而去。

她虽不敢走得太近，但幸好那“沙沙”的脚步声却在一直为她带路，那些白云牧女们，显然未想到在如此风雪寒夜中还会有人发现她们的行踪，是以走得甚是大意，也根本未曾回头瞧上一眼。

除了轻微的脚步声外，一行人绝无任何声息发出，要想将数十人自甲地神不知鬼不觉地送到乙地，这“赶人”的法子，确是再好也没了，朱七七愈想愈觉这主意出得高明，忍不住暗叹忖道：“这么高明的法子为何以前竟无人想得起？……但能想起这种古怪诡异的法子来的人，想必也是个怪物。”

于是她便一路猜测这“怪物”是谁？生得是何模样？不知不觉间，竟已走了一个多时辰了。

估量时刻，此刻只怕已有五更，但寒夜昼短夜长，四下仍是一片黑沉沉的，瞧不见一丝曙色。

朱七七只当这一干人的去处必是极为荒僻之地，哪知这一路上除了曾经越过冰冻的河流外，地势竟是愈走愈平坦，到后来借着雪光反映，竟隐约可以瞧见前路有一座巨大的城影。

这一来又出了朱七七意料之外，暗自忖道："这些牧女难道还能赶人入城么？这绝不可能。"

但白云牧女们却偏偏将人都赶到城下，城门初开，突有两辆华丽之极的马车，自城里急驰而出。

马车四侧，都悬着明亮的珠灯，看来仿佛是什么高官巨富所坐，连车带马，都惹眼已极。

朱七七忖道："她们纵要趁机入城，也不会乘坐如此惹眼的马车，这更不可能了。"

哪知马车却偏偏直奔白云牧女而来，圆脸牧女轻喟一声，车马顿住，十二条汉子、四个白云牧女，竟分别上了马车。

朱七七瞧得目定口呆，满心惊诧，她却不知这些人的行事，正是处处都要出人意料之外。若是车马被人猜中，还能成什么大事？

这时车马又将启行，朱七七咬一咬牙，忖道："一不做，二不休，纵是龙潭虎穴，我也先跟去才说。"

竟一掠而去，钻入车底，身子在车底下，跟着车马一起走了。

若是换了别人，必定考虑考虑，但朱七七天生是顾前不顾后的性子，否则又怎会闯出那么多祸来？

车马入城，朱七七只觉背脊时擦着地上冰雪，一阵阵寒气钻心而来，也辨不出车马究竟走到哪里。

渐渐，四下有了人声，隐约可听出说的是："这玫瑰乃是暖室异种，当真千载难逢。"

"现下腊梅正当令，再过些时候买不到了。"

"还是水仙清雅，案头放盆水仙，连人都会变得高雅起来。"

朱七七耳畔听得这些言语，鼻端闻得一阵花香，自然便可猜到，此地必是清晨的花市了。

车马在花市停了半晌，白云牧女们竟似乎买了不少花，朱七七又不禁觉得奇怪，暗暗忖道："她们买花干什么？"

又听得那些花贩道："姑娘拿回去就是了，给什么银子。"

“明天还有些异种牡丹要上市，姑娘请早些来呀。”

朱七七更是奇怪：“照这模样，她们竟还是时常来买花的，竟与花贩都如此熟悉，如此神秘诡异的人物，却常来买花，这岂非怪事？”

但这时车马又已启行，已不容她再多思索。

穿过花市，街道曲折甚多，车马左弯右拐，走了约摸顿饭工夫，只听车厢中人语道：“大门是开着的么？”

“是开着的，别人只怕已先到了。”

“你瞧，我说早些回来，你偏要歇歇。”

“此刻还埋怨什么，快进去吧。”

纷纷人语声中，车马突然间向上走了，朱七七本当是个山坡，后来才知道只不过是道石阶而已，只是比着车辆的宽窄，在石阶旁砌了两行平道，十余级石阶尽头，便是道极为宽阔的门户。

入门之后，竟仍有一条青石板路，路上积雪，俱已打扫得干干净净。朱七七虽然瞧不见四下景象，但衡情度势，也已猜出宅院非但气派必定宏伟，而且庭院深沉，走了一重又是一重，竟又走了盏茶时分，才听得有人呼喝道：“车马停到第七号棚去，车上的人先下来。”

朱七七偷眼一望，只见马车两旁，有几十条腿在走来走去，这些人有的穿着长筒皮靴，有的穿着织锦鞋，有的穿裤，有的着裙，脚步都极是轻健，只是瞧不见他们的面目而已，朱七七这时才着急起来。

此刻她已身入虎穴，却想不出有任何脱身之计，而别人只要俯身看上一眼，便立刻可以发现她的形迹，那时她纵有三头六臂，只怕也难活着闯出去了。她不但着急，还有些后悔，后悔不该孤身犯险，此刻她就算为沈浪死在这里，沈浪却也不知道她是如何死的。

人声嘈杂，马嘶不绝，几个人将车马拉入马棚，洗车的洗车，洗马的洗马，幸好还无人俯身来瞧上一眼。

但这时朱七七身子已冻僵了，手臂更是酸楚疼痛不堪，仿佛有几千几万根尖针在她肩头、肘弯刺来刺去。

她真恨不得大叫着冲出去，只是她还不想死，也只有咬紧牙关，拼命忍住，只盼这些人快些洗完车马，快快走开。

哪知这些人却偏不赶快，一面洗马，一面竟聊起天来，说的十句话里，倒有九句言不及义。

朱七七咬牙切齿，不住暗骂，恨不得这些人早些死了最好，突听一阵铃声响起，有人大呼道："早饭熟了，要喝热粥的赶快呀。"

马棚中人哄然一声，洗马的抛下刷子，洗车的抛下抹布，眨眼间便走得干干净净，一个不剩。

朱七七暗中松了口气，顿觉再也支持不住，平平跌到地上，全身的骨头都似要跌散了。

但此刻她仍是身在险境，只有咬着牙忍住痛，缓缓爬出来，先躲在车后，偷眼探视外面的动静。

但见马棚外，一行种着数十株苍松，虬枝浓叶，积雪如盖，再外面便是一层层屋宇，千椽万瓦，数也数不清。

朱七七暗暗皱眉，她委实猜不出这究竟是何所在。看气派这实如王侯门第，但衡情度理，又绝不可能是王侯门第……她正自满腹狐疑，忽然间，身后传来一声轻佻的笑声，脖子后竟被人亲了一下。

她又惊又怒，霍然转身，怎奈她全身僵木酸软，行动不能灵便，等她转过身子，身后哪里还有人影。

就在这时，她脖子后又被人亲了一下，一个轻佻之极的语声在她耳畔笑道："好香呀好香……"

朱七七一个肘拳撞了过去，却撞了个空，等她转过身子，那人却又已到了她身后，在她脖子上亲了一下，笑道："姑娘家应该温柔些，怎能打人。"这次的语声，却是非常苍老，与方才判如两人。

朱七七又惊，又骇，又怒，再转过身，还是瞧不见那人的身影，脖子上还是被人亲了一下。

只听身后笑道："你再转得快些，还是瞧不见我的。"

语声竟又变得娇媚清脆，宛如妙龄少女一般。

朱七七咬紧牙关，连翻了四五个身，她筋骨已渐活动开来，身子自然愈转愈快，哪知这人身形竟如鬼魅一般，始终比她快上一步，闪到她身后，那语声更是千变万化，忽老忽少，忽男忽女，仿佛有七八个人在她身后似的。朱七七胆子纵大，此刻也不禁被骇得手软心跳，颤声道："你……你究竟是人是鬼？"

那人咯咯笑道："鬼……色鬼。"接着又亲了一亲。

朱七七只觉他嘴唇冰冰冷冷，被这嘴唇亲在脖子上，那真比被毒蛇咬上一口还要难受百倍。

她闪也闪不开，躲也躲不了，但她终究是个聪明伶俐的女子，眼珠子转了转，突然娇笑道："你既是色鬼，为何不敢在我脸上亲亲？"

那人笑道："我若亲你的脸，岂非被你瞧见了。"

朱七七道："我闭起眼睛就是。"

那人道："女子的话，虽不可信，但是你……唉，我好歹得信你一次。"

朱七七双掌注满真力，眼睛睁得大大的，口中却娇笑道："来呀。"

只见眼前一花，一条绯衣人影已来到面前，朱七七用尽全力，双掌同时击了出去，哪知手掌还未递出，已被人同时捉住。

那人哈哈笑道："女子的话，果然不可相信，幸好我上的当多了，如今已学乖不少。"只见他一身绯色衣裳，足蹬粉底官靴，打扮得十足是个风流好色的登徒子，但面容却是鼻塌眼小，眉短嘴厚，生得奇丑无比。

朱七七倒抽一口凉气，手掌被他捉住，竟是再也无法挣脱，急道："你……你杀了我吧，我乃是暗中偷来此地的奸细，你快些将我送到此间主人那里去，将我重重治罪。"

她心想纵然被人捉住治罪，也比落在这形如鬼魅、貌如猪豕的少年手上好得多，哪知此人却嘻嘻笑道："此间的主人，既非我父，亦非我子，你做你的奸细，与我何干？我为何要将你送过去？"

朱七七脱口道："原来你也是偷偷闯进来的。"

绯衣少年笑道："否则我又怎会自马棚外进来。"

朱七七眼波一转，求生之心又起，暗道："瞧他如此武功，若肯相助于我，想必立时便能逃出此间。"

只是她愈瞧此人竟愈呕心，要她向这少年求助告饶，她实在不忍。再瞧到这少年的一双色迷迷的眼睛，朱七七更是想吐，告饶的话，那是再也说不出口来。

但这少年一双色迷迷的眼睛却偏要直勾勾地盯着她，瞧了半晌，突然笑道："你可是要我助你逃走？"

朱七七道："你……能么？"

绯衣少年笑道："别人将此地当作龙潭虎穴，但我要来便来，要走便走，当真是来去自如，如入无人之境。"

朱七七故意道："我看你只怕是在吹牛。"

绯衣少年嘻嘻笑道："你对我来用这激将之法，是半点用也没有的，你要我助你逃走，除非你肯乖乖地让我在你脸上亲上一亲。"

朱七七暗道："我闭上眼睛让他亲，总比死在这里的好，我若死在这里，连沈浪最后一面都见不到了。"一想起沈浪，朱七七立时什么都不顾了，只要能再见着沈浪，就算要她被猪狗亲上一亲她都是心甘情愿的，当下闭起眼睛，道："好，来……"

半句话还未说完，脸上已被重重亲了一下，只听绯衣少年道："大丈夫言而有信，随我来吧。"

朱七七身不由主，足不点地，被他拉了出去，睁开眼睛一看，他竟放足直奔向那边的屋舍楼宇。朱七七骇道："你……你这是要到哪里去？"

绯衣少年嘻嘻笑道："我本有心助你逃走，但你若逃走后，少不得便要不理我了，我想来想去，还是将你留在这里的好。"

朱七七道："但你……你……"

绯衣少年笑道："此间的主人，既非我父，亦非我子，却是我的母亲，方才你骗我一次，此刻我也骗你一次，两下都不吃亏，也好让你知道，女子虽会骗人，男子骗起人来，也未见得比女子差多少。"

朱七七又惊又怒，破口大骂道："你这丑猪，你这恶狗，你……你……你简直是个连猪狗都不如的畜生，我恨不得撕碎了你。"

她骂得愈凶，那绯衣少年便笑得愈得意，只见院中的黑衣大汉、白衣少女，瞧见他来了，都远远躬身笑道："大少爷回来了。"

有的少女似是与他较为熟悉，便道："大少爷你又一晚上没回来，小心夫人知道，不让你进门。"

绯衣少年笑道："我本未进门，我是自马棚那边墙上跳过来的……好姐姐，你可千万不要让妈知道，后天我一定好好跟你们亲热亲热。"

少女娇笑轻呼："谁要跟你亲热亲热？……你带回来的这只小羊，生得倒不错嘛……"笑语声中，绯衣少年已拉着朱七七奔向竹林后一排精舍。

突听一声轻叱："站住。"

娇柔轻细的叱声，自竹林外一栋楼宇上传了下来。楼高虽有数丈，但这叱声听来却宛如响在朱七七耳侧。

绯衣少年果然乖乖地站住，动也不敢动了。

只听楼上人道："你好大的胆子，回来后就想偷偷溜回房么？"

绯衣少年更是不敢抬头，朱七七却反正已豁出去了，索性抬起头来，只见琼楼上朱栏旁，一个宫鬓堆云，满头珠翠的中年美妇，正凭栏下望。朱七七平生见过的美女虽有不少，但是若与这中年美妇一比，那些美人可全要变成丑八怪了，朱七七只向她瞧了一眼，目光便再也舍不得离开，暗叹忖道："我是女子见了她犹自如此，若是男子见了那便又当如何是好？只怕连路都走不动了。"

那宫鬓美妇亦自瞧了朱七七一眼，冷冷道："这女子是哪里来的？"

绯衣少年强笑道："她么？她……她就是孩儿常说的燕冰文燕姑娘，娘说想要见她，所以孩儿就请她回来让娘瞧瞧。"

宫鬓美妇人眼波流转，颔首笑道："果然是人间绝色，难怪你要为她神魂颠倒了，既是如此，就请她……"

若是换了别人，见那绯衣少年存心为她掩护，自然不敢再响，但朱七七天性激烈，一想到要被这少年拉到房里，倒不如死了算了，竟突然大喊道："我不是燕冰文，我姓朱，我也不是他请来的，乃是一路躲在你们马车底下，偷偷混进来的，为的是要探听你们的秘密，哪知却被他捉住了，要杀要剐，你瞧着办吧。"

这番话一嚷出来，绯衣少年手掌立刻冰冷，宫鬓美妇面上也变了颜色，狠狠盯了绯衣少年一眼，一字字道："带她上来。"

那楼宇外观固是金碧辉煌，里面的陈设，更有如仙宫一般，宫鬓美妇斜倚在一张虎皮软榻上，更似仙宫艳姬，天上仙子。

绯衣少年早已跪在她面前，朱七七既已将生死置之度外，别的还怕什么？自是大模大样站在那里，还不时面露冷笑。

宫鬓美妇道："你姓朱，叫什么？"

朱七七道："你本管不着，但我也不妨告诉你，朱七七就是我，我就是朱七七，你可听清楚些，莫要忘了。”

宫鬓美妇道：“朱七七，你胆子可真不小。”

朱七七道：“我见了你这样的大美人，连喜欢都来不及，还怕什么？只可惜你人虽美，生的儿子却太丑了。”

那宫鬓美妇倒也真未见过如此胆大包天的少女，美艳绝伦的面容上，不禁露出了惊讶之色，突然传音道：“带上来。”

一个白衣少女，应命奔下楼去，过了片刻，便有四条铁打般的壮汉，将朱七七在枯林里见到的那两个“白云牧女”架了上来。这两人见了宫鬓美妇，已骇得面无人色，壮汉手一松，两人便仆地跪倒。

宫鬓美妇缓缓道：“你可是躲在这二人的车底下混进来的么？”

朱七七道：“好像是，也好像不是。”

宫鬓美妇嘴角突然泛起一丝勾人魂魄的媚笑，柔声道：“好孩子，你年纪还轻，姑姑我不妨教你一件事，世上生得愈美的女子，心肠愈是恶毒，那生得丑的，良心反倒好些。”

朱七七道：“真的么？”

宫鬓美妇嫣然笑道：“你若不信，我就让你瞧瞧，在我手下的女孩子，若是大意疏忽一些，要受什么样的罪。”

她春笋般的纤纤玉手轻轻一挥，那两个“白云牧女”便突然一齐娇啼起来，啼声婉转凄恻，闻之令人鼻酸。

但那些铁打般的壮汉，却无丝毫怜香惜玉之心，两个对付一个，后面的提起少女的头发，前面的双手一分，便将她们的衣衫撕成粉碎，露出了那光致莹白，曲线玲珑的娇躯，于是大汉们各自反手自腰间抽出一条蟒鞭，雨点般地抽在这雪白的娇躯上，鞭风丝丝，摄人魂魄。

少女们滚倒在地，惨呼娇啼，辗转求饶，但皮鞭无情，片刻间便在她们雪白的娇躯上，留下数十道鲜红的鞭印。

鲜红的鞭印交织在诱人的胴体上，更激发了大汉们的兽性，人人目光都露出了那残酷的兽欲光焰。

于是皮鞭抽得更急，更密……

朱七七再也受不住了，嘶声大呼道：“住手……求求你……叫他们快住手吧。”

宫鬓美妇微笑挥手，皮鞭顿住，少女们固是奄奄一息，朱七七亦不禁泪流满面，宫鬓美妇微笑道：“如今你可知害怕了么？”

朱七七道：“你……你快杀了我吧！”

宫鬓美妇柔声道：“好孩子，我知道你不怕死，但你也得知道，世上有许多事是比死还难受的，譬如说……”

朱七七双手掩起耳朵，颤声呼道：“我不要听……我不要听。”

宫鬓美妇道：“既是如此，你便得乖乖告诉我，我们的秘密，你已知道了多少？除了你之外，还有谁知道？”

朱七七道：“我不……不知道……我什么都不知道。”

宫鬓美妇微笑道：“你真的不知道么，好……”

“好”字出口，八条大汉已将朱七七团团围住。

朱七七自心底深处都颤抖了起来，忍不住嘶声大呼道：“沈浪你在哪里，快来救我呀！”

呼声未了，突有一阵清悦的铃声，自那紫帘帷后响起，宫鬓美妇双眉微微一皱，自轻纱长袍中，伸出一双底平趾敛，毫无瑕疵的玉足，玉足垂下，套入了一双缀珠的绣鞋，盈盈长身而起，竟突然飘飘走了出去。

朱七七又惊又怔，又松了口气，绯衣少年转过头来，轻叹道：“叫你莫要多话，你偏要多话……如今……唉，如今算你有些运气，幸好有一个娘必须要见的客人来了，否则……”

否则便要怎样，他就不说，朱七七也猜得出来。

只见一个白衣少女轻步上楼，沉声道：“夫人有令，将这位朱姑娘暂时送入地室，听凭发落。”

绯衣少年道：“我呢？”

白衣少女“扑哧”一笑，道：“你呀，你跟着我来吧。”

朱七七目光四转，突然挥掌击倒了一条黑衣大汉，身子凌空而起，燕子般穿窗而出，向楼下跃去。

那白衣少女与绯衣少年眼见她逃走，竟然不加拦阻，朱七七再也未想到自己竟能如此轻易地脱身而出，心头不禁狂喜，只因她要掠出此楼，别的人便未必能拦得住她，哪知她足尖方自点地，突听身后一人轻笑道：“好孩子，你来了么，我正等着你哩。”

笑声温柔，语声娇媚，赫然正是那宫鬓美妇的声音。

朱七七宛如被一桶冷水当头淋下，由头顶直冷到足底，咬一咬牙，霍然转身，双掌齐出，将心中犹能记忆之最毒辣的招式，全都使了出来，瞬间竟攻出七八招之多。她轻功不弱，出手也不慢，怎奈所学杂而不纯，是以使出的这七八招虽然兼具各门之长，却无一招真正练至火候，这用来对付普通江湖武师虽已绰绰有余，但在宫鬓美妇眼中看来，却当真有如儿戏一般。

只听宫鬓美妇轻笑道："好孩子，你学的武功倒不少嘛……"

衣袖轻轻一拂，朱七七右肘"曲池"便被扫中，一条右臂立时软软地垂了下来，她咬紧牙关，左掌又攻出三招。

宫鬓美妇接着笑道："但你要知道，贪多咬不烂，武功学得太多太杂，反而无用的……"腰肢轻回，罗袖又自轻轻拂出。

朱七七左肘"曲池"穴又是一麻，左臂亦自不能动弹，但她仍不认输，双腿连环飞起，使的竟是"北派拐子鸳鸯腿"。

宫鬓美妇摇头笑道："以你的聪明，若是专学一门武功，今日还可与我拼个十招，但现在……你还是乖乖认输吧。"

她话说完了，朱七七双膝"环跳"穴也已被她衣袖拂中，身子软软地跌在地上，再也站不起来。

那宫鬓美妇却连发丝都未弄乱一根，她平时固是风华绝代，仪态万方，与人交手时，风姿亦是绰约轻柔，令人神醉。

朱七七呆呆瞧了她半晌，轻叹一声，道："我真未想到世上还有你这样的女子，更猜不出你究竟有什么阴谋，看来……武林当真又要大乱了。"

宫鬓美妇微微笑道："我做的事，天下本无一人猜得到的。你可是服了么？"

朱七七身子虽不能动，但眼睛还是瞪了起来，大声道："我为何要服你？我若有你这样的年纪，也未必就输给你。"

宫鬓美妇笑道："好拗的女孩子，真是死也不肯服输，但我不妨告诉你，我在你这般年纪时，早已名扬天下，寻不着敌手了，你若能活到我这样的年纪，你便会知道今生今世，再也休想赶得上我，只可惜……"突然顿住语声，挥了挥手，转身而去。只见她长裙飘飘，环佩叮当，眨眼便走得瞧不见了。

朱七七想到她“只可惜”三个字下面的含意，想到她回来时还不知要如何对付自己，也想到此地之古怪神秘，自己纵然死在这里，也不会有人知道，更休想有人会来将自己救出此地……

想来想去，朱七七不觉愈想愈是寒心，只因她已发觉她实已全无一线生机，唯有等死而已。

这时，已有两条黑衣大汉，向她走了过来，嘴角各自带着一丝狞笑，显然满心不怀好意。

朱七七咬了咬牙，暗道：“别人纵然不知我死在哪里，我自己总该知道我自己到底死在什么地方才是……”

幸好她颈子尚可左右转动挣扎，当下拼命扭转头望去，只见一条铺着五色彩石的小路，绕过假山荷花池，柏树丛林后又是亭台楼阁，隐约还可瞧见有些彩衣人影往来走动。

她还想再瞧清楚些，身子已被两条大汉架起，四只毛茸茸的大手，有意无意间在她身子上直拧。

朱七七忍不住又破口大骂起来。

左面一条大汉狞笑道：“臭娘们儿，装什么蒜，反正迟早你也要……”

突听一人冷冷道：“迟早也要怎样？”

两条大汉一惊回首，便瞧见那绯衣少年两道冷冰冰的目光，两人登时脸都骇白了，垂下头，不敢再说话。

绯衣少年瞧着朱七七，似乎还想说什么，却已被那少女拉走。两条大汉将朱七七架进了门，已有另一个白衣少女等在一张紫檀木几旁，正以春笋般的玉指，弄着几上春葱般的水仙花。

这少女一眼瞧见朱七七，摇头笑道：“到了这里，还想逃么？真是多费气力……”

将木几转了两转，木几旁一块石板便突然陷了下去，露出一条深沉的地道，地道中竟是光亮异常，两壁间嵌满了制作得极是精雅的铜灯。

白衣少女道：“华山室还是空着的，就带她去那里。”

两条大汉在这少女面前，神情亦是毕恭毕敬，齐地躬身应了，大步而下，朱七七突然扭首道：“好姐姐，这里究竟是什么地方，你能告诉我么？”

白衣少女笑道：“哎哟，你这声好姐姐叫得真好听，可惜我还是不能告诉你。”

朱七七立时大骂道：“鬼丫头，小鬼婆，你不告诉我，总有一天我会知道的。”

那少女只是瞧着她笑，也不理她。

地道下竟也是曲折复杂，看来竟不在那古墓之下。

只见两旁每一道石门上，都以古篆刻着两个字，有的是“罗浮”，有的是“青城”——俱都是海内名山的名字。

到了“华山”室前，两条大汉揿动机关，开了石门，左面那大汉突然狞笑道：“臭娘们儿，老子偏要亲亲你，看你怎么样。”说话间一张生满了青渗渗胡茬子的大嘴，已亲在朱七七脸上。

朱七七居然未骂，也未反抗，反而昵声道：“只要你对我好些，亲亲又有什么关系。”

那大汉哈哈笑道：“这才像知情识趣的话，来再亲……”

突然惨呼一声，满面俱是鲜血，嘴唇竟被朱七七咬下一块肉来。

那大汉疼极怒极，一把抓住了朱七七衣襟就要往下撕。

朱七七道：“只要你们敢动一动，少时你家少爷来了，我必定要他……嘿嘿，我要他怎样，不说你也该知道。”

那大汉一手掩着嘴，目中已似要喷出火来。

另一大汉道：“马老三，算了吧，那小魔王的脾气，你又不是不知道。”

手臂一滑，将朱七七重重摔了进去，石门瞬即关起。

朱七七松了口气，眼泪却不由自主一粒粒落了下来，也顾不得打量这室中是何光景，眼前飘来飘去的，尽是自己亲人的影子——

而最大的一个影子，自然是沈浪，朱七七流着泪，咬着牙，轻骂道：“黑心鬼，你……你此刻在哪里呀？你……你此刻在哪里呀？你怎么还不来救我……”

一想起自己本不该不告而别，不由得更是放声大哭起来。

但她确是累极，哭着哭着，竟不知不觉地睡着了，也不知睡了多久，噩梦中只觉沈浪含笑走过来，她大喜着呼唤，哪知沈浪却理也不理她，反而与那宫鬓美妇亲热起来，那绯衣少年突然自她身上钻出，笑道："还是我好……"

忽然间这少年又变成一只山猫，扑在她身上……

朱七七惊呼一声，自梦中醒来，那绯衣少年不知何时，已站在她面前，正含笑望着她。那双眼睛，正如山猫一般，散发着锐利而贪婪的光芒，仿佛真恨不得一口将她吞入肚子里。

噩梦初醒，灯光闪烁，朱七七也不知这是梦？是真？是幻？只觉满身是汗，已湿透重衣，嘶哑着声音道："沈浪……沈浪在哪里？"

绯衣少年微微笑道："谁是沈浪？"

朱七七定了定神，这才知道方才只不过是场噩梦而已，但眼前这景象，却也未见比噩梦好多少。

她身子仍在颤抖，口中厉喝道："你……你来做什么？"

绯衣少年双目已眯成一线，眯着眼笑道："我要做什么？你难道猜不出？"

伸出手指，在朱七七苍白的面靥上轻轻地摸起来。

朱七七骇呼道："你……你……快滚出去。"

绯衣少年涎脸笑道："我不滚你又能怎样？"

朱七七苍白的面靥，又已变作粉红颜色，颤声道："你……你敢？"

她口中虽说不敢，其实心里却知道这绯衣少年必定敢的，想到这少年将要对自己做的事，她全身肌肤，都不禁生出了一粒粒悚栗。

哪知绯衣少年却停了手，哈哈大笑道："我虽是个色鬼，但生平却从未做过强人之事，只要你乖乖地顺从我，我便救你出去如何？"

朱七七咬牙道："我……我死也不从你。"

绯衣少年道："我有何不好？你竟愿死也不肯从我……哦，我知道了，你可是嫌我生得太丑？"

朱七七骂道："不错，像你这样的丑鬼，只有母猪才会喜欢你。"

绯衣少年大笑道："果然是嫌我生得丑了，好……"

突然转过身子，过了半晌，又自回身笑道："你再瞧瞧。"

朱七七本想不瞧，却又忍不住那好奇之心，抬眼一望，这一惊又是非同小可——方才那奇丑无比的少年，此刻竟已变作个貌比潘安的美男子。

灯光之下，只见他唇红齿白，修眉朗目，面色白里透红，有如良质美玉，便是那武林中有名的美男子“玉面瑶琴神剑手”徐若愚，比起他来，也要自愧不如。朱七七目定口呆，道：“你……你……”

绯衣少年笑道：“我此刻模样如何？你可愿……”

朱七七大骂道：“妖怪！人妖！你再也休想。”

绯衣少年笑道：“你还是不愿意？……哦，我知道了，你敢情是嫌我这模样生得不够男子气概，好……”

他说话间又自转了个身，再看他时，但见他面如青铜，剑眉虎目，眉宇间英气逼人，果然又由个稍嫌脂粉气重的少年，变作了一个雄赳赳、气昂昂的男儿铁汉，就连说话的话声也跟着变了，只听他抱拳道：“如何？”

朱七七倒抽一口凉气，道：“你……你……休想。”

绯衣少年皱眉道：“还是不肯么……哦，只怕姑娘喜欢的是成熟男子，你嫌我生得太年轻了，好，你再瞧瞧。”

这次他翻转身来，不但颔下多了几缕微须，眉宇神情间也变得成熟已极，果然像个通达世情，对任何女子都能体贴入微的中年男子——这种中年男子的魅力，有时确远比少年男子更能吸引少女。

但朱七七惊讶之余，还是破口大骂。

绯衣少年于是又变成个浓眉大眼、虬髯如铁的莽壮汉子，大声道：“你这女子，再不从俺，俺吃了你。”

这时他不但容貌有如莽汉，就连神情语声也学得惟妙惟肖，朱七七再也想不到世上竟有如此奇妙的易容之术，眼睛都不禁瞧得直了。

第七章

饶幸脱魔手

绯衣少年易容之术，确实高明，朱七七不禁瞧得呆了，只见他笑道："无论你喜欢的是何种男子，是老是少，我都可做那般模样。你若嫁了我，便有如嫁了数十个丈夫一般，这是何等的福气？别的女子连求都求不到的，你难道还是不愿意么？"

朱七七道："你……无论你变成什么模样，却再也休想。"

绯衣少年苦笑道："还不肯？这是为什么？这是为什么……哦，我知道了，敢情你是个聪明的女子，只重才学，不重容貌，那我也不妨告诉你，在下虽不才，但文的诗词歌赋样样皆能，武的十八般武艺件件精通，文武两途之外，天文地理、医卜星相、丝竹弹唱、琴棋书画、飞鹰走狗、蹴鞠射覆，亦是无一不精，无一不妙，你若嫁我这样的丈夫，包你一生一世永远不会寂寞，你若不信，且瞧着看。"

只见他说话之间，已连变九种身法，竟全都是少林、武当等各大门派之不传之秘，然后反身一掌，拍在石壁上，那坚如精钢的石壁，立时多了一个掌印，五指宛然，有如石刻。朱七七武功虽不精，但所见却广，一眼便瞧出这掌法赫然竟是密宗大手印的功夫，这少年年纪轻轻，竟然身兼各家之长，而且又俱是江湖中的不传之秘，岂非骇人听闻，匪夷所思之事。

朱七七再也忍不住脱口问道："你……你这些武功是哪里学来的？"

绯衣少年微微笑道："武功又有何难？小生闲时还曾集了些古人绝句，以赋武功招式，但求姑娘指正。"

只见他长袖突然翻起，如流云，如泻水，招式自然巧妙，浑如天成，口中却朗声吟道："自传芳酒翻红袖，似有微词动绛唇……"

这两句上一句乃是杨巨源所作，下一句却是唐彦谦绝句，他妙手施来，不但对联浑成，而且用以形容方才那一招亦是绝妙之句。

朱七七不禁暗赞一声，只听绯衣少年“绛唇”两字出口，衣衫突然鼓动而起，宛如有千百条青蛇，在衣衫中窜动，显然体内真气满蓄，纵不动手，也可伤敌，绯衣少年口中又自朗吟道：“雾气暗通青桂苑，日华摇动黄金袍。”

这两句一属李商隐，一属许浑，上下连缀，又是佳对。

绯衣少年左手下垂，五指连续点出，身形突转，右手已自颊边翻起，身形流动自如，口中吟道：“垂手乱翻雕玉佩，背人多整绿云鬟……”

右手一斜，双臂曲收，招式一发，攻中带守，绯衣少年口中吟道：“纤腰怕束金蝉断，寒鬓斜簪玉燕光……”

念到这里，他身形已回旋三次，手掌突又斜挥而起，道：“黄鹂久住浑相识，青鸟西飞意未回。”

朱七七脱口道：“好一招青鸟西飞意未回。”

绯衣少年微微一笑，左掌突然化作一片掌影，护住了全身七十二处大穴，口中吟道：“帘前春色应须惜，楼上花枝笑独眠。”右掌掌影中一点而出，石壁一盏铜灯应手而灭。

他身形亦已凝立不动，含笑道：“如何？”

方才他所吟八句绝句，一属李商隐，一属杨巨源，一属薛逢，一属李贺，“浑相识”乃戎星之诗，“意未回”又属商隐，“帘前春色”乃岑参所作，“楼上花枝”却是刘长卿之绝句。

这八句不但对偶工稳，而且俱是名家所作，若非烂读诗书，又怎能集得如此精妙？那几式武功更是流动自如，攻守兼备，江湖中寻常武师，休想躲得过他一招去，瞧到此处，朱七七也不禁叹道：“果然是文武双全。”

绯衣少年大笑道：“多承姑娘夸奖，小生却也不敢妄自菲薄，普天之下，要寻小生这样的人物，只怕还寻不出第二个。”

朱七七眼波一转，突然冷笑道：“那也未必。”

绯衣少年道：“莫非姑娘还识得个才貌与小生相若之人不成？”

朱七七道：“我认得的那人，无论文才武功，言语神情，样样都胜过你百倍千倍，像你这样的人，去替他提鞋都有些不配。”

绯衣少年目光一凛，突又大笑道：“姑娘莫非是故意来气我的？”

朱七七冷冷道：“你若不信，也就罢了，反正他此刻也不在这里……哼哼，他若在这里，谁能困得住我。”

绯衣少年怔了半晌，目中突然射出炽热的光芒，脱口道：“我知道了，他……他就是沈浪。”

朱七七道：“不错……沈浪呀，沈浪，你此刻在哪里？你可知道，我是多么地想你。”想起沈浪的名字，她目光立时变得异样温柔。

那绯衣少年目中似要喷出火来，他面上肌肉僵冷如死，目中的光芒是炽热如火，两相衬托之下，便形成一种极为奇异的魅力。

朱七七芳心也不觉动了一动，忍不住脱口道：“但除了沈浪外，你也可算是千中选一的人物，世上若是没有沈浪这个人，我说不定也会喜欢你。”

绯衣少年恨恨道：“但世上有了沈浪，你便永远不会喜欢我了，是么？”

朱七七道：“这话不用我回答，你也该知道。”

绯衣少年道：“若是沈浪死了，又当如何？”

朱七七面容微微一变，但瞬即嫣然笑道：“像沈浪那样的人，绝对不会比你死得早，你只管放心好了。”

绯衣少年恨声道：“沈浪……沈浪……”

突然顿足道：“好，我倒要瞧瞧他究竟是怎样的人物，我偏要叫他死在我前面。”

朱七七眨了眨眼睛，道：“你若有种将我放了，我就带你去见他。你两人究竟是谁高谁低，一见了他面，你自己也该分得出。”

绯衣少年突然狂笑道：“好个激将之计，但我却偏偏中了你的计了……好，我就放了你，要你去带他来见我。”

朱七七心头大喜，但口中犹自冷冷道：“你敢么，你不怕沈浪宰了你？”

绯衣少年道：“我只怕沈浪不敢前来见我。”

朱七七冷笑道：“此地纵有刀山油锅，他也是要来的，只怕你……”

绯衣少年却已不需她再加激将，她话犹未了，绯衣少年伸手拍开了她的双臂双膝四处穴道。

朱七七又惊又喜，一跃而起，但四肢麻木过久，此刻穴道虽已解开，但血液却仍不能畅通，身子方自站起，又将倒下去。

绯衣少年及时扶住了她，冷冷道："你可走得动么？"

朱七七道："我走不动也会爬出去，用不着你伸手来扶。"

绯衣少年冷笑一声，也不答话，双手却已在她的膝盖关节处，轻轻捏扭起来，朱七七眼睛一瞪，要推开他，哪知这少年一双手掌之上，竟似有着种奇异的魔力，朱七七只觉他手掌所及处，又是酸，又是软，又是疼，又是麻，但那一股酸软麻疼的滋味直钻入她骨子里，却又是说不出的舒服，这滋味竟是她生平未有，竟使她无力推开他，又有些不愿推开他。

她心里虽不愿意，但身子却不由自主向他靠了过去，灯光映照下，她苍白的面容，竟也变作嫣红颜色。

绯衣少年目中又流露出那火一般炽热的奇异光芒，指尖也起了一阵奇异而轻微的颤抖。

朱七七颤声道："住……住手……放开我……我……"

绯衣少年嘴唇附在她耳畔，轻轻道："你真的要我放开你么？"

朱七七全身都颤抖起来，目中突然涌出了泪光，道："我……我不知道，求求你……你……"

突然间，门外传来一声娇笑，一人轻叱道："好呀，我早就知道你溜到这里来了，你两人这是在做什么？"

笑声中带些酸溜溜的味道，正是那白衣少女。

朱七七又惊又羞，咬牙推开了那绯衣少年。

白衣少女斜眼瞧着她，微微笑道："你不是讨厌他么，又怎地赖在他怀里不肯起来？"

朱七七脸更红了，她平日虽然能言善辩，但此刻却无言可答。

只因她自己也不知道自己这是为了什么。这本是她平生第一次领略到情欲的滋味，她委实不知道情欲的魔力，竟有这般可怕。

白衣少女眼波转向绯衣少年，娇笑道："你的错魂手段，又用到她身上了么？你……"

突然瞧见绯衣少年目中火一般的光芒，身子一颤，戛然住口。

绯衣少年却已一步步向她走了过来，目光似笑非笑地看着她，道："我怎样？"

白衣少女面靥也红了，突然轻呼一声，要待转身飞奔，但身子却已被绯衣少年一把抱住。

她身子竟已软了，连挣扎都无法挣扎。

绯衣少年缓缓道："这是你自己找来的，莫要怪我。"

他目光愈来愈亮，脸也愈来愈红，突然伸出手来，撕开了她的衣襟……朱七七娇啼一声，转过身子，不敢再看。

只觉耳畔风声一飘，一件纯白色的长袍，已自她背后抛了过来，落在她面前的地上，只听那白衣少女的喘息声，愈来愈是剧烈。

朱七七身子也随着这喘息颤抖起来，想要夺门而出，却连脚都抬不起来，只听那绯衣少年在身后道："我放过了你，你还不快走。"

朱七七咬一咬樱唇，转身踉跄奔出。

突然那绯衣少年又自喝道："拾起那件衣服，披在身上等出门之后，逢左即转，莫要停留，莫要回头，到时自有人来接你……莫等我改变了主意。"

朱七七嘴唇都已咬出血来，心里也不知是何滋味，重又拾起了那件白袍，再也不敢去瞧绯衣少年与白衣少女一眼。

她踉跄奔出门，颤抖着穿起白袍，她转了两个弯，心房犹在不住跳动，这时她才发觉自己原想瞧瞧地道中的光景，但无论如何，她也不敢转回头去瞧了，她只觉那绯衣少年是个恶魔，比恶魔还要可怕，比恶魔还要可恨，她一生中从未如此怕过，也从未如此恨过。

两旁石壁深处，似乎隐隐有铁链曳地之声传来。

但朱七七也不敢停留察看，她逢左即转，又转了两个弯，心中方惊异于这地下密室规模之大，抬头望处，已瞧见两个劲装大汉，在前面挡住了她的道路，朱七七一颗心又提起来，但这时她既已无法后退也只有硬着头皮前进——前面的人虽可怕，但总比那绯衣少年好得多。

哪知那两条大汉见了她，面上竟毫无异色，一人似乎在说："这位姑娘倒面生得很。"

另一人便道："想必是夫人新收容的。"

朱七七听了，一颗心立时放下，她这才知那绯衣少年要她穿起白袍的用意，当下壮着胆子，大步走了过去。

那两条大汉果然非但不加阻拦，反而躬身赔笑道："姑娘有事要出去么？"

朱七七哪敢多说话，鼻孔里"哼"了一声，便匆匆走过去，只听两个大汉犹在后面窃窃低语："这位姑娘好大的架子。"

两旁石壁似有门户，但俱都是紧紧关闭着的，展英松、方千里，那些失踪了的人，此刻可能就在这些紧闭着的门户里，而那小楼上的绝代丽人，想必就是这一切阴谋的主谋人，她纵非云梦仙子，也必定与云梦仙子有着极深的关系——这些都是沈浪一心想查探出的秘密，如今朱七七已全都知道了。

朱七七想到这里，想到她终于已为自己所爱的人尽了力，只觉自己所受的苦难折磨，都已不算什么了。

她脚步顿时轻快起来，暗暗忖道："原来能为自己所爱的人吃苦，竟也是一种快乐，只是世上又有几人能享受到这种快乐……我岂非比别人都幸福得多……"

心念转动间，地道已走至尽头，却瞧不见出口的门户。

就在这时，阴暗中一条人影蹿出，朱七七目光动处又不禁骇了一跳，只见此人身高竟在八尺开外，朱七七身材并非十分矮小，但站在此人面前，却只及他胸口，朱七七身子也不算瘦弱，但腰肢却还不及他一条手臂粗。

但此人身子虽巨大，行动却轻灵得很，朱七七全未听到半点声息，这铁塔般的巨人已出现在她面前，宛如神话中魔神一般——精赤着的上身，涂着一层黄金色的油彩，笆斗大的头颅，剃得精光，只是如此巨大狞恶的巨人，目光却宛如慈母一般，柔和地望着朱七七。

朱七七定下心神，壮起胆子，道："你……你可是公子派来接我的？"

那巨人点了点头，指指耳朵，又指指嘴。

朱七七讶然忖道："原来此人竟是个聋子哑巴。"

只见那巨人已抬起两条又长又大的手臂，这地道顶端离地少说也有两人多高，但他一抬手便托住了。

朦胧光影中，他那涂满了金漆的巨大身子，肌肉突然一块块凸起，那地道顶端一块巨大的石板，竟被他硬生生托起，他那一块块凸起的肌肉，也上下流动起来，宛如一条金蛇流窜不息。

朱七七又吃了一惊："此人好大的气力，除了他外，世上只怕再也无人能托起这石板了……"

但此时此刻，她也不敢多想，当下施礼道："多谢相助……"

再也不敢瞧这巨人一眼，立起身子，自那抬起的石板空隙中蹿了出去。

她只当外面不是荒林，便是墓地，哪知却又大大地错了，这地道出口处，竟是一家棺材店的后室。

宽大的房子里，四面都堆着已做好的、未做好的棺材，一些精赤着上身的彪形大汉，有的在锯木，有的在敲钉，有的在油漆，显得极是忙碌，显见这家棺材店生意竟是兴旺得很。

朱七七自然又是一惊，但石板已阖起，她只有硬着头皮站起来，哪知四下的大汉竟无人回头瞧她一眼。

外面车声辚辚，人声喧哗，已是市街。还有两个人正在选购棺材，再加上锯木声、敲钉声，四下更显得热闹已极。

但朱七七在这热闹的棺材店里，心底却又不禁泛起一阵恐怖之意，棺材店，为什么是棺材店？莫非那地道中常有死人……方才那出口，莫非就是专为送死人出来的？……死人一抬出来，就装进棺材送出去，那当真是神不知，鬼不觉……棺材店里抬出棺材，本是天经地义的事，谁也不会注意……那地道中就算一天死个二三十个人，也不会有人发现……这些人杀人的计划，端的是又安全，又神秘……

她愈想愈觉奇诡，愈想愈恐怖，当下倒抽一口凉气，放横了心，咬紧牙关，垂首冲了出去。

外面便是棺材店的门面，果然有两个店伙正在招呼着客人买棺材，这两个店伙一个是麻子，另一个嘴唇缺了一块，说话有些不清，房子里有个高高的柜台，柜台上架着称银子的天平。

朱七七将这一切都牢记在心，忖道："只要我记准这家棺材店，就可带沈浪来了……"

只见那客人正在眼睁睁地瞧着她，那两个店伙倒未对她留意，朱七七又是奇怪，又是欢喜，三脚两步，便走了出去，一脚踏上外面的街道，瞧见那熙来攘往的人群，她心里当真是说不出的高兴。

她垂首冲到街道对面，才敢回头探望，只见那家棺材店的大门上横挂着一块黑字招牌，写的是“王森记”三个大字。

两旁竟还挂着副对联：“唯恐生意太好；但愿主顾莫来。”

对联虽不工整，含义倒也颇为隽永。

朱七七这时嘴角才露出一丝笑意，将这招牌对联，全都紧紧记在心里，暗道：“跑得了和尚跑不了庙，我只要记着你们的地方，还怕你们跑到哪里去，我独力破了这震动天下的大阴谋、大秘密，沈浪总不能再说我无用了吧。”

于是她又不觉大是开心起来，但走了几步，她心里一转突又想到：“奇怪的是，他们明知我已知道秘密为何还放我出来，那绯衣少年莫非疯了么，如此一来，他母亲辛苦建立的基业，岂非要从此毁于一旦？他怎会为了我做出此等事情？这岂非不可能……不可能……”

她嘴里说着不可能，嘴角却又泛出了笑容，因她以为自己这“不可能”的事，寻出了个解释：“我既能为沈浪牺牲一切，那少年自然也能为我牺牲一切，这爱情的力量，岂非一向都伟大得很。”

想到这里，她心头只觉甜甜的，再无疑虑。这时正是黄昏，满天夕阳如锦，映得街上每个人俱是容光焕发。

朱七七但觉自己一生从未遇着过这么可爱的天气，遇着过这么多可爱的人，她身子轻飘飘的，似乎要在夕阳中飞了起来。

但夜色瞬即来临，朱七七也立时发觉自己并不如想象中那般愉快——她委实还有许多烦恼。

她此刻身无分文，却已饥寒交迫，而人海茫茫，沈浪在哪里？她也不知该如何去寻找。

方才她面临生死关头，自未将这些烦恼放在心上。但此刻她才发觉这些烦恼虽小，但却非常现实，非常难以解决。

这里果然是洛阳城。

朱七七在门口来回踯躅了有顿饭时分，也拿不定主意，不知自己是该出城去，还是该留在这里。

沈浪绝不会还在那客栈里等她——他见她失踪，必定十分着急，必定四下寻找——但他究竟是往哪里去找了？

现在，不是他在找她，反而是她在找他了。

这转变非常奇妙，也非常有趣，朱七七想着想着，自己都不觉有些好笑，但此时此刻，却又怎能笑得出来？

她皱着眉，负着手，绕着城脚，又兜了个圈子，只见一人歪戴着帽子，哼着小调，摇摇晃晃而来，瞧模样不是个流氓，也是个无赖。

城里四下无人，朱七七突然一跃而出，阻着他去路，道："喂，你可知道洛阳城中最最有名的英雄是谁？"

那人先是一惊，但瞧了朱七七两眼，脸上立刻露出不怀好意的笑容，眯着眼睛笑道："俺的好妹子，你这可是找对人了，洛阳城里那有名的英雄，可不就是俺花花太岁赵老大么……"

话犹未了，脸上已被"噼噼啪啪"连掴了五六个耳刮子，跟着翻身跌倒，赵老大还未弄清是怎么回事，手掌已被反拧在背后，疼得眼泪都流了出来，他这才知道这花枝招展的大姑娘不是好惹的，没口地叫起饶命来。

朱七七冷冷道："快说，究竟谁是洛阳城最有名的英雄？"

赵老大颤声道："西城里的'铁面温侯'吕凤先，东城里的'中原孟尝'欧阳喜，都是咱们洛阳城响当当的人物。"

朱七七暗暗忖道："顾名思义，自是那欧阳喜眼皮较杂，交游较广……"

当下轻叱道："欧阳喜住在何处？乖乖地将你家姑奶奶带去。"

那赵老大目中闪过一丝狡猾的笑意，连声道："小人遵命，姑奶奶您行好放开小人的手，小人这就带姑奶奶去。"

那"中原孟尝"欧阳喜在洛阳城中，果然是跺跺脚四城乱颤的人物，他坐落在东城的宅院，自是气象恢宏，连檐接宇。

远在数十丈外，朱七七便已瞧见欧阳喜宅院中射出的灯光，便已闻得欧阳喜宅院中传出的人语笑声。

走到近前，只见那宅院之前，当真是车如流水马如龙。大门口川流不息地进出的，俱是挺胸凸腹的武林人物。

朱七七暗忖道："瞧这人气派，倒也不愧'中原孟尝'四字……看来我不妨将这秘密向他泄露一二，要他一面探访沈浪下落，一面连络中原豪杰……"思忖之间，眼看已走到那宅院之前，朱七七方待将赵老大放开。

哪知赵老大突然放声大呼道："兄弟们，快来呀，这骚婆娘要来找咱们的麻烦啦。"

本来在欧阳喜大门口闲荡的汉子们，听得这呼声，顿时一窝蜂奔了过来，有人大喊，有人怒喝，有人却笑骂道："赵老大，愈活愈回去了，连个娘儿都照顾不了。"

朱七七这才知道这赵老大原来也是中原孟尝门下，眼见十余条大汉前后奔来，朱七七反手抓住了赵老大的衣襟，将他整个人横着掷了出去，当先奔来的两条大汉伸手想接，但哪里接得住？三个人一齐跌倒，后面的大汉吃了一惊，身形方自一顿，朱七七却已冲了过去。

她所学武功，虽是杂而不纯，但用来对付此等人物，却是再好没有。只见她指东打西，指南打北，有如虎入羊群一般，顷刻间便已将那十余条大汉打得鼻青脸肿，东歪西倒。朱七七受了几天的闷气，如今心胸才自一畅，愈打愈是起劲，连肚子都不觉饿了，可怜这些大汉们都没来由地做了她的出气筒。

大汉们边打边跑，朱七七边打边追，眼看已将打进大门里。

突听一声轻叱道："住手！"

一个五短身材、筋肉强健的锦衣汉子，负手当门而立，他年纪也不过三十左右，满面俱是精明强悍之色，教那身材比他高大十倍的人，也不敢丝毫轻视于他。此刻他目光灼灼，正上下打量着朱七七，眉宇间虽因朱七七所学武功之多而微露惊诧之色，但神情仍极是从容。

大汉们瞧见此人，哄然一声，躲到他身后，朱七七方待追过去打，却见此人微一抱拳，含笑道："姑娘好俊的武功。"

朱七七天生是服软不服硬的脾气，瞧见此人居然彬彬有礼，伸出的拳头，再也打不出去。

锦衣汉子笑道："奴才们有眼无珠，冒犯了姑娘，但愿姑娘多多恕罪。"

朱七七道："没关系，反正挨揍的是他们，又不是我。"

锦衣汉子呆了一呆，强笑道：“姑娘的脾气，倒直爽得很。”

朱七七嫣然一笑，道：“这样的脾气，你说好么？”

锦衣汉子见的人虽然不少，这样的少女，却当真从未见过，呆呆地怔了半晌，干笑道：“好……咳咳……好得很。”

朱七七道：“瞧你模样，想必就是那中原孟尝欧阳喜了。”

锦衣汉子道：“不错……不知姑娘有何见教？”

朱七七道：“你既有‘孟尝’之名，便该好生接待接待我，先请我好好吃喝一顿，我自有机密大事告诉你。”

欧阳喜道：“姑娘这样的客人，在下平日请还请不到，只是今日……”

朱七七皱眉道：“今日怎样？莫非你今日没有银子，请不起么？”

欧阳喜干笑两声，道：“不瞒姑娘说，今日有位江湖巨商冷二太爷已借了这地方做生意，四方贵客，来得不少，是以在下不敢请姑娘……”

朱七七眼珠转了转，突然截口笑道：“你怎知我不是来做生意的呢？你带我进去。”

欧阳喜不由自主，又上下瞧了她几眼，只见她衣衫虽不整，但气派却不小，心中方自半信半疑，朱七七已大摇大摆走了进去，竟似将别人的宅院，当作她自己的家一般。欧阳喜见她如此模样，更是猜不透她来历，一时间倒也不敢得罪，只有苦笑着当先带路。

大厅中灯火通明，两旁紫檀木椅上，坐着二三十人，年龄、模样虽然都不同，但衣着却都十分华贵，气派也都不小，显见得都是江湖中之豪商巨子，瞧见欧阳喜带了个少年美女进来，面上都不禁露出诧异之色。

朱七七却早已被人用诧异的眼光瞧惯了，别人从头到脚，不停地盯着瞧她，她也毫不在乎，眼波照样四下乱飞。

大厅中自然被引起一阵窃窃私议，自也有人在暗中评头论足，朱七七找了张椅子坐下，大声道：“各位难道没有见过女人么？还是快做生意要紧，我又没长着三只眼睛，有什么好瞧的。”

满堂豪杰，十人中倒有八人被她说得红着脸垂下头去，朱七七又是得意，又是好笑。

她要别人莫要瞧她，但自己一双眼睛却仍然四下乱瞟。只见这二十余人中，只有六七个看来是真正的生意人，另外十多个，更都是神情剽悍、气概鸷猛的武林豪杰，这其中还有两个人分外与众不同，一个坐在朱七七斜对面，玉面朱唇，满身锦绣，在这些人里，要数他年龄最轻，模样也生得最是英俊，正偷偷地在望着朱七七，但等朱七七瞧到他时，他的脸反而先红了。

朱七七暗笑道："看来此人定是个从未出过家门的公子哥儿，竟比大姑娘还要怕羞……"

别人愈是怕羞，她便愈要盯着人家去瞧，只瞧得那锦衣少年不敢抬起头来，朱七七这才觉得满心欢畅，这才觉得舒服得很。

还有一人，却是看来有如落第秀才的穷酸，面上又干又瘦，疏疏落落地生着两三绺山羊胡子，身上穿的青布长衫，早已洗得发了白，此刻正闭着眼睛养神，仿佛已有好几天未吃饭，已饿得说不出话来。

他身后居然还有个青衣书童，但也是瘦得只剩下几把骨头，幸好还有一双大眼睛四下乱转，否则全身上下便再也没有一丝生气。

朱七七又不禁暗笑忖道："这样的穷酸，居然也敢来和人家做生意？莫非人家还有些秃笔卖给他不成？"

这时大厅中骚动已渐渐平息，只听欧阳喜轻咳一声，道："此刻只剩下冷二爷与贾相公了，贾相公此番到洛阳来，不知可带来些什么奇巧的货色。"

说到最后一句话，他目光已瞪在一个头戴逍遥巾，身穿浅绿绣花袍，腰畔挂着十多个绣花荷包，手里端着个翡翠鼻烟壶，生得白白胖胖，打扮奇形怪状，看年纪已有不小，但胡子却刮得干干净净，明明已是"老爷"，却偏偏还要装作"相公"的人身上。

只见他眯着眼睛，四下瞧了瞧，笑嘻嘻道："兄弟近年，已愈来愈懒了，此次明知冷二太爷一到，洛阳城市面定是不小，但兄弟却只带了两件东西来。"

欧阳喜道："货物贵精不贵多，贾大相公拿得出手的东西，必定非同小可，但请贾相公快些拿出来，也好教咱们开开眼界。"

贾大相公道："好说好说，但江湖朋友们好歹都知道，五千两以下的买卖，兄弟是向来不做的。"

朱七七皱眉忖道："此人好大的口气，瞧他这副打扮，这副神气，莫非就是江湖传言'士、农、渔、商、卜'五大恶棍中，那'奸商贾剥皮'么？若真的是他，和他做买卖的人，岂非都要倒大霉了。"

只见贾大相公已掏出一只翡翠琢成的蟾蜍，大小仿佛海碗，遍体碧光闪闪，尤其一双眼珠子，乃是一对几乎有桂圆大的明珠，灯光下看来，果然是珠光甚足，显然价值不菲之物。

贾大相公道："各位俱是明眼人，这玩意儿的好坏各位当也能看出，兄弟也用不着再加吹嘘，就请各位出个价钱吧。"

他一连说了两遍，大厅中还是没有一个人开口。

朱七七暗笑忖道："别人只怕都已知道贾剥皮的厉害，自然没有人敢和他谈买卖了，其实……这翡翠蟾蜍倒是值个五六千的。"

贾大相公目光转来转去，突然凝注到一个身材矮胖，看来真是个规矩买卖人的身上，笑道："施荣贵，你是做珠宝的，你出价吧。"

那施荣贵面上肥肉一颤，强笑道："这……好，小弟出三千两。"

贾大相公面色一沉，冷笑道："三千两，这数目你也说得出口来，不说这一整块翡翠的价钱，就说这一双珍珠……嘿嘿，这么大的珍珠一个也难找，两个完全一模一样的，嘿嘿，你找两个来，我出六千两。"

施荣贵赔笑道："兄弟也知道这是宝物，三千两太少，但……大相公不让兄弟仔细看看，兄弟实在不敢出价。"

贾大相公目中突然射出凶光，道："你这还看不清楚，如此宝物，我怎能放心让你过手，莫非你竟敢不信任我贾某人么？"

施荣贵面上肥肉又是一颤，垂下了头，讷讷道："这……这……兄弟就出六千两……"

贾大相公咯咯一笑，道："六千两虽还不够本钱，但我姓贾的做生意一向痛快，瞧在下次买卖的份上，这次我就便宜些给你。但先钱后货，一向是兄弟做生意的规矩，六千两银子，是一分也不能少的。"

施荣贵似未想到他这么便宜就卖了，面上忍不住露出惊喜之色，别人也都觉得他这次落了便宜货，不禁发出一阵惊叹艳羡之声。

朱七七暗忖道："人道他剥皮，以这次买卖看来，他做得不但公道，简直真有些吃亏了。"

朱七七富家千金，珠宝的价值，她平生是清楚的，单只是那一双同样形式大小的明珠，的确已可值上六千两银子。

这时施荣贵已令人称了银子，拿过翡翠蟾蜍，他只随便看了两眼，面上神情突然大变，颤声道："这……这翡翠不是整块的……这一双明珠，只是一粒……剖成两半的，大相公，这……这……"

贾大相公狞笑道："真的么？那我倒也未看清楚，但货物出门，概不退换，这规矩难道你施荣贵还不懂么？"

施荣贵呆呆地怔了半晌，"噗"的一声，倒坐在椅子上，面上那颜色，简直比土狗还要难看几分。

贾大相公干笑几声，道："兄弟为各位带来的第二件东西，是个……是个，简直是个奇迹，是各位梦寐以求的奇迹，是苍天赐给各位的奇迹，是各位眼睛从未见过的奇迹！……各位请看，那奇迹便在这里。"

他语声虽然难听，但却充满了煽动与诱惑之意，大厅中人，情不自禁向他手指之处望了过去。

这一眼望去，众人口中立刻发出了一阵惊叹之声——这贾剥皮口中的"奇迹"，竟是个秀发如云，披散双肩的白衣少女。

但见那怯生生站在那里，娇美清秀的面容，虽已骇得苍白面无人色，楚楚动人的神态却扣人心弦。

她那一双温柔而明媚的眸子里，也闪动着惊骇而羞涩的光芒，就像是一只麋鹿似的。

她那窈窕、玲珑而动人的身子，在众人目光下不住轻轻颤抖着，看来是那么娇美柔弱，是那么楚楚可怜。

在这一瞬之间，每个人心里，都恨不得能将这只可怜的小鹿搂在怀里，以自己所知最温柔的言语，来安慰她的心。

贾大相公瞧见他们的神情，嘴角不禁泛起一阵狡猾而得意的笑容，一把将那少女拉了过来，大声道："这本该是天上的仙子，这本该是帝王的嫔妃，但各位却不知是几生修来的福气，只要能出得起价钱，这天上的仙子就可永远属于你了。你烦闷时她会唱一首优美的歌曲，让你的烦恼顿时无影无踪；你寂寞时她会紧紧依偎在你身畔，她这温暖而娇美的身子，正是寂寞的毒药。"

众人听得如痴如醉，都似已呆了。

不知过了多久，突有一人大声道："她既是如此动人，你为何不自己留下？"人人实在都已怕了他的手段，生怕这其中又有什么诡计。

贾大相公咯咯笑道："我为何不自己留下……哈哈，不瞒各位，这只因我那雌老虎太过厉害，否则我又怎舍得将她卖出？"

众人面面相视，还有些怀疑，还有些不信。

贾大相公大呼道："你们还等什么？"

看他突然将那少女雪白的衣裳拉下一截，露出她那比衣裳还白的肩头，露出那比鸽子胸膛还要柔软的光滑的肌肤。

贾大相公嘶声道："这样的女孩子，你们见过么？若还有人说她不够美丽，那人必定是个呆子……瞎眼的呆子。"

不等他说完，已有个满面疙瘩的大汉一跃而起，嚷道："好，俺出一千两……一千五百两……"

这呼声一起，四下立刻有许多人也争夺起来："一千八百两……""两千两……""三千两……"

那少女身子更是颤抖，温柔的眼睛里，已流出晶莹的泪珠，朱七七愈瞧她愈觉得可怜，咬牙暗忖道："如此动人的女孩子，我怎能眼见她落在这些蠢猪般的男人手上。"

但觉一股热血上涌，突然大喝道："我出八千两。"

众人都是一呆，斜坐在朱七七对面的锦衣少年微笑道："一万两。"

贾大相公目光闪动，面露喜色，别的人却似都已被这价钱骇住，朱七七咬了咬嘴唇，大声道："两万。"

这价钱更是骇人，大厅中不禁响起一阵骚动之声，那少女抬头望着朱七七，目光中既是欢喜，又是惊奇。

贾大相公含笑瞧着那少年，道："王公子，怎样？"

锦衣少年微笑着摇了摇头。

贾大相公目光转向朱七七，抱拳笑道："恭喜姑娘，这天仙般的女孩子，已是姑娘的了，不知姑娘的银子在哪里？哈哈，两万两的银子也够重的了。"

朱七七呆了一呆，讷讷道："银子我未带着，但……但过两天……"

贾大相公面色突然一沉，道："姑娘莫非是开玩笑么，没有银子谈什么买卖？"

大厅中立时四下响起一片讥嘲窃笑之声。

朱七七粉面涨得通红，她羞恼成怒，正待翻脸，哪知那自始至终，一直坐在那里养神的穷老头子，突然张开眼来，道："无妨，银子我借给你。"

众人更是惊奇，朱七七也不禁吃惊得张大了眼睛，这老头子穷成如此模样，哪有银子借给别人。

贾大相公强笑道："这位姑娘你老人家素不认得，怎能……"

穷酸老人"嗤"地一笑，冷冷道："你信不过她，我老人家却信得过她，只因你们虽不认得她，我老人家却是认得她的。"

贾大相公奇道："这位姑娘是谁？"

穷酸老人道："你贾剥皮再会骗人银子，再骗三十年，她老子拔下根寒毛，还是比你腰粗，我老人家也不必说别的，只告诉你，她姓朱。"

贾大相公吃惊道："莫……莫非她是朱家的千金。"

穷酸老人哼了一声，又闭起眼睛，但别人的眼睛此刻却个个都睁得有如铜铃般大小，个个都在望着朱七七。

自古以来，这钱的魔力从无一人能够否认，贾大相公这样的人，对金钱的魔力，更知道得比谁都清楚。

他面上立刻换了种神情，笑得眼睛都瞧不见了，道："既是你老人家肯担保，还有什么话说……飞飞，自此以后，你便是这位朱姑娘的人，还不快过去。"

满厅人中，最吃惊的还是朱七七，她实在猜不透这穷酸老人怎会认得自己，更猜不透像贾剥皮这样的人，怎会对这穷酸老人如此信任——这穷酸老人从头到脚，看来也值不上一两银子。

那白衣少女已走到朱七七面前，她目光中带着无限的欢喜，无限的温柔，也带着无限的羞涩。

她盈盈拜了下去，以一种黄莺般娇脆、流水般柔美、丝缎般的光滑、鸽子般的温驯声音轻轻道："难女白飞飞，叩见朱姑娘。"

朱七七连忙伸手拉起了她，还未说话，大厅中已又响起那"中原孟尝”欧阳喜宏亮的语声，道：“好戏还在后头，各位此刻心里，想必也正和兄弟一样，在等着瞧冷二太爷的了。”

众人哄然应声道：“正是。”

朱七七好奇之心又生：“这冷二太爷不知又是何许人物？瞧这些人都对他如此尊敬，他想必是个极为了不起的角色。”

眼波四下一扫，只见大厅中百十双眼睛，竟都已望在穷酸老人的身上，朱七七骇了一跳：“莫非冷二太爷竟是他？”

抬起头来，忽然发现那锦衣少年身后已多了个容貌生得极是俊秀的书童，这书童一双眼睛竟在瞬也不瞬地瞧着她，朱七七忽觉这书童容貌竟然极是熟悉，却又偏偏想不起在哪里见过。

这时穷酸老人已又张开眼来，干咳一声，道：“苦儿，咱们这回带来些什么，一样样说给他们听吧，瞧瞧这些老爷少爷们，出得起什么价钱。”

他身后那又黑又瘦的少年童子——苦孩儿，有气没力地应了一声，缓步走出，缓缓道：“乌龙茶五十担。”

接连一片争议声之后，一个当地巨商出价五千两买了，苦孩儿道：“桐花油五百篓……徽墨一千锭……”

他一连串说了七八样货，每样俱是来自四面八方的特异名产，自然瞬息间便有人以高价买了。

朱七七只见一包包银子被冷二太爷收了进去，但货物却一样也未曾看见，不禁暗暗忖道：“这冷二果然不愧巨商，方能使人这般信任于他，但他却又为何作出如此穷酸模样？嗯，是了，此人想必定是个小气鬼。”

心里方自暗暗好笑，那苦孩儿已接着道：“碧梗香稻米五百石。”

贾大相公一直安安分分地坐在那里，听得这“碧梗香稻米”，眼睛突然一亮，大声道：“这批货兄弟买了。”

苦孩儿道：“多少？”

贾大相公微一沉吟，面上作出慷慨之色，道：“一万两。”

这“碧梗香稻米”来路虽然稀少，但市价最多也不过二十多两一石而已，贾大相公这般出价，的确已不算少。

哪知那锦衣少年公子竟突然笑道：“小弟出一万五千两。”

贾大相公怔了一怔，终于咬牙道："一万六千。"

王公子笑道："两万。"

贾大相公变色道："两万？……王公子你莫非在开玩笑么？碧梗香稻米，自古以来也没有这样的价钱。"

王公子微微笑道："兄台如不愿买了，也无人强迫于你。"

贾大相公面上忽青忽白忽红，咬牙切齿，过了半晌，终于大声道："好，两万一。"

这价钱已远远超过市价，大厅中人听得贾剥皮居然出了这赔本的价钱，都不禁大是惊异，四下立刻响起一阵窃窃私语之声。

王公子忽道："三万。"

贾剥皮整个人从椅子上跳了起来，大叫道："三万！你……你……你疯了么？"

王公子面色一沉，冷冷道："贾兄说话最好小心些。"

强横霸道的贾剥皮，竟似对这初出茅庐的王公子有些畏惧，竟不敢再发恶言，"噗"地跌坐在椅上，面色已苍白如纸。

苦孩儿道："无人出价，这货该是王公子的了。"

贾剥皮突又大喝一声："且慢！"自椅上跳起，颤声道："我……我出三万一千，王……王公子，俺……俺的血都已流出了，求求你，莫……莫要再与我争了好么？"

王公子展颜一笑，道："也罢，今日就让你这一遭。"

贾剥皮面上现出狂喜之色，立刻就数银子。大厅中人见他出了三倍的价钱才买到五百包米，居然还如此欢喜，心中不禁更是诧异，谁也想不到贾剥皮今日居然也做起赔本的买卖来了。

那苦孩儿收过贾剥皮的银子，竟忽然咯咯大笑了起来，仿佛一生中都未遇过如此开心的事。

那王公子面上也满脸笑容，贾剥皮道："你……你笑什么？"

苦孩儿道："开封城有人要出五万两银子买五百包碧梗香稻米，所以，你今日才肯出三万两银子来买，是么？"

贾剥皮变色道："你……你怎知道？"

苦孩儿嘻嘻笑道："开封城里那要出五万两银子买米的巨富，只不过是我家冷二太爷故意派去的，等你到了开封，那人早已走了，哈哈……贾剥皮呀贾剥皮，不想你也有一日，居然上了咱们的大当了。”

贾剥皮面无人色，道：“但王……王公子……”

苦孩儿笑道：“王公子也是受了我家冷二大爷托咐，要你上当的……”

他话还未说完，贾剥皮已狂吼一声，扑了上来。

冷二先生双目突睁，目中神光暴长，冷冷道：“你要怎地？”

贾剥皮瞧见他那冰冷的目光，竟有如挨了一鞭子似的倒退三步，怔了半晌，竟突然掩面大哭了起来。

朱七七却再也忍不住笑出声来，大厅中人人窃笑，见了贾剥皮吃亏上当，人人都是高兴的。

冷二先生面带微笑，道：“施荣贵方才吃亏了，苦儿，数三千两银子给施老板，反正羊毛出在羊身上，你也莫要客气。”

施荣贵大喜称谢，朱七七更是暗暗赞美，她这才知道这一副穷酸模样的冷二先生，非但是个十分了不起的人物，而且也并非她想象中那般小气。

但是这时冷二先生眼睛又阖了起来，苦孩儿神情也瞬即又恢复那无精打采的模样，缓缓地道：“还有……八百匹骏马。”

“八百匹骏马”这五个字一说出来，大厅中有两伙人精神都立刻为之一振，眼睛也亮了起来。

这两伙人一伙是三个满面横肉的彪形大汉；另一伙两人，一个面如淡金，宛如久病未愈，另一个眼如鹰隼，鼻如鹰钩，眉宇间满带桀骜不驯的剽悍之色，似是全未将任何人放在眼里。

朱七七一眼望过，便已猜出这五人必定都是黑道中的豪杰，绿林里的好汉，而且力量俱都不小。

只见那三条彪形大汉突然齐地长身而起，第一人道：“兄弟石文虎。”

第二人道：“兄弟石文豹。”

第三人道：“兄弟石文彪。”

三人不但说话俱是挺胸凸肚，神气活现，语声也是故意说得极响，显然有向别人示威之意。

施荣贵等人听得这三人的名字，面上果然俱都微微变色。

欧阳喜朗声一笑，道："猛虎岗石氏三雄的大名，江湖中谁不知道，三位兄台又何必自报名姓。"

石文虎哈哈笑道："好说好说，欧阳兄想必也知道，我兄弟此番正是为着这八百匹骏马来的，但望各位给我兄弟面子，莫教我兄弟空手而回。"

三兄弟齐声大笑，当真是声震屋瓦，别人纵也有买马之意，此刻也被这笑声打消了。石文虎目光四转，不禁愈来愈是得意。

谁知那鼻如鹰钩的黑衣汉子却突然冷笑一声，道："只怕三位此番只有空手而回了。"

他话说得声音不大，但大厅中人人却都听得十分清楚。

石文虎面色一沉，怒道："你说什么？"

鹰鼻汉子道："那八百匹骏马，是我兄弟要买的。"

石文虎道："你凭什么？"

鹰鼻汉子冷冷道："在冷二先生这里，自然只有凭银子买马，莫非还有人敢抢不成？"

石文虎厉声道："你……你出多少银子？"

鹰鼻汉子道："无论你出多少，我总比你多一两就是。"

石文虎大怒喝道："西门蛟，你莫道我不认得你！我兄弟瞧在道上同源份上，一直让你三分，但你……你着实欺人太甚……"

西门蛟冷冷截口道："又待怎样？"

石文虎反手一拍桌子，还未说话，石文豹已一把拉住了他，沉声道："我卧虎岗上千兄弟，此番正等着这八百匹骏马开创事业，西门兄若要我兄弟空手而回，岂非不好交代。"

西门蛟冷笑道："你卧虎岗上千兄弟等着这八百匹骏马，我落马湖又何尝不然？你空手而回不好交代，我空手而回难道好交代了么？"

石文彪突然道："既是如此，就让给他吧。"

一面说话，一面拉着虎、豹两人，转身而出。

众人见他兄弟突然变得如此好说话，方觉有些奇怪，哪知这一念还未转完，眼前突然刀光闪动，三柄长刀，齐往西门蛟劈了下去，刀势迅急，刀风虎虎，西门蛟若被砍着，立时便要被剁为肉酱。

但虎豹兄弟出手虽阴狠，西门蛟却早已提防到这一招，冷笑声中，身形一闪，已避过。

只听“咔嚓嚓”几声暴响，他坐的一张紫檀木椅已被劈成四块，施荣贵等人不禁放声惊呼。

石文虎眼睛都红了，嘶声道：“不是你死，就是我活，咱们拼了。”

长刀挥处，三兄弟便待扑上。

那一直不动声色的病汉，突然长身而起，闪身一把将西门蛟远远拉开，口中沉声叱道：“三位且慢动手，听我一言。”

他虽是满面病容，但身手之矫健却是惊人，石文虎刀势一顿，道：“好！咱们且听龙常病有什么话说。”

龙常病道：“咱们在此动手，一来伤了江湖和气，再来也未免太不给欧阳兄面子，依在下看来，不如……”

石文虎厉声道：“无论如何，八百匹骏马咱们是要定了。”

龙常病微微一笑，道：“你也要定了，我也要定了，莫非只有以死相拼，但若每人分个四百匹，大家却可不伤和气。”

石氏兄弟对望一眼，石文豹沉吟道：“龙老大这话也有道理……”

龙常病道：“既是如此，你我击掌为信。”

石文虎寻思半晌，终于慨然道：“好！四百匹马也勉强够了。”大步走上前去。

龙常病含笑迎了上来，两人各各伸出手……

突然，龙常病左掌之中，飞出两点寒星，右掌一翻，已“砰”地击在石文虎胸膛上，两点寒星也击中了文豹、文彪的咽喉。

只听兄弟三人齐地惨呼一声，身子摇晃不定，眼睛怒凸，凝注着龙常病，嘶声惨呼道：“你……你……”

第三个字还未说出，石文虎已张口喷出一股黑血，石文豹、石文彪两人，面上竟已变为漆黑颜色。

兄弟三人第三个字还未说出，便已一起翻身跌倒，三条生龙活虎的大汉顷刻间竟已变作三具尸身。

大厅中人，一个个目定口呆，只见龙常病竟又已坐下，仍是一副久病未愈，无气无力的模样，竟像什么事都未发生过似的。

欧阳喜面上现出怒容，但不知怎的，竟又忍了下去。

朱七七本也有些怒意，但心念一转，忖道：“别人都不管，我管什么，难道我的麻烦还不够多么？”

再看苦孩儿，居然也是若无其事，只是淡淡瞧了那三具尸身一眼，冷冷道：“杀了人后买卖还是要银子的。”

西门蛟哈哈一笑，道：“那是自然。”

自身后解下个包袱，放在桌上，打开包袱金光耀目，竟是一包黄金。

苦孩儿道：“这是多少？”

西门蛟笑道：“黄金两千两整，想来已足够了。”

哪知那文文静静、满脸秀气的王公子竟突然微笑道：“小弟出两千零一两。”

这句话说将出来，连朱七七心头都不禁为之一震，大厅中人，更是人人悚然变色。

西门蛟狞笑道：“这位相公想必是说笑话。”

王公子含笑道：“在这三具尸身面前，也有人会说笑么。”

西门蛟转过身子，面对着他，一步步走了过去，他每走一步，大厅中杀机便重了一分。

人人目光都在留意着他，谁也没有发现，龙常病竟已无声无息地掠到那王公子身后，缓缓抬起了手掌！

王公子更是全未觉察，西门蛟狞笑道：“你避得过我三掌，八百匹马就让给你。”说到最后一字，双掌已闪电般拍出，分击王公子双肩。

就在这时，龙常病双掌之中，也已暴射出七点寒星，两人前后夹击，眼见非但王公子已将落入石氏三雄同一命运。就连他身后那书童，也是性命不保，朱七七惊呼一声，竟已长身而起。

哪知也就在这时，王公子袍袖突然向后一卷，他背后似乎生了眼睛，袖子上也似生了眼睛一般，七点寒星便已落入他袖中，长袖再一抖，七点寒星原封不动，竟都送入他面前西门蛟的胸膛里。

西门蛟惨呼一声，踉跄后退。龙常病虽也面色惨变，但半分不乱，双掌一缩，两柄匕首便已自袖中跳入手掌，刀光闪动间，已向公子背后刺来。他出手之狠毒迅急，且不去说它，这两柄匕首颜色乌黑，显已染了剧毒，王公子只要被它划破一块肉皮，也休想再说出个字来。

但王公子竟仍未回头，只是在这间不容发的刹那之间，身子轻轻一抬，那两柄匕首，便已插在那檀木椅的雕花椅背上。这雕花椅背满是花洞，只要偏差一分，匕首便要穿洞而入，他部位计算之准，时间拿捏之准实是准得骇人。

龙常病大骇之下，再也无出手的勇气，肩头一耸，转身掠出。

王公子微微笑道："这个你也得带回去。"

"这个"两字出口，他袖中已又有一道寒光急射而出，说到"你也得"三个字时，寒光已射入龙常病背脊。

等到这句话说完，龙常病已惨叫仆倒在地，四肢微微抽动了两下，便再也不能动了。

王公子非但未回转头去，面上也依然带着微笑，只是口中喟然道："好毒的暗器，但这暗器却是他自己的。"

原来他袖中竟还藏着龙常病暗算他的一粒暗器，他甚至连手掌都未伸出，便已将两个雄踞落马湖的悍盗送上西天。

大厅中人，见了他这一手以衣袖收发暗器的功夫，见了他此等谈笑中杀人的狠毒，更是骇得目定口呆，哪里还有一人答话。

朱七七心头亦不禁暗凛忖道："这文质彬彬的少年竟有如此惊人的武功，如此狠毒的心肠，当真令人做梦也想不到……"

抬头一望，忽然发觉他身后那俊秀的书童竟仍在含笑望着她，那一双灵活的眼睛中，仿佛有许多话要向她说似的。

朱七七又惊又奇又怒："这厮为何如此瞪着我瞧？他莫非认得我？……我实也觉得他面熟得很，为何又总是想不到在哪里见过？"

她坐着发呆苦苦寻思，那少女白飞飞小鸟般的依偎在她身旁，那温柔可爱的笑容，委实叫人见了心动。

但朱七七无论如何去想，却也想不出一丝与这书童有关的线索，想来想去，却又不由自主地想到沈浪。

"沈浪在哪里？他在做什么？他是否也在想我？……"

突听欧阳喜在身旁笑道："宵夜酒菜已备好，朱姑娘可愿赏光？"

两天以来，这是朱七七所听过的最动听的话了，她深深吸了口气，含笑点头，长身而起，才发觉大厅中人，已走了多半，地上的尸身，也已被抬走，她的脸不觉有些发红，暗问自己："为何我一想到沈浪，就变得如此痴迷？”

酒菜当然很精致，冷二先生狼吞虎咽，着实吃得也不少，朱七七只觉一生中从未吃过这么好的菜，虽然不好意思吃得太多，却又不舍吃得太少，只有王公子与另两人却极少动箸，仿佛只要瞧着他们吃，便已饱了。

欧阳喜一直不停地在说话，一面为自己未能及早认出朱府的千金抱歉，一面为朱七七引见桌上的人。

朱七七也懒得听他说什么，只是不住含笑点头。

忽听欧阳喜道：“这位王公子，乃是洛阳世家公子，朱姑娘只要瞧见招牌上有‘王森记’三个字，便都是王公子的买卖，他不但……”

“王森记”三个字入耳，朱七七只觉心头宛如被鞭子抽了一记，热血立刻冲上头颅，欧阳喜下面说什么，她一个字也听不见了。

抬眼望去，王公子与那俊俏的书童亦在含笑望着她。

王公子笑道：“在下姓王，草字怜花……”

朱七七颤声道：“你……你……棺材铺……”

王公子微微笑道：“朱姑娘说的是什么？”

朱七七方自有些红润的面容，又已变得毫无血色，睁了眼睛望着他，目光中充满了惊怖之意。

“王森记……这王怜花莫非就是那魔鬼般的少年……呀，这书童原来就是那白衣女子，难怪我如此眼熟，她改扮男装，我竟认不出是她了……”

欧阳喜见她面色突然惨白，身子突然发抖，不禁大是奇怪，忍不住干“哼”一声，强笑道：“朱姑娘你……”

朱七七已颤抖站起身来，“砰”地，她坐着的椅子翻倒在地，朱七七踉跄后退，颤声道：“你……你……”

突然转过身子，飞奔而出。

只听到几个人在身后呼喝着道：“朱姑娘……留步……朱姑娘……”

其中还夹杂着白飞飞凄惋的呼声：“朱姑娘，带我一起走……”

但朱七七哪敢回头，外面不知何时竟已是大雨如注，朱七七却也顾不得了，只是发狂地向前奔跑。

她既不管方向，也不辨路途，那王怜花魔鬼般的目光，魔鬼般的笑容，仿佛一直跟在她身后。

真的有人跟在她身后！

只要她一停下脚步，后面那人影便似要扑了上来。

朱七七直奔得气喘，愈来愈是急剧，双目也被雨水打得几乎无法张开，她知道自己若再这样奔逃下去，那是非死不可。

只见眼前模模糊糊的似有几栋房屋，里面点着火光，门也似开着的，朱七七什么也不管了，一头撞了进去，便跌倒在地。

等到喘过气来，才发觉这房屋竟是座荒废了的庙宇，屋角积尘，神像败落，神殿中央，却生着一堆旺旺的火，坐在一旁烤火的，竟是个头发已花白的青衣妇人，正吃惊地在望着朱七七。

回头望去，外面大雨如注，哪有什么人跟来。

朱七七喘了口气，端正身子，赔笑道："婆婆，借个火烤好么？"

那青衣妇人神色看来虽甚是慈祥，但对她的辞色却是冰冰冷冷，只是点了点头，也不说话。

朱七七头发披散，一身衣衫也已湿透，紧紧贴在身上，当真是曲线毕露，她不禁暗自侥幸："幸好这是个老婆子，否则真羞死人了。"

饶是如此，她耳根竟有些发烫，不安地理了理头发，露出了她那美丽而动人的面容。

那青衣妇人似乎未想到这狼狈的少女竟是如此美艳，冰冷的目光渐渐和蔼起来，摇头叹道："可怜的孩子，衣裳都湿透了，不冷么？"

朱七七喘着气，本已觉得有些发冷，此刻被她一说，虽在火旁，也觉冷得发抖，那一身湿透了的衣裳，更有如冰片一般。

青衣妇人柔声道："反正这里也没有男人，我瞧你不如把湿衣脱下，烤干了再穿，就会觉得暖和得多了。"

朱七七虽觉有些不好意思，但实在忍不住这刺骨的寒冷，只得红着脸点了点头，用发抖的纤指脱下了冰冷的衣服。

虽是在女子面前，但朱七七还是不禁羞红了，闪烁的火光，映着她嫣红的面颊，玲珑的曲线……

青衣妇人微微笑道："幸好我也是女子，否则……"

朱七七"嘤咛"一声，贴身的衣服，再也不敢脱下来，但贴身的衣服已是透明的，朱七七蜷曲着身子，只望衣裳快些烤干。

突然间，外面竟似有人干咳了一声。

朱七七心头一震，身子缩成一团顿声道："什……什么人？"

墙外一个沉重苍老的语声道："风雨交加，出家人在檐下避雨。"

朱七七这才松了口气，点头轻笑道："这位出家人看来倒是个君子，非但没有进来，竟连窗口都不站……"

哪知她话犹未完，突听一人咯咯笑道："君子虽在外面，却有一个小人在屋里。"

朱七七这一惊更是非同小可，连忙抓起一件衣服，挡在胸前，仰首自笑声传出之处望了过去。

只见那满积灰尘，满结蛛网的横梁上，已有个脑袋伸出来，一双猫也似的眼睛，正盯着朱七七的身子。

朱七七又羞又怒，又是吃惊，道："你……是谁？在……在这里已多久了？"

那人笑道："久得已足够瞧见一切。"

朱七七的脸，立刻像火也似的红了起来，一件衣服，东遮也不是，西掩也不是，真恨不得钻下地去。

那人却扬声大笑道："只可惜在下眼福还是不够好，姑娘这最后一件衣服竟硬是不肯脱下来，唉！可惜呀，可惜……"

朱七七羞怒交集，破口骂道："强盗，恶贼，你……你……"

哪知她不骂还罢，这一骂，那人竟突然一个翻身跃了下来，朱七七娇呼一声，口里更是各种话都骂了出来。

只见那人反穿着件破旧羊皮袄，敞开衣襟，左手提着只酒葫芦，腰间斜插着柄无鞘的短刀，年纪虽然不大，但满脸俱是胡茬子，漆黑的一双浓眉下，生着两只猫也似的眼睛，正在朱七七身上转来转去，瞧个不停。

朱七七骂得愈凶，这汉子便笑得愈得意。

等到朱七七一住口，这汉子便笑道："在下既未曾替姑娘脱衣服，姑娘要脱衣服，在下也不能拦阻，姑娘如此骂人，岂非有些不讲理么？"

朱七七又是羞，又是恨，恨不得站起身来，重重掴他个耳光，但却又怎能站得起身来，只得娇喝道：“你……你出去，等……等我穿起衣服……”

这汉子嘻嘻笑道：“外面风寒雨冷，姑娘竟舍得要在下出去么，有我这样知情识趣的人陪着姑娘，也省得姑娘独自寂寞。”

朱七七只当那青衣妇人必定也是位武林高手，见了此等情况，想必定该助她一臂之力。

哪知这青衣妇人远远躲在一边，脸都似骇白了。

朱七七眼波一转，突然冷笑道：“你可知我是谁么？哼哼！‘魔女’朱七七岂是好惹的，你若是知机，快快逃吧，也免得冤枉死在这里。”

“魔女”这绰号，本是她自己情急之下，胡乱起的，为的只是要借这唬人的名字，将这汉子吓逃。

那汉子果然听得怔了一怔，但瞬即大笑道：“你可知我是谁么？……”

朱七七道：“你是条恶狗，畜生……”

那汉子咯咯笑道：“告诉你，伏魔金刚，花花太岁，便是我名字，我瞧你还是乖乖的，莫要……”

朱七七只觉一股怒气直冲上来，她性子来了，便是光着身子也敢站起，何况还穿着件贴身的衣服。

只见她一个翻身掠起，冷笑道：“好，你要看就看吧，看清楚些……少时姑娘我挖出你两只眼睛，就看不成了。”

那汉子再也未想到世上竟有如此大胆的女子，端的吃了一惊，这玲珑剔透的娇躯已在他面前，他反倒不敢看了。

第八章

玉璧牵线索

朱七七大着胆子冷笑地一步步追了过去，那汉子不由自主，一步步退后，一双猫也似的眼睛，睁得更大了。

突然间窗外一人冷冷道："淫贼你出来。"

但见一条黑影，石像般卓立在窗前，头戴竹笠，颔下微须，黑暗中也瞧不见他面目，只瞧见他背后斜插一柄长剑，剑穗与微须同时飞舞。

那汉子惊得一怔，道："你叫谁出去？"

窗外黑影冷笑道："除了你，还有谁？"

那汉子大笑道："好，原来我是淫贼。"

突然纵身一掠，竟飞也似的自朱七七头顶越过，轻烟般掠出门外。

朱七七也真未想到这汉子轻功竟如此高明，也不免吃了一惊，但见剑光一闪，已封住了门户。

那汉子身躯凌空，双足连环踢出，剑光一偏，这汉子已掠入暴雨中，纵声狂笑，厉喝道："杂毛牛鼻子，你可是想打架么？"

窗外黑影正是个身躯瘦小的道人，身法之灵便，有如羚羊一般，匹练般剑光一闪，直指那汉子胸膛。

那汉子叱道："好剑法。"

举起掌中酒葫芦一挡。只听"当"的一声，这葫芦竟是精钢所铸，竟将道人的长剑震得向外一偏，似乎险险便要脱手飞去。

道人轻叱一声："好腕力。"

三个字出口，他也已攻出三剑之多，这三招剑势轻灵，专走偏锋，那汉子再想以葫芦迎击，已迎不上了。

朱七七见到这两人武功，竟无一不是武林中顶尖身手，又惊又奇，竟不知不觉间看得呆了。

身后那青衣妇人突然轻轻道："姑娘，要穿衣服，就得赶快了。"

朱七七脸不禁一红，垂首道："多谢……"

她赶紧穿起那还是湿湿的衣裳，再往外瞧去，只见暴雨中一道剑光，盘旋飞舞，森森剑光，将雨点都震得四散飞激。

他剑招似也未见十分精妙，但却快得非同小可，剑光"嗤嗤"破风，一剑紧跟着一剑，无一剑不是死命的杀手。朱七七愈看愈是惊异，这道人剑法竟似犹在七大高手中"玉面瑶琴神剑手"之上……

那汉子似乎有些慌了，大喝道："好杂毛，我与你无冤无仇，你真想要我的命么？"

那道人冷冷道："无论是谁，无论为了什么原故，只要与本座交手，便该早知道，本座的宝剑是向来不饶人的。"

那汉子惊道："就连与你无仇的人，你也要杀？"

道人冷笑道："能在本座剑下丧生，福气已算不错。"

汉子大声叹道："好狠呀好狠……"

对话之间，道人早已又击出二三十剑，将那汉子逼得手忙脚乱，一个不留意，羊皮袄已被削下一片。

雪白的羊毛，在雨中四下飞舞。

那汉子似更惊惶，道人突然分心一剑，贴着葫芦刺了出去，直刺这汉子左乳之下，心脉处。

这一剑当真又急，又险，又狠，又准。

朱七七忍不住脱口呼道："此人罪不致死，饶了他吧。"

她这句话其实是不必说的，只因她方自说了一半，那大汉胸前突有一道白光飞出，迎着道人剑光一闪。

只听"叮"的一声轻响，道人竟连退了三步，朱七七眼快，已发现道人掌中精钢长剑，竟已赫然短了一截。

原来那汉子竟在这间不容发之际，拔出了腰畔那柄短刀，刀剑相击，道人掌中长剑竟被削去了一截剑尖。

那汉子大笑道："好家伙，你竟能逼得我腰畔神刀出手，剑法已可称得上是当今天下武林中的前五名了。"

道人平剑当胸，肃然戒备。

哪知道汉子竟不趁机进击，狂笑声中，突然一个翻身，凌空掠出三丈，那洪亮的笑声，自风雨中传来，道："小妹子，下次脱衣服时，先得要小心瞧瞧，知道么……"

笑声渐渐去远，恍眼间便消失踪影。

那道人犹自木立于风雨中，掌中剑一寸寸地往下垂落，雨点自他竹笠边缘泻下，有如水帘一般。

朱七七也不禁呆了半晌，道："这位道爷快请进来，容弟子拜谢。"

那道人缓缓转过身子，缓缓走了过来。

朱七七但觉这道人身上，仿佛带着股不祥的杀机，但他究竟是自己的恩人，朱七七虽然不愿瞧他，却也不能转过身去。

道人已一步跨过门户。

朱七七敛衽道："方才蒙道长出手，弟子……"

道人突然冷笑一声，截口道："你可知我是谁？你可知我为何要救你？"

朱七七怔了一怔，也不知该如何答话。

道人冷冷道："只因本座自己要将你带走，所以不愿你落入别人手中。"

朱七七大骇道："你……你究竟是谁？"

道人反腕一剑，挑去了紧压眉际的竹笠，露出了面目。

火光闪动下，只见他面色蜡黄，瘦骨嶙峋，眉目间满带阴沉冷削之意，赫然竟是武林七大名家中，青城玄都观主断虹子。

朱七七瞧见是他，心反倒定了，暗暗忖道："原来是断虹子，那汉子猜他乃是当今天下前五名剑手之一，倒果然未曾猜错，但那汉子却又是自哪里钻出来的？武功竟能与江湖七大高手不相上下，我怎未听说武林中有这样的人物？"

她心念转动，口中却笑道："今日真是有缘，竟能在这里遇见断虹道长，但道长方才说要将我带走，却不知为的什么？"

断虹子道："为的便是那花蕊仙，你本该知道。"

朱七七暗中一惊，但瞬即笑道："花蕊仙已在仁义庄中，道长莫非还不知道？"

断虹子道："既是如此，且带本座去瞧瞧。"

朱七七笑道："对不起，我还有事哩，要去瞧，你自己去吧。"

断虹子目中突现杀机，厉声道："好大胆的女子，竟敢以花言巧语来欺骗本座，本座闯荡江湖数十年，岂能上你这小丫头的当？"

朱七七着急道："我说的句句都是真的，若非我的事情极为重要，本可带你去。"

断虹子叱道："遇见本座，再重要的事也得先放在一边。"

朱七七除了沈浪之外，别人的气，她是丝毫不能受的。只见她眼睛一瞪，火气又来了，怒道："不去你又怎样，你又有多狠，多厉害，连自己的宝剑都被一个名不见经传的小伙子……"

断虹子面色突然发青，厉叱道："不去也得去。"

剑光闪动，直取朱七七左右双肩。

朱七七冷笑道："你当我怕你么？"

她本是谁都不怕的，对方虽有长剑在手，对手虽是天下武才中顶尖的剑客，她火气一来，什么都不管了。

但见她纤腰一扭，竟向那闪电般的剑光迎了过去，竟施展开"淮阳七十二路大小擒拿"，要想将断虹子长剑夺下。

断虹子狞笑道："好个不知天高地厚的小丫头，待本座先废了你一条右臂，也好教训教训你。"

剑光霍霍，果然专削朱七七右臂。

朱七七交手经验虽不丰富，但一颗心却是玲珑剔透，听了这话，眼珠子一瞪，大喝道："好，你要是伤了我别的地方，你就是畜生。"

只见她招式大开大阖，除了右臂之外，别的地方纵然空门大露，她也不管——她防守时只需防上一处，进攻时顾虑自然少了，招式自然是凌厉，一时之间，竟能与断虹子战了个平手。

断虹子狞笑道："好个狡猾的小丫头。"

剑光闪动间，突然"嗖"的一剑，直刺朱七七左胸！

朱七七左方空门大露，若非断虹子剑尖已被那汉子削去一截，这一剑，早已划破她胸膛。

但饶是如此，她仍是闪避不及，"哧"的一声，左肩衣衫已被划破，露出了莹如白玉般的肩头。

朱七七惊怒之下，大喝道："堂堂一派宗师，竟然言而无信么？"

她却不知断虹子可在大庭广众之下，往桌上每样菜里吐口水，还有什么别的事做不出。

断虹子咯咯狞笑，剑光突然反挑而上，用的竟是武功招式中最最阴毒，也最最下流的撩阴式。

朱七七拼命翻身，方自避过，她再也想不到这堂堂的剑法大师，居然会对一个女子使出这样的招式来，惊怒之外，又不禁羞红了面颊，破口大骂道："畜生，你……你简直是个畜生！"

断虹子冷冷道："今日便叫你落在畜生手中。"

一句话工夫，他又已攻出五六剑之多。

朱七七又惊，又羞，又怒，身子已被缭绕的剑光逼住，几乎无法还手，断虹子满面狞笑长剑抹胸、划肚、撩阴，又是狠毒，又是阴损，朱七七想到他以一派宗主的身份，居然会对女子使出如此阴损无耻的招式，想到自己眼见便要落入这样的人手中……

她只觉满身冷汗俱都冒了出来，手足都有些软了，心里既是说不出的害怕，更有说不出的悲痛，不禁大骂道："不但你是个畜生，老天爷也是个畜生！"

她两日以来，不但连遭凶险，而且所遇的竟个个都是卑微无耻的淫徒，也难怪她要大骂老天爷对她不平。

那青衣妇人已似骇得呆了，不停地一块块往火堆里添着柴木，一缕白烟，自火焰中袅袅升起，缥缈四散……

这时"哧哧"的剑风，已将朱七七前胸、后背的衣衫划破了五六处之多，朱七七面色骇得惨白。

断虹子面上笑容却更是狞恶，更是疯狂。

在他那冰冷的外貌下，似乎已因多年的禁欲出家生活，而积成了一股火焰，这火焰时时刻刻都在燃烧着他，令他痛苦得快要发狂。

他此刻竟似要借着掌中的长剑将这股火焰发泄，他并不急着要将朱七七制服，只是要朱七七在他这柄剑下宛转呻吟，痛苦挣扎……朱七七愈是恐惧，愈是痛苦，他心里便愈能得到发泄后的满足。

每个人心里都有股火焰，每个人发泄的方法都不同。

而断虹子的发泄方法正是要虐待别人，令人痛苦。

他唯有与人动手时，瞧别人在剑下挣扎方能得到真正的满足，是以他无论与谁动手，出手都是那么狠毒。

朱七七瞧着他疯狂的目光，疯狂的笑容，心中又是愤怒，又是着急，手脚也愈来愈软，不禁咬牙暗忖道："老天如此对我，我不如死了算了。"

她正待以身子往剑尖上撞过去，哪知就在这时，断虹子面容突变，掌中剑式，竟也突然停顿了下来。

他鼻子动了两动，似乎嗅了嗅什么，然后，扭头望向那青衣妇人，目光中竟充满惊怖愤怒之色，嘶声道："你……你……"

突然顿一顿足，大喝道："不想本座今日栽在这里。"

呼声未了，竟凌空一个翻身，倒掠而出，哪知他这时真气竟似突然不足，"砰"的一声，撞上了窗棂，连头上竹笠都撞掉了，他身子也跌入雨中泥地里，竟在泥地中滚了两滚，用断剑撑起身子，飞也似的逃去。

朱七七又惊又奇，看得呆了："他明明已胜了，为何却突然逃走？而且逃得如此狼狈。"

转目望去，只见火焰中白烟仍袅袅不绝，那青衣妇人石像般坐在四散的烟雾中，动也不动。

但她那看来极是慈祥的面目上，却竟已泛起一丝诡异的笑容，慈祥的目光中，也露出一股慑人的妖氛。

朱七七心头一凛，颤声道："莫非……莫非她……"

这句话她并未说完，只因她突然发觉自己不但手足软得出奇，而且头脑也奇怪地晕眩起来。

她恍然知道了断虹子为何要逃走的原因，这慈祥的青衣妇人原来竟是个恶魔，这白烟中竟有迷人的毒性。她是谁？她为何要如此？

但这时朱七七无法再想，她只觉一股甜蜜而不可抗拒的睡意涌了上来，眼皮愈来愈重……

她倒了下去。

朱七七醒来时，身子不但已干燥而温暖，而且已睡到一个软绵绵的地方，有如睡在云堆里。

所有的寒冷、潮湿、惊恐，都似已离她而远走——想起这些事，她仿佛不过是做了个噩梦而已。

但转眼一望，那青衣妇人竟仍赫然坐在一旁——这地方竟是个客栈，朱七七睡在床上，青衣妇人便坐在床畔。

她面容竟又恢复了那么慈祥而亲切，温柔地抚摸着朱七七的脸颊，温柔地微笑低语着道："好孩子，醒了么，你病了，再睡睡吧。"

朱七七只觉她手指像是毒蛇一样，要想推开，哪知手掌虽能抬起，却还是软软的没有一丝气力。

她惊怒之下，要想喝问："你究竟是谁？为何要将我弄来这里？你究竟要拿我怎样？"

哪知她嘴唇动了动，却是一个字也说不出来。

这一下朱七七可更是吓得呆住了："这……这妖妇竟将我弄成哑巴。"她连日来所受的惊骇虽多，但那些惊骇比起现在来，已都不算是什么了。

青衣妇人柔声道："你瞧你脸都白了，想必病得很厉害，好生再歇一会儿吧，姑姑等一会儿就带你出去。"

朱七七只望能嘶声大呼："我没有病，没有病……我只是被你这妖妇害的。"

但她用尽平生气力，也说不出一丝声音。

她已落入如此悲惨的状况中，以后还会有什么遭遇，她想也不敢想了，她咬住牙不让眼泪流下。

但眼泪却再也忍不住流了出来。

那青衣妇人出去了半晌，又回来，自床上扶起朱七七，一个店伙跟她进来，怜惜地瞧着朱七七，叹道："老夫人，可是真好耐心。"

青衣妇人苦笑道："我这位女徒从小没爹没娘，又是个残废，我不照顾她，谁照顾她……唉，这也是命，没办法。"

那店伙连连叹息，道："你老可真是个好人。"

朱七七受不了他那怜悯的眼色，更受不了这样的话。

她的心都已要气炸了，恨不得一口将这妖妇咬死，怎奈她现在连个苍蝇都弄不死，只有随这妖妇摆布，丝毫不能反抗。

那青衣妇人将她架了出去，扶到一匹青驴上，自己牵着驴子走。那店伙瞧得更是感动，突然自怀中掏出锭银子，赶过去塞在青衣妇人手中，道："店钱免了，这银子你老收着吧。"

青衣妇人仿佛大是感动，哽咽着道："你……你真是个好人……"

那店伙几乎要哭了出来，揉了揉眼睛，突然转身奔回店里。

朱七七真恨不得打这糊涂的"好人"一个耳光，她暗骂道：

"你这个瞎子，竟将这妖妇当作好人，你……你……你去死吧，天下的人都去死吧，死干净了最好。"

驴子嘚嘚地往前走，她眼泪簌簌往下流，这妖妇究竟要将她带去哪里？究竟要拿她怎样？

路上的行人，都扭过头来看她们，朱七七昔日走在路上，本就不知吸引过多少人羡慕的目光，她对这倒并不奇怪。

奇怪的是，这些人看了她一眼，便不再看第二眼了。

朱七七但愿这些人能多看她几眼，好看出她是被这妖妇害的，哪知别人非但偏偏不看，还都将头扭了过去。

她又恨，又奇，又怒，恨不得自己自驴背上跌下来摔死最好，但青衣妇人却将她扶得稳稳的，她动都不能动。

这样走了许久，日色渐高，青衣妇人柔声地道："你累了么，前面有个茶馆，咱们去吃些点心好么？"

她愈是温柔，朱七七就愈恨，恨得心都似要滴出血来，她平生都没有这样痛恨一个人过。

茶馆在道旁，门外车马连绵，门里茶客满座。

这些茶客瞧见青衣妇人与朱七七走进来，那目光和别人一样，又是同情，又是怜悯。朱七七简直要发疯了，此刻若有谁能使她说出话来，说出这妖妇的恶毒，叫她做什么，她都愿意。

茶馆里本已没有空位，但她们一进来，立刻便有人让座，似乎人人都已被这青衣妇人的善良与仁慈所感动。

朱七七只望沈浪此刻突然出现，但四下哪里有沈浪的影子，她不禁在心里暗暗痛骂着："沈浪呀沈浪，你死到哪里去了，莫非你竟抛下我不管了么？莫非你有别的女人缠住了你，你这黑心贼，你这没良心的。"

她全然忘了原是她自己离开沈浪，而不是沈浪离开她的——女子若要迁怒别人，本已是十分不讲理的；被迁怒的若是这女子心里所爱的人，那你当真更是任何道理都休想在她面前讲得清。

忽然间，一辆双马大车急驰而来，骤然停在茶馆门前，马是良驹，大车亦是油漆崭新，铜环晶亮。

那赶车的右手扬鞭，左手勒马，更是装模作样，神气活现。茶客不禁暗暗皱眉，忖道："这车里坐的八成是个暴发户。"

只见赶车的一掠而下，恭恭敬敬地开了车门。

车门里干咳了几声，方自缓缓走出个人来，果然不折不扣，是个地道的暴发户模样。

他臃肿的身子，却偏要穿着件太过"合身"的墨绿衣衫——那本该是比他再瘦三十斤的人穿的。

他本已将知命之年，却偏要打扮成弱冠公子的模样，左手提着金丝雀笼，右手拿着翡翠鼻烟壶，腰间金光闪闪，系着七八只绣花荷包，他仿佛生怕别人不知道他有钱似的，竟将那装着锭锭金锞子的绣花荷包，俱都打开一半，好教别人能看见那闪闪的金光。

不错，别人都看见了，却都看得直想作呕。

但这满身铜臭气的市侩身后，却跟着个白衣如仙的娇美少女，宛如小鸟依人般跟随着他这厮。

虽是满身伧俗，这少女却有如出水莲花，美得脱俗，尤其那楚楚动人的可怜模样，更令人见了销魂动魄。

茶客们又是皱眉，又是叹气："怎地一朵鲜花，却偏偏插在牛粪上。"

朱七七见了这两人，心中却不禁欣喜若狂——原来这市侩竟是贾剥皮，白衣少女便是那可怜的少女白飞飞。

她见到白飞飞竟又落入贾剥皮手中，虽不免叹息懊恼，但此时此刻，只要能见着熟人，总是自己救星到了。

这时朱七七左边正空出张桌子，贾剥皮大摇大摆，带着白飞飞坐下，恰巧坐在朱七七对面。

朱七七只望白飞飞抬起头来，她甚至也盼望贾剥皮能瞧自己一眼，她眼睛瞪着这两人，几乎瞪得发麻。

白飞飞终于抬起头来，贾剥皮也终于瞧了她一眼。

他一眼瞧过，面上竟突然现出难过已极的模样，重重吐一口痰在地上，赶紧扭过头去。

白飞飞瞧着她的目光中虽有怜惜之色，但竟也装作不认识她，既未含笑点头，更未过来招呼。

朱七七既是惊奇，又是愤怒，更是失望，这贾剥皮如此对她倒也罢了，但白飞飞怎地也如此无情?

她暗叹一声，忖道："罢了罢了，原来世人不是奸恶之徒，便是无情之辈，我如此活在世上，还有何趣味？"

一念至此，更是万念俱灰，那求死之心也更是坚决。

只听青衣妇人柔声道："好孩子，口渴了，喝口茶吧。"

竟将茶杯送到朱七七嘴边，托起朱七七的脸，灌了口茶进去。

朱七七暗道："我没有别的法子求死，不饮不食，也可死的。"当下将一口茶全都吐了出去，吐在桌上。

茶水流在新漆的桌面上，水光反映，有如镜子一般。

朱七七不觉俯首瞧了一眼——她这一眼不瞧也倒罢了，这一眼瞧过，血液都不禁为之凝结。

水镜反映中，她这才发现自己容貌竟已大变：昔日的如花娇靥，如今竟已满生紫瘤；昔日的瑶鼻樱唇，如今竟是鼻歪嘴斜；昔日的春山柳眉，如今竟已踪影不见——昔日的西子王嫱，如今竟已变作鸠盘无盐。

刹那之间，朱七七灵魂都已裂成碎片。

她实在不能相信这水镜中映出的，这妖怪般的模样，竟是自己的脸。

美丽的女子总是将自己的容貌瞧得比生命还重，如今她容貌既已被毁，一颗心怎能不为之粉碎。

她暗中自语："难怪路上的人瞧了我一眼，便不愿再瞧，难怪他们目光中神色那般奇怪，难怪白飞飞竟已不认得我……"

她但求能放声悲嘶，怎奈不能成声；她但求速死，怎奈求死不得。她咬一咬牙，整个人向桌子扑下。

只听"哗啦啦"一声，桌子倒了，茶壶茶碗，落了一地，朱七七也滚倒在地，滚在杯盏碎片上。

茶客们惊惶站起，青衣妇人竟是手忙脚乱，白飞飞与另几个人赶过来，帮着青衣妇人扶起了她。

一人望着她叹息道："姑娘，你瞧你这位长辈如此服侍你，你就该乖乖地听话些，再也不该为她老人家找麻烦了。"

青衣妇人似将流出泪来，道："我这侄女从小既是癞子，又是残废，她一生命苦，脾气自然难免坏些，各位也莫要怪她了。"

众人听了这话，更是摇头，更是叹息，更是对这青衣妇人同情钦佩。朱七七被扶在椅上，却已欲哭无泪。

普天之下，又有谁知道她此刻境遇之悲惨？又有谁知道这青衣妇人的恶毒？又有谁救得了她？

她已完全绝望，只因沈浪此刻纵然来了，也已认不出她，至于别的人……唉，别的人更是想也莫要想了。

白飞飞掏出块罗帕，为她擦拭面上泪痕，轻轻道："好姐姐，莫要哭了，你虽然……虽然有着残疾，但……但有些生得美的女子，却比你还要苦命……"

这柔弱的少女，似乎想起了自己的苦命，也不禁泪流满面。

她哽咽着接道："只因你总算还有个好心的婶婶照顾着你，而我……我……"

突听贾剥皮大喝道："飞飞，还不回来。"

白飞飞娇躯一震，脸都吓白了，偷偷擦了擦眼泪，偷偷拔下朵珠花塞在青衣妇人手里，惊惶地转身去了。

青衣妇人望着她背影，轻轻叹道："好心的姑娘，老天爷会照顾你的。"

这温柔的言语，这慈祥的容貌，真像是普度观音的化身。

又有谁知道这观音般的外貌里，竟藏着颗恶魔的心。

朱七七望着她，眼泪都已将化作鲜血。

她想到那王怜花、断虹子虽然卑鄙、恶毒、阴险，但若与这青衣妇人一比，却又都有如天使一般。

如今她容貌既已被毁，又落入这恶魔手中，除了但求一死之外，她还能希望别的什么？

她紧紧咬起牙关，再也不肯吃下一粒饭、一滴水。

到了晚间，那青衣妇人又在个店伙的同情与照料下，住进了那客栈西间跨院中最最清静的一间屋子里。朱七七又是饥饿，又是口渴，她才知道饥饿还好忍受，但口渴起来，身心都有如被火焰焚烧一般。

店伙送来茶水后便叹息着走了，屋里终于只剩下朱七七与这恶魔两个人。青衣妇人面向朱七七，嘴角突然发出狞笑。

朱七七只有闭起眼睛，不去瞧她。

哪知青衣妇人却一把抓起了朱七七头发，狞笑着道："臭丫头，你不吃不喝，莫非是想死么？"

朱七七霍然张开眼来，狠狠望着她，口中虽然不能说话，但目光中却已露出了求死的决心。

青衣妇人厉声道："你既已落在我的手中，要想死……嘿嘿，哪有这般容易，我看你还是乖乖地听话，否则……"

反手一个耳光，掴在朱七七脸上。

朱七七反正已豁出去了，仍是狠狠地望着她。

那充满悲愤的目光仍是在说："我反正已决心一死，别的还怕什么？你要打就打，你还有别的什么手段，也只管使出来吧。"

青衣妇人狞笑道："臭丫头，不想你脾气倒硬得很，你不怕是么？……好，我倒要看你究竟怕不怕。"

这一个"好"字过后，"她"语声竟突然变了，变成了男子的声音，一双手竟已往朱七七胸前伸了过来。

朱七七虽然早已深知这"青衣妇人"的阴险恶毒，却真是做梦也未想到"她"竟是个男子改扮而成的。

只听"哧"的一声，青衣妇人已撕开了朱七七的衣襟，一只手已摸上了朱七七温暖的胸膛。

朱七七满面急泪，身子又不住颤抖起来。她纵不怕死，但又怎能不怕这恶魔的蹂躏与侮辱。

青衣妇人咯咯笑道："我本想好生待你，将你送到一个享福的地方去，但你既不识好歹，我只有先享用了你……"

朱七七身子在他手掌下不停地颤抖着，她那晶白如玉的胸膛，已因这恶魔的羞侮而变成粉红颜色。

恶魔的狞笑在她耳畔响动，恶魔的手掌在她身上……

她既不能闪避，也不能反抗，甚至连愤怒都不能够。

她一双泪眼中，只有露出乞怜的目光。

青衣妇人狞笑道："你怕了么？"

朱七七勉强忍住了满心悲愤，委屈地点了头。

青衣妇人道："你此后可愿意乖乖地听话？"

在这恶魔手掌中，朱七七除了点头，还能做什么？她一生倔强，但遇着这恶魔，也只有屈服在他魔掌下。

青衣妇人大笑道："好！这才像话。"

语声一变，突又变得出奇温柔，轻抚着朱七七面颊，道："好孩子，乖乖的，姑姑出去一趟，这就回来的。"

这恶魔竟有两副容貌，两种声音。

刹那间他便可将一切完全改变，像是换了个人似的。

朱七七望着他关起房门，立时放声痛哭起来。

她对这青衣"妇人"实已害怕到了极处，青衣"妇人"纵然走了，她也不敢稍有妄动。

她只是想将满腔的恐惧、悲愤、仇恨、失望、伤心、羞侮与委屈，俱都化作眼泪流出。

眼泪沾湿了衣襟，也沾湿了被褥——哭着哭着，她只觉精神渐渐涣散，竟不知不觉地睡着了。

噩梦中骤觉一阵冷风吹入胸膛，朱七七激灵灵打了个寒噤，张开眼，门户已开，恶魔又已回来。

"她"右肋下夹着个长长的包袱，左手掩起门户，身子已到了床头，轻轻放下包袱，柔声笑道："好孩子，睡得好么？"

朱七七一见"她"笑容，一听"她"语声，身子便忍不住要发抖，只因这恶魔声音笑容，若是也与"她"心肠同样凶毒，倒也罢了，"她"笑容愈是和蔼，语声愈是慈祥，便愈是令人无法忍受。

只见"她"将那长长的包袱打开，一面笑道："好孩子，你瞧姑姑多么疼你，生怕你寂寞，又替你带了个伴儿来了。"

朱七七转目望去，心头又是一凉——包袱里竟包着个白衣女子，只见她双颊晕红，眼帘微阖，睡态是那样温柔而娇美，那不是白飞飞是谁。

这可怜的少女白飞飞，如今竟已落入了这恶魔手中。

朱七七狠狠瞪着青衣妇人，目光中充满了愤恨——目光若是也能杀人，这青衣妇人当真已不知要死过多少次了。

只见“她”自怀中取出一只黑色的革囊，又自革囊中取出一柄薄如纸片的小刀，一只发亮的钩子，一只精巧的柄子，一只勺子，一柄剪刀，三只小小的玉瓶，还有四五件朱七七也叫不出名目，似是熨斗，又似是泥水匠所用的铲子之类的东西，只是每件东西都具体而微，仿佛是童子用来玩的。

朱七七也不知“她”要做什么，不觉瞧得呆住了。

青衣妇人突然笑道：“好孩子，你若是不怕被吓死，就在一旁瞧着，否则姑姑我还是劝你，赶紧乖乖地闭起眼睛。”

朱七七赶紧闭起眼睛，只听青衣妇人笑道：“果然是好孩子……”

接着，便是一阵铁器叮当声，拔开瓶塞声，刀刮肌肤声，剪刀铰剪声，轻轻拍打声……

停了半晌，又听得青衣妇人撮口吹气声，刀锋霍霍声，还有便是白飞飞的轻轻呻吟声……

在这静寂如死的深夜里，这些声音听来，委实令人心惊胆战，朱七七又是害怕，又是好奇，忍不住悄悄张开眼睛一看……

怎奈青衣妇人已用背脊挡住了她视线，她除了能看到青衣妇人双手不住在动外，别的什么也瞧不见。

她只得又阖起眼睛，过了约摸有两盏茶时分，又是一阵铁器叮当声，盖起瓶塞声，束紧革囊声。

然后，青衣妇人长长吐了一口气，道：“好了。”

朱七七张眼一望，连心底都颤抖起来——

那温柔、美丽、可爱的白飞飞，如今竟已成个头发斑白、满面麻皮、吊眉塌鼻、奇丑无比的中年妇人。

青衣妇人咯咯地笑道：“怎样，且瞧你姑姑的手段如何？此刻就算是这丫头的亲生父母，再也休想认得出她来了。”

朱七七哪里还说得出话。

青衣妇人咯咯地笑着，竟伸手去脱白飞飞的衣服，恍眼之间，便将她剥得干干净净，一丝不挂。

灯光下，白飞飞娇小的身子，有如只待宰的羔羊般，蜷曲在被褥上，令人怜悯，又令人动心。

青衣妇人轻笑道："果然是个美丽的人儿……"

朱七七但觉"轰"的一声，热血冲上头顶，耳根火一般的烧了起来，闭起眼睛，哪敢再看。

等她再张开眼，青衣妇人已为白飞飞换了一身粗糙而破旧的青布衣裳——她已完全有如换了个人似的。

青衣妇人得意地笑道："凭良心说，你若非在一旁亲眼见到，你可相信眼前这麻皮妇人，便是昔日那千娇百媚的美人儿么？"

朱七七又是愤怒，又是羞愧——她自然已知道自己改变形貌的经过，必定也正和白飞飞一样。

她咬牙暗忖道："只要我不死，总有一日我要砍断你摸过我身子的这双手掌，挖出你瞧过我身子的这双眼珠，让你永远再也摸不到，永远再也瞧不见，教你也尝尝那求生不得，求死不能的滋味。"

复仇之念一生，求生之心顿强，她发誓无论如何也要坚强地活下去，无论遭受到什么屈辱也不能死。

青衣妇人仍在得意地笑着。

她咯咯笑道："你可知道，若论易容术之妙，除了昔年'云梦仙子'嫡传的心法外，便再无别人能赶得上你姑姑了。"

朱七七心头突然一动，想起那王森记的王怜花易容术之精妙，的确不在这青衣妇人之下。

她不禁暗暗忖道："莫非王怜花便是'云梦仙子'的后代？莫非那美绝人间，武功也高绝的妇人，便是云梦仙子？"

她真恨不得立时就将这些事告诉沈浪，但……

但她这一生之中，能再见到沈浪的机会，只怕已太少了——她几乎已不敢再存这希望。

第二日凌晨，三人又上道。

朱七七仍骑在驴上，青衣妇人一手牵着驴子，一手牵着白飞飞，踯蹓相随，那模样更是可怜。

白飞飞仍可行路，只因“她”并未令白飞飞身子瘫软，只因“她”根本不怕这柔软女子敢有反抗。

朱七七不敢去瞧白飞飞——她不愿瞧见白飞飞——她不愿瞧见白飞飞那流满眼泪，也充满惊骇、恐惧的目光。

连素来刚强的朱七七都已怕得发狂，何况是本就柔弱胆小的白飞飞，这点朱七七纵不去瞧，也是知道的。

她也知道白飞飞心里必定也正和她一样在问着苍天：“这恶魔究竟要将我带去哪里？究竟要拿我怎样……”

蹄声嘚嘚，眼泪暗流，扑面而来的灰尘，路人怜悯的目光……这一切正都与昨日一模一样。

这令人发狂的行程竟要走到哪里才算终止？这令人无法忍受的折磨与苦难，难道永远过不完么？

忽然间，一辆敞篷车迎面而来。

这破旧的敞篷车与路上常见的并无两样，赶车的瘦马，也是常见的那样瘦弱、苍老、疲乏。

但赶车的人却赫然是那神秘的金无望，端坐在金无望身旁，目光顾盼飞扬的，赫然正是沈浪。

朱七七一颗心立时像是要自嗓子里跳了出来，这突然而来的狂喜，有如浪潮般冲激着她的头脑。

她只觉头也晕了，眼也花了，目中早已急泪满眶。

她全心全意，由心底嘶唤：“沈浪……沈浪……快来救我……”

但沈浪自然听不到她这心里的呼唤，他望了望朱七七，似乎轻轻叹息了一声，便转过目光。

敞篷车走得极慢，驴子也走得极慢。

朱七七又是着急，又是痛恨，急得发狂，恨得发狂。

她心已撕裂，嘶呼着：“沈浪呀沈浪……求求你……看着我，我就是日夜都在想着你的朱七七呀，你难道认不出么？”

她愿意牺牲一切——所有的一切，只要沈浪能听得见她此刻心底的呼声——但沈浪却丝毫也听不见。

谁能想到青衣妇人竟突然拦住了迎面而来的车马。

她伸出手，哀呼道："赶车的大爷，行行好吧，施舍给苦命的妇人几两银子，老天爷必定保佑你多福多寿的。"

沈浪面上露出了惊诧之色，显然在奇怪这妇人怎会拦路来乞讨银子，哪知金无望却真塞了张银票在她手里。

朱七七眼睛瞪着沈浪，几乎要滴出血来。

她心里的哀呼，已变为怒骂："沈浪呀沈浪，你难道真的认不出我，你这无情无意、无心无肝的恶人，你，你竟再也不看我一眼。"

沈浪的确未再看她一眼。

他只是诧异地在瞧着那青衣妇人与金无望。

青衣妇人喃喃道："好心的人，老天会报答你的。"

金无望面上毫无表情，马鞭一扬，车马又复前行。

朱七七整个人都崩溃了，她虽然早已明知沈浪必定认不出她，但未见到沈浪前，她心里总算存着一丝渺茫的希望。

如今，车声辚辚，渐去渐远……

渐去渐远的辚辚车声，便带去了她所有的希望——她终于知道了完全绝望是何滋味——那真是一种奇异的滋味。

她心头不再悲哀，不再愤恨，不再恐惧，不再痛苦，她整个身心，俱已完完全全地麻木了。她眼前一片黑暗，什么也瞧不见，什么也听不见——这可怕的麻木，只怕就是绝望的滋味。

路上行人往来如鲫，有的欢乐，有的悲哀，有的沉重，有的在寻找，有的在遗忘……

但真能尝着绝望滋味的，又有谁?

沈浪与金无望所乘的敞篷马车，已在百丈开外。

冷风扑面而来，沈浪将头上那顶虽昂贵，但却破旧的貂帽，压得更低了些，盖住了眉，也盖住了目光。

他不再去瞧金无望，只是长长伸了个懒腰，喃喃道："三天……三天多了，什么都未找到，什么都未瞧见，眼看距离限期，已愈来愈近……"

金无望道："不错，只怕已没甚希望了。"

沈浪嘴角又有那懒散而潇洒的笑容一闪，道："没有希望……希望总是有的。"

金无望："不错，世上只怕再无任何事能令你完全绝望。"

沈浪道："你可知我们唯一的希望是什么？"

他停了停，不见金无望答话，便又接道："我们唯一的希望，便是朱七七，只因她此番失踪，必是发现了什么秘密，她是个心高气傲的孩子……一心想要独力将这秘密查出，是以便悄悄去了，否则，她是常常不会一个人走的。"

金无望道："不错，任何人的心意，都瞒不过你，何况朱七七的。"

沈浪长长叹了一声，道："但三天多还是找不到她，只怕她已落入了别人的手掌，否则，以她那种脾气，无论走到哪里，总会被人注意，我们总可以打听着她的消息。"

金无望道："不错……"

沈浪忽然笑出声来，截口道："我一连说了四句话，你一连答了四句不错，你莫非在想着什么心事不成……这些话你其实根本不必回答的。"

金无望默然良久，缓缓转过头，凝注着沈浪。

他面上仍无表情，口中缓缓道："不错，你猜着了，此刻我正是在想心事，但我想的究竟是什么，你也可猜得出么？"

沈浪笑笑道："我猜不出……我只是有些奇怪。"

金无望道："有何奇怪？"

沈浪目中光芒闪动，微微笑道："在路上遇着个素不相识的妇人，便出手给了她张一万两银子的银票，这难道还不该奇怪？"

金无望又默然半晌，嘴角突也现出一丝笑意，道："世上难道当真没有事能瞒得过你的眼睛？"

沈浪笑道："的确不多。"

金无望道："你难道不是个慷慨的人？"

沈浪道："不错，我身上若有一万两银子，遇见那样可怜人的求乞，也会将这一万两银子送给她的。"

金无望道："这就是了。"

沈浪目光逼视着他，道："但我本是败家的浪子，你，你却不是，你看来根本不是个会施舍别人的人。那妇人为何不向别人求助，却来寻你？”

金无望头已垂下了，喃喃道：“什么都瞒不过你……什么都瞒不过你……”

突然抬起头，神情又变得又冷又硬，沉声道：“不错，这其中的确有些奇怪之处，但我却不能说出。”

两人目光相对，又默然了半晌，沈浪嘴角又泛起笑容，这笑容渐渐扩散，渐渐扩散到满脸。

金无望道：“你笑得也有些古怪。”

沈浪道：“你心里的秘密，纵不说出，我也总能猜到一些。”

金无望道：“说话莫要自信太深。”

沈浪笑道：“我猜猜看如何？”

金无望冷冷道：“你只管猜吧，别的事你纵能猜到，但这件事……”

语声戛然而住，只因下面的话说不说都是一样的。

马车前行，沈浪凝视着马蹄扬起的灰尘，缓缓道：“你我相交以来，你什么事都未曾如此瞒我，只有此事……此事与你关系之重大，自然不问可知了。”

金无望道：“哦？……嗯。”

沈浪接道：“此事与你关系既是这般重大，想必也与那快活王有些关系……”

他看来虽似凝视着飞尘，其实金无望面上每一个细微的变化都未能逃过他眼里，说到此处，金无望面上神色果然已有些变了。

沈浪立刻道：“是以据我判断，那可怜的妇人，必定也与快活王有些关系，她那可怜的模样，只怕是装出来的。”

说完了这句，他不再说话，目光也已回到金无望脸上，金无望嘴唇紧紧闭着，看来有如刀锋似的。

他面上却是凝结着一层冰岩——马车前行，冷风扑面，两人你望着我，我望着你，彼此都想瞧入对方心里。

金无望似是要从沈浪面上的神色，猜出他已知道多少。

沈浪便自然似要从金无望面上神色，猜出他究竟肯说出多少。

良久良久，马车又前行百余丈。

终于，金无望面上的冰岩渐渐开始融化。

沈浪心已动了，但却勉强忍住，只因他深知这是最重要的关键——人与人之间那种想要互占上风的微妙关键。

他知道自己此刻若是忍不住说话，金无望便再也不会说了。

金无望终于说出话来。

他长长吸了口气，一字字缓缓道："不错，那妇人确是快活王门下。"

沈浪怎肯放松，立刻追问："你在快活王门下掌管钱财，位居要辅，那妇人点头之间，便可将你钱财要出，她地位显然不在你之下，她是谁？莫非竟也是酒、色、财、气四大使者其中之一？但她却又怎会是个女子？"

他言语像是鞭子，一鞭鞭抽过去，丝毫不给金无望喘气的机会，所问的每一句话，又俱都深入了要害。

金无望又不敢去望他的目光，默然半晌，忽然反问道，"你可知普天之下，若论易容术之精妙，除了'云梦仙子'一门之外，还有些什么人？"

沈浪微微沉吟，缓缓地道："易容之学，本不列入武功的范畴，是以易容术精妙之人，未必就是武林名家……"

突然一拍膝盖，失声道："是了，你说的莫非是江左司徒？"

金无望没有抬头，也没有说话，却扬起马鞭，重重往马股抽下，怎奈这匹马已是年老力衰，无论如何，也跑不快了。

沈浪目中泛起兴奋之光，道："江左司徒一家，不但易容之术精妙，举凡轻功、暗器、迷香，以至大小推拿之学，亦无一不是精到毫巅，昔日在江湖中之声名，亦不过稍次于'云梦仙子'而已。近年江湖传言，虽说江左司徒功夫大半属于阴损，是以遭了天报，一门死绝，但百足之虫死而不僵，这一家想必多少还有些后人活在人间，以他们的声名地位，若是投入快活王门下，自可列入四大使者其中。"

金无望还是不肯说话。

沈浪喃喃道："我若是快活王，若有江左司徒的子弟投入了我的门下，我便该将什么样职司交派于他……"

他面上光采渐渐焕发，接着道："江左司徒并不知酒，财使亦已有人……想那江左司徒，必定更非好勇斗气之人，但若要江左司徒子弟，为快活王搜集天下之绝色美女，只怕再也没有比他更适合的了，是么，你说是么？"

金无望冷冷道："我什么都没有说，这都是你自己猜出的。"

沈浪目光闪动，仰天凝思，口中道："我若是江左司徒子弟，要为快活王到天下搜集美女，却又该如何做法？该如何才能达成使命？……"

他轻轻颔首，缓缓接道："首先，我必定要易容为女子妇人之身，那么，我接触女子的机会必然比男子多得多了……"

金无望目光之中，已不禁露出些钦佩之色。

沈浪接道："我劫来女子之后，千里迢迢，将她送至关外，自必有许多不便，只因美女必定甚为引人注目。"

他嘴角泛笑，又道："但我既精于易容之术，自然便可将那美女易容成奇丑无比之人，教别人连看都不看一眼，我若怕那女子挣扎不从，自也可令她服下些致人瘫哑的迷药，好教她一路之上，既不能多事，也不能说话。"

金无望长长叹息一声，回首瞧了那正在敞篷车厢里沉睡的孩子一眼，口中喃喃叹息着道："你日后若有沈相公一半聪明，也就好了。"

那孩子连日疲劳，犹在沉睡，自然听不到他的话。

他的话本也不是对这孩子说的——他这话无异在说："沈浪，你真聪明，所有的秘密，全给你猜对了。"

沈浪怎会听不出他言外之意，微微一笑道："回头吧。"

金无望皱眉道："回头？"

沈浪道："方才跟随他那两个女子，必定都是好人家的子女，我怎能忍心见到她们落入如此悲惨的境遇之中？"

金无望忽然冷笑起来，又回首望望孩子，道："你日后长大了，有些事还是不可学沈相公的，小不忍则乱大谋，这句话你也必须牢记在心。"

沈浪微微一笑，不再说话，车子亦未回头。

过了半晌，金无望忽地向沈浪微微一笑，道："多谢。"

沈浪与金无望相处数日，金无望只有此刻这微笑，才是真正从心底发出来的，沈浪含笑问道："你谢我什么？"

金无望道："你一心想追寻快活王的下落，又明知那司徒变此番必是回复快活王的，你本可在暗中跟踪于他，但司徒变已见到你我一路同行，你若跟踪于他，我难免因此获罪，于是你便为了我将这大好机会放弃，你如此对我，口中却绝无片言只字有示恩于我之意，我怎能不谢你？"

这个冷漠沉默的怪人，此刻竟一连串说出这么长一番话来，而且语声中已微有激动之意。

沈浪叹道："朋友贵在相知，你既知我心，我夫复何求？"两人目光相望一眼，但见彼此肝胆相照，言语已是多余。

突听得道路前方传来一阵歌声："千金挥手美人轻，自古英雄多落魄。且借壶中陈香酒，还我男儿真颜色。"一条昂藏八尺大汉，自道旁大步而来。

只见此人身长八尺，浓眉大眼，腰畔斜插着柄无鞘短刀，手里提着只发亮的酒葫芦，一面高歌，一面痛饮。

他蓬头敞胸，足蹬麻鞋，衣衫打扮虽然落魄，但龙行虎步，神情间却另有一股目空四海、旁若无人的潇洒豪迈之气。

路上行人的目光，都已在不知不觉间被此人所吸引，但此人的目光，却始终盯在沈浪脸上。

沈浪望着他微微一笑，这汉子也还他一笑，突然道："搭个便车如何？"

沈浪笑道："请。"

那少年汉子紧走两步，一跳便跳了上来，挤在沈浪身侧。

金无望冷冷道："你我去向不同，咱们要去的，正是你来的方向，这便车你如何坐法？"

那少年汉子仰天大笑道："男子汉四海为家，普天之下，无一处不是我要去的地方，来来去去，有何不可。"伸手一拍沈浪肩头，递过酒葫芦，道："来！喝一口。"

沈浪笑了笑，接过葫芦，便觉得葫芦竟是钢铸，满满一口喝了下去，只觉酒味甘洌芬芳，竟是市面少见的陈年佳酿。

两人你也不问我来历去向，我也不问你身世姓名，你一口，我一口，片刻间便将一葫芦酒喝得干干净净，那少年汉子开怀大笑道："好汉子，好酒量。"

笑声未了，金无望却已将车子在个小小的乡镇停下，面色更是阴沉寡欢，冷冷道："咱们的地头到了，朋友你下去吧。"

那汉子却将沈浪也拉了下去，道："好，你走吧，我与他可得再去喝几杯。"

竟真的将沈浪拉走了，拉入了一间油荤污腻、又脏又破的小店。

车厢中的童子笑了笑道："这汉子莫非是疯子么？他晓得沈相公竟从不将任何事放在心上的脾气，否则别人真要被他弄得哭笑不得。"

金无望冷哼一声，眉宇间冷气森森，道："看住车子。"

等他入了小店，沈浪与那少年汉子已各又三杯下肚，一满盘肥牛肉也已摆在面前。

从天下最豪华的地方，到最低贱之地，沈浪都去的；从天下最精美的酒菜，到最粗粝之物，沈浪都吃的。

他无论走到哪里，无论吃什么，都是那副模样。

金无望冷冰冰坐了下来，冷冰冰地瞧着那少年汉子，瞧了足有两盏茶时分，突然冷冷道："你要的究竟是什么？"

那少年汉子笑道："要什么？要喝酒，要交朋友。"

金无望冷笑道："你是何等样人，我难道还看不出？"

那少年汉子大笑道："不错，我非好人，阁下难道是好人么？不错，我是强盗，但阁下却只怕是个大强盗亦未可知。"

金无望面色更变，那少年却又举杯笑道："来，来，来！且让我这小强盗敬大强盗一杯。"

金无望手掌放在桌下，桌上的筷子，却似突然中了魔法似的，飞射而起，尖锐而短促的风声"嗖"的一应，两只筷子已到了那少年面前。

那少年汉子笑叱道："好气功。"

"好气功"这三字吐音不同："好"字乃开口音，说到"好"字时，这少年以嘴迎着飞筷来势；"气"字乃咬齿音，说到"气"字，这少年便恰巧用牙齿将筷子咬住；"功"字乃吐气音，待说到"功"字时，这少年已将筷子吐出，原封不动，挟着风声，直取金无望双目。

这一来一去，俱都急如闪电，但闻沈浪微微一笑，空中筷子突然踪影不见，再看已到了沈浪手中。但这去势如电的一双筷子，沈浪究竟是用何种手法接过去的，另两人全然未曾瞧见。

这少年武功之高，固是大出金无望意料之外，但沈浪的武功之高，却显得更出乎这少年意料之外。

要知三人武功无一不是江湖中罕睹的绝顶高手，三人对望一眼，面上却已有惊异之色。

沈浪轻轻将筷子放到金无望面前，依旧谈笑风生，频频举杯，只将方才的事，当作从未发生过似的。

金无望不再说话，亦绝不动箸，只是在心中暗暗思忖，不知江湖中何时竟出了这样个少年高手。

那少年汉子也不再理他，依然和沈浪欢呼痛饮，酒愈喝愈多，这少年竟渐渐醉了，站起身子喃喃道："小弟得去方便方便。"

突然身子一倒，桌上的酒菜都洒了下去。

金无望正在沉思，一个不留意，竟被菜汁洒了一身。

那少年立刻赔笑道："罪过，罪过。"

连忙去揩金无望的衣服，但金无望微一挥手，他便踉跄退了出去，连连苦笑道："小弟一番好意，朋友何必打人……"

踉跄冲入后面一道小门，方便去了。

金无望着沈浪道："这厮来意难测，你何必与他纠缠，不如……"面色突然大变，推桌而起，厉声叱道："不好，追。"

哪知沈浪却拉住了他，笑道："追什么？"

金无望面色铁青，一言不发，还是要追出去。

沈浪道："你身上可是有什么东西被他摸去了？"

金无望冷冷道："他取我之物，我取他性命。"目光一闪，突又问道，"他取我之物，你怎会知道？"

沈浪面现微笑，另一只手自桌子下伸了出来，手里却拿着叠银票，还有只制作得甚是精巧的小小革囊。

金无望大奇："这……这怎会到了你手里？"

沈浪笑道："他将这叠银票自你身上摸去，我不但又自他身上摸回，而且顺手牵羊，将他怀中的革囊也带了过来。"

金无望凝目瞧了他几眼，嘴角突又露出真心的微笑，缓缓坐下，举杯一饮而尽，含笑道："我已有十余年未曾饮酒，这杯酒乃是为当今天下手脚最轻快的第一神偷喝的。"

沈浪故意笑问："谁是第一神偷？莫非是那少年？"

金无望道："那厮手脚之快，已可算得上是骇人听闻的了，但只要有你沈浪活在世上，他便再也休想博这第一神偷的美名。"

沈浪哈哈大笑道："骂人小偷，还说是赐人美名，如此美名，我可承当不起。"

将银票还给金无望，又道："待咱们瞧瞧这位偷鸡不着蚀把米的朋友，究竟留下了什么？"

那革囊之中，银子却不多，只有零星几两而已。

沈浪摇头笑道："瞧这位朋友的手脚，收入本该不坏才是，哪知却只有这些散碎银子，想来他必也是个会花钱的角色。"

金无望道："来得容易，走得自然快了。"

沈浪微笑着又自革囊中摸出张纸，却不是银票，而是封书信，信上字迹甚是拙劣，写的是："字呈龙头大哥足下：自从大哥上次将小弟灌醉后，小弟便只有灌醉别人，自己从未醉过，哈哈，的确得意得很。这些日子来小弟又着实弄进几文，但都听大哥的话，散给些苦哈哈们了，小弟如今也和大哥一样，吃的是有一顿没一顿，晚上住在破庙里，哈哈，日子过得虽苦，心情却快活得很，这才相信大哥的话，帮助别人，那滋味当真比什么都好。"

看到这里，沈浪不禁微笑道："如何，这少年果然是个慷慨角色。"

只见信上接着写的是："潘老二果然有采花的无耻勾当，已被小弟大卸八块了。屠老刀想存私财，单一成偷了孝子，赵锦钱食言背信，这三个孙子惹大哥生气，小弟一人削了他们一只耳朵，却被人贩子老周偷去下酒吃了，小弟一气之下，也削了老周一只耳朵，让他自己吃了下去。哈哈，他偷吃别人的耳朵虽痛快，但吃自己耳朵时那副愁眉苦脸的怪模怪样，小弟这支笔，真他妈的写不出，大哥要是在旁边瞧着就好了。这一下，老周只怕再也不敢吃人肉了。"

瞧到这里，连金无望也不觉为之失笑。

信上接着写道："幸好还有甘文源、高志、甘立德、程雄、陆平、金德和、孙慈恩这些孙子们，倒着实肯为大哥争气，办的事也都还漂亮，小弟一高兴，就代大哥请他们痛吃痛喝了一顿。哈哈，吃完了小弟才知道自己身上一两银子也没有，又听说那酒楼老板是个小气鬼，大伙儿瞪眼，便大摇大摆地走了，临走时还问柜台上借了五百七十两银子，送给街头豆腐店的熊老实娶媳妇。还有，好教大哥得知，这条线上的苦朋友，都已被咱们兄弟收了，共有六百八十四个，小弟已告诉他们联络的暗号，只要他们在路上遇着来路不正的肥羊，必定会设法通知大哥的。哈哈，现在咱们这一帮已有数千兄弟，声势可真算不小了，大哥下次喝醉酒时，莫忘记为咱们自己取个名字。"

下面的具名是："红头鹰。"

沈浪一口气看完了，击节道："好，好！不想这少年小小年纪，竟已干出了这一番大事，而且居然已是数千弟兄的龙头大哥了。"

金无望道："只是你我却被他看成来路不正的肥羊。"

沈浪笑道："想必是你方才取银票与那司徒变时，被他手下的弟兄瞧见了，是以他便绕路抄在咱们前面，等着咱们。"

语声微顿，又道："这信上所提名字，除了那人贩子周青外，倒也都是响当当的英雄汉子，尤其写信的这红头鹰，更是个久已著名的独行大盗，闻说此人轻功已不在断虹子等人之下，连此等人物都已被这少年收服，这少年的为人可想而知，就凭他这种劫富济贫的抱负，就值得咱们交交。"

金无望哼了一声，也不答话。

沈浪冷道："方才的事，你还耿耿在心么？"

金无望避而不答，却道："革囊中还有什么？"

沈浪将革囊提起一倒，果然又有两样东西落了下来，一件是只扇坠般大小，以白玉琢成的小猫。

这琢工刀法灵妙，简简单单几刀，便将一只猫琢得虎虎有生气，若非体积实在太小，当真像个活猫似的。

仔细一看，猫脖下还有行几难分辨的字迹："熊猫儿自琢自藏自看自玩。"

沈浪笑道："原来这少年叫熊猫儿！"

金无望冷冷道：“瞧他模样，倒果真有几分与猫相似。”

沈浪哈哈大笑，拾起第二件东西一看，笑声突顿，面色也为之大变，金无望大奇问道：“这东西又有何古怪？”

这第二件东西只不过是块玉璧，玉质虽精美，也未见有何特异之处，但金无望接过一看，面上也不禁现出惊诧之色。

原来这玉璧之上，竟赫然刻着“沈浪”两个字。

金无望奇道：“你的玉璧，怎会到了他身上？莫非他先就对你做了手脚？”

沈浪道：“这玉璧不是我的。”

金无望更奇，道：“不是你的玉璧，怎会有你的名字？”

沈浪道：“这玉璧本是朱七七的。”

金无望更是吃了一惊，动容道：“朱姑娘的玉璧，怎会到了他身上，莫非……莫非……”

沈浪道：“无论是何原因，这玉璧既然在他身上，朱七七的下落他便必定知道，咱们无论如何，先得等着他问上一问。”

金无望道：“他早已去远，如何追法？”

但沈浪还未回话，他却已先替自己寻得答案，颔首道：“是了，咱们只要在路上瞧见有市井之徒，便可自他们身上追查出这熊猫儿的下落去向。”沈浪道：“正是，这路上既有他百八十个弟兄，咱们还怕寻不着他的下落？……走！”

“走”字出口，他人已到了门外。

第九章

江湖奇男子

天色阴霾，风冷，僻道之旁荒祠中，燃着堆火，十七八条大汉，围坐在火堆旁，四下空樽零乱，大汉们拍手而歌："熊猫儿，熊猫儿，江湖第一游侠儿，比美妙手空空儿，劫了富家救贫儿，四海齐夸无双儿……"

欢笑高歌声中，突听荒祠外一人应声歌道："说他是四海无双儿，倒不如说是醉猫儿。"

一条人影，凌空翻了四个筋斗，落在火堆旁，正是那浓眉大眼，豪迈潇洒的熊猫儿。

大汉们齐地大笑长身而起，道："大哥回来了。"

还有人问道："大哥可是得手了么？"

熊猫儿目光四转，顾盼飞扬，大笑道："兄弟们儿曾听过有空手而回的熊猫儿。"

他伸手拍了拍火堆旁一条黄面汉子的肩头，道："吴老四，你眼睛果然不瞎，那两人果然有些来路不正，腰里也果然肥得很，只是这两人武功之高，只怕是做梦也想不到的了。"

那汉子吴老四笑道："武功再高，又怎能挡得住大哥你的空空妙手？"

熊猫儿仰天大笑，道："说得有理，且待我将这次收获之物，拿出来大家瞧瞧，单只这一票，只怕已可使北门口那十几家孤儿寡妇好好生活下去了。"

伸手一拍腰畔，笑声突顿，面色突变，一只伸入怀里去的手，再也拿不出来，大汉们又惊又奇道："大哥怎地了？"

熊猫儿怔在当地，口中不住喃喃道："好厉害，好厉害……"

火光下只见他额上汗珠，一粒粒迸了出来，突又仰天大笑道：“好身手，好汉子，我熊猫儿今日能见着你这样的人物，就算栽了个大跟斗，也是心甘情愿的。”

吴老四道：“大哥你说的是谁？”

熊猫儿一挑大拇指，道：“说起此人，武功之高，固是天下少有，风度之佳，更是我平生仅见，我若是女子，那必定是非此人不嫁的。”

吴老四更是奇怪，道：“他究竟是谁？”

熊猫儿道：“他就是那两条肥羊中的少年人。”

大汉们齐地一怔，吴老四讷讷地说道：“大哥如此夸奖于他，他想必是不错的了，但……但不知……”

瞧了瞧熊猫儿那只伸在怀里还缩不回的手，他顿住了语声。

熊猫儿笑道：“你此刻心中已是满腹疑云，却又不便问出口来，是么？但我却不妨告诉你，不但我自那人身上偷来的银票已被那少年偷回去了，就连我自己的荷包，也落入那少年的手中，这岂非偷鸡不着蚀把米。”

这种丢人的事，若是换了别人，怎肯在自己手下弟兄面前说出来，但熊猫儿却说出来了，而且说时还在笑得甚是高兴。

大汉们面面相觑，作声不得。

熊猫儿笑道：“你等作出此等模样来则甚？能遇着这样的人物已属有福，丢些东西算什么，何况那东西本就是人家的。”

吴老四讷讷道：“但……但大哥的荷包……”

熊猫儿道：“那荷包也不算什么，可惜的只是我以腰间这柄宝刀手琢的一只猫儿，但……”

面色突变，失声道：“不好，还有件东西也在荷包里。”

大汉们见他丢了什么东西都不心疼，但一想起此物，面色竟然变了，显见此物在他心中必定珍贵异常。

吴老四忍不住道：“什么东西？”

熊猫儿默然半晌，苦笑道：“那东西虽然只是我自个破庙里拾得来的，但……但……”

他仰天长长叹了口气，接道：“但它却是位姑娘的贴身之物。”

吴老四期期艾艾，像是想问什么，又不敢问出口。

熊猫儿道："你等可是想问我那女子是谁？是么？"

吴老四忍不住笑道："那位姑娘不知是否大哥的……大哥的……"

这句话他还是讷讷地不敢说出口，但大汉们已不禁齐地笑了起来。

熊猫儿大笑道："不错，那位姑娘确是我心目中最最动人，最最美丽的女子，但是她究竟姓甚名谁，是何来历，我都不知道。"

吴老四眨了眨眼睛，道："可要小弟去为大哥打听打听？"

熊猫儿苦笑道："不必……唉，自从我那日见过那女子一面之后，她竟似突然失踪了，我在道上来回找了数次，都瞧不见她的影子。"

他方自顿住语声，便要转身而出。

大汉们齐地脱口问道："大哥要去哪里？"

熊猫儿道："我好歹也要将那荷包要回，也想去和那少年交个朋友，你们无事，便在这里等着。"

话未说完，人已走了出去。

吴老四望着他背影，喃喃叹道："我走南闯北也有许多年来，却当真从未见过熊大哥这般豪迈直肠的汉子，咱们能做他的小兄弟，真是福气，这种人天生本就是要做老大的，他要找人，我好歹得去帮他一手。"说着说着，也走了出去。

还未到黄昏。

熊猫儿三脚两步，便已赶至大路，为了要在路上寻找沈浪与金无望，他自己未曾施展他那绝好的轻功。

他走了盏茶时分，但见个青衣妇人，佝偻着身子，一手牵着个女子，一手牵着只小驴，踯躅而来。驴上的和走路的两个女子，丑得当真是天下少有，就连熊猫儿也忍不住去瞧了两眼。

这两眼瞧过，他突然发现这青衣妇人便是那日自己遇着的那动人的少女时，在破庙中烤火的。

他皱了皱眉，微一迟疑，突然挡住了这三人一驴的去路，张开了两只大手，笑嘻嘻道："还认得我么？"

那"青衣妇人"上上下下，瞧了他几眼，赔笑道："大爷可是要施舍几两银子？"

熊猫儿笑道："你不认得我，我却认得你，那日你本是一个人，如今怎会变成了三个？那位姑娘你可曾瞧见过？”

青衣妇人身旁的朱七七，一颗绝望的心，又怦怦跳动了起来，她还认得这无赖少年，她想不到这无赖少年还会来找她，但闻青衣妇人道：“什么一个、三个？什么姑娘？大爷你说的话，我可全不懂，大爷你要给银子就给，不给我可要走了。”

熊猫儿瞪眼瞧着她，道：“你真的不懂，还是假的不懂，那日与你在破庙中烤火的姑娘，你难道忘了么？就是那眼睛大大，嘴巴小小……”

青衣妇人似乎突然想起来了，道：“哦！大爷你说的原来是那位烤衣服的姑娘呀，唉！她可生得真标致，只是……只是那天晚上，她就跟着和大爷你打架的那位道爷走了，听说是往东边去，大爷你大概是找不着她了。”

熊猫儿失望地叹息一声，也无法再问，方自回转身，突觉这青衣妇人身旁的一个奇丑女子，瞧他时的神情竟有些异样。

他顿住足，皱了皱眉，觉得有些奇怪，但他并没有仔细去想，而青衣妇人却已唠唠叨叨地牵着驴子走了。

朱七七一颗心又沉落下来，从此她再也不敢存丝毫希望。

熊猫儿摇了摇葫芦，葫芦里酒已空了，他长长叹了口气，意兴十分萧索，十分惆怅，也说不出是何滋味。

突听身后有人唤道：“大哥。”

原来吴老四已匆匆赶来，口中犹在喘着气，模样似乎有些神秘，熊猫儿不觉有些奇怪，问道：“什么事？”

吴老四指着那“青衣妇人”的后影，悄悄道：“那两个……两个肥羊就是因为给这妇人的银票，才露了白的。”

熊猫儿道：“哦……”

吴老四道：“小弟眼尖，瞧见他们给这妇人的银票，票面写的是朱笔字，那就是说这张银票最少也在五千两以上。”

熊猫儿心头一动，动容道：“你可瞧清楚了？”

吴老四道：“万万不会错的。”

熊猫儿浓眉微皱，道：“若仅仅是在路上施舍贫苦，万万不会出手便是一张五千两以上的银票，想来这妇人必定与那两人关系非浅，那两人既是江湖奇士，这妇人也必定不会是平凡之辈，但她却偏要装成如此模样，这……这其中必有蹊跷。”

突然转身，向那“青衣妇人”追去。

他脚步渐近，青衣妇人似是仍未觉察。

熊猫儿目光四转，突然出手如风，一把向这青衣妇人肩头抓了过去。他五指已贯注真力，只要是练武之人，听得他这掌势破风之声，便该知道自己肩头若是被他抓住，肩骨立将粉碎。

青衣妇人仍似浑然不觉，但脚下突然一个踉跄，身子向前一跌，便恰巧在间不容发的刹那之间，将这一抓躲过。

熊猫儿大笑道：“果然是好武功。”

青衣妇人回过头来，茫然道：“什么好武功？大爷你说的话，我又不懂了。”

熊猫儿道：“无论你懂与不懂，且随我去吧。”

青衣妇人道：“哪……哪里去？”

熊猫儿笑道：“我瞧你如此贫苦，心有不忍，想要施舍你。”

青衣妇人道：“多谢大爷好意，怎奈老妇还要带着两个侄女赶路……”

熊猫儿突然大喝道：“不去也得去。”

一跃上了驴背，反手一掌打在驴屁股上，那驴子吃痛不过，放开四蹄，落荒奔去。青衣妇人怔了一怔，神色大变，大骂道：“无赖回来。”

熊猫儿大笑道：“我本就是无赖，你那一套，用来对付侠义门徒，别人只怕还对你无可奈何，但你用来对付无赖，嘿嘿，无赖才不吃你这一套。”

那驴子虽瘦弱，但说话之间，已是奔出二十余丈。

青衣妇人顿足大呼道：“强盗……救人呀……”

熊猫儿遥遥大呼道：“不错，我就是强盗，但强盗本不怕好人，好人都是怕强盗的，你喊破喉咙也是无人敢来救你。”

他去得更远，眼见就将奔出视线之外。

青衣妇人终于忍不住了，咬一咬牙，拦腰抱起那白飞飞，也不顾别人吃惊诧异，提气纵身，向前追去。

"她"轻功身法，果然非寻常可比，手里纵然抱着个人，但接连三四个纵身，已在二十丈开外。

熊猫儿双腿紧夹驴背，一手扶着面前那"丑女"——朱七七，一手拍着驴子屁股，大笑道："怎样？你功夫还是被我逼出来了。"

青衣妇人恨声道："逼出来又怎样？你还想活命？"

她又是几个纵身，眼见已将追及奔驴。

哪知熊猫儿却突然抱起朱七七，自驴背上飞身而起，大笑道："你追得上我再说。"

突地一掠三丈，将驴子抛在后面，只因他深信这青衣妇人要追的绝不是驴子，而是驴子上的"丑女"。

若是侠义门徒，这种事确是不便做出，但熊猫儿却是不管不顾，只要目的正当，只要能达到目的，他是什么事都敢做的。

青衣妇人实未想到这无赖少年竟有如此轻功，自己竟追不着他，"她"又是着急，又是愤怒，大喝道："停下来，咱们有话好说。"

熊猫儿道："说什么？"

青衣妇人道："你究竟想要怎样？放下我的侄女，都好商量。"

这时两人身形都已接近那荒祠。

熊猫儿笑道："停下也无妨，但你得先停下，我自然停下，否则你纵然追上三天三夜，也未必能追得着我，这点你自己也该清楚。"

青衣妇人怒骂道："小贼，无赖！"

但是终于不得不先顿住身形，道："你要什么？说吧。"

熊猫儿在"她"五丈外远近停下，笑道："我什么也不要，只要问你几句话。"

青衣妇人目光闪动，早已无半点慈祥之意，恨声道："快问。"

熊猫儿道："我先问你，给你银票的那两人究竟是谁？"

青衣妇人道："过路施舍的善人，我怎会认得？"

熊猫儿笑道："你若不认得他，他会送你那般巨额的银票？"

青衣妇人神情又一变，厉声道："好！我告诉你，那两人本是江洋大盗，被我窥破了秘密，是以用银子来封住我的嘴，至于他两人此刻哪里去了，我却真的不知道了。"

熊猫儿咯咯笑道："那两人若是江洋大盗，你想必也是他们的同党，像你这样的人，身边怎会带两个残废的女子同行，这其中必有古怪。”

青衣妇人怒道：“这……这你管不着。”

熊猫儿仰天笑道：“我熊猫儿平生最爱管的，就是些原本与我无关的闲事，今日若不将你制住，谅你也不肯说出实话。”

语声微顿，突然大喝道：“弟兄们，来呀。”喝声方了，荒祠中已冲出十余条大汉。

熊猫儿将朱七七送了过去，道：“将这女子藏到隐秘之处，好生看管……”

大汉们应声未了，熊猫儿已飞身掠到青衣妇人面前，道：“动手吧。”

青衣妇人狞笑道：“你真的要来送死？好。”

“好”字方出口，一瞬之间，已拍出三掌，“她”显然已不敢再对这无赖少年太过轻视，肋下虽还夹着白飞飞，这三掌却已尽了全力。

熊猫儿身躯如虎，游走如龙，倏地闪过三招，笑道：“念你是个妇人，再让你三招。”

青衣妇人神情更是凝重，厉声道：“话出如风，莫要反悔。”

左脚前踏，身躯半转，右掌缓缓推了出去，口中厉声又道：“这是第一招。”

只见“她”五指半曲，拇指在掌心暗扣食指，似拳非拳，似掌非掌，出手更是缓慢已极，这一招已施出一半，对方还是摸不透“她”究竟击向哪一个方位。

熊猫儿索性凝立不动，双目逼视在“她”这一只手掌之上，目光虽凝重，但嘴角却带着那满不在乎的笑容。

青衣妇人掌到中途，突然一扬，直击熊猫儿左耳。中指、无名指、小指亦自弹出，去势有如闪电。

那左耳部位虽小，却是对方万难想到“她”会出手攻击之处，换句话说，也正是对方防守最弱之一处。

熊猫儿果然大出意料之外，匆忙中不及细想，身子向右一倒，哪知青衣妇人早已算准了他闪避此招时，下身必定不致移动，闪避的幅度必定不大，熊猫儿身子一倒，“她”食指已急速弹出，用的竟是内家“弹指神通”一类的功夫，掌势未到，已有一缕细风直贯熊猫儿耳穴。

那耳穴里更是人体全身上下最最脆弱之一处，平日若被纸卷一戳，也会疼痛不堪，何况青衣妇人此刻自指尖逼出的一缕真气，看来虽无形，其实却远比有形之物还要尖锐，只要被它灌入耳里，耳膜立将碎裂。

熊猫儿当真未想到“她”竟使得出如此阴损狠毒的招式，若非心肠毒如蛇蝎之人，委实做梦也想不出这样的招式来。

他百忙中缩头、甩肩、大仰身，倏地后退数尺，但那锐风来势是何等迅急，他躲得虽快，额角还是不免被锐风扫着，皮肉立时发红。

熊猫儿又惊又怒，大喝道：“这也算作一招么？”

他喝声方起，青衣妇人已如影随形般跟来，他喝声未了，青衣妇人第二招已攻向他下腹要害。

这一招出手更是阴毒，此刻熊猫儿身子尚未站直，新力未生，旧力已竭，青衣妇人只当这第二招已可将他送终。

哪知熊猫儿体力之充沛，却非任何人所能想象，体内真力，竟如高山流水，源源不绝。

只见他胸腹间微一吸气，身子“唰”地又后退数尺，脚跟着力，凌空一个翻身，又回到青衣妇人面前。

青衣妇人见他不但能将自己这两招避过，而且身法奇诡，来去如电，目中也不禁露出惊惶之色，厉声道：“还有一招，你接着吧。”

她手掌又自缓缓推出，看来又与第一招一般无二。

熊猫儿冷笑道：“方才本已该算三招，但再让你一招又有何妨。”

这句话说来并不短，但他话说完了，青衣妇人掌势也不过方自使出一半，熊猫儿身形峙立如山，双目凝视如虎，只等她此招使出，便要还击杀手。

但闻青衣妇人轻叱一声：“着。”

她手掌竟停顿不动，右足却突然撩阴踢出。

这一招又是攻人意料不及之处，熊猫儿全力闪身，堪堪避过，青衣妇人衣袖中突然又有数十道细如银芒的游丝，暴射而出，只听满天风声骤响，闪动的银芒，威力笼罩了熊猫儿身前左右三丈方圆之处，这一下熊猫儿自身的武功纵然再高，只怕也是难以闪避的了。

一旁观战的大汉们，方才见到熊猫儿迭遇险招，屡破险招，已是又惊又喜，悚然动容，此刻更不禁为之惊呼出声。

就在这一刹那间，熊猫儿掌中葫芦突然挥出，那满天银芒，竟有如群蜂归巢般，全被这葫芦吸了过去。

青衣妇人大惊失色，大汉们惊呼变作欢呼。

熊猫儿长身站定，纵声狂笑道："好歹毒的暗器，好歹毒的手法，幸好遇着我熊猫儿，乃是专破天下各门各派暗器的祖宗。"

青衣妇人颤声道："你……你这葫芦是哪里来的？"

熊猫儿大笑道："你管不着，且接我一招。"

笑语声中，他手里葫芦如天雷般当头击下。

青衣妇人急退数尺，竟未还手。

熊猫儿笑道："你为何不打了，动手呀。"

青衣妇人狠狠地望着他，咬牙道："不想今日竟遇着你……你这葫芦。"顿了顿足，说道："也罢。"便待转身而逃。

熊猫儿长笑道："你要走，只怕还未见如此容易。"

寒光一闪，短刀离腰，有如经天长虹一般，拦住了青衣妇人的去路。

青衣妇人目光尽赤，突然举起肋下的白飞飞，迎着刀光抛了出去。熊猫儿吃了一惊，挫腕收刀，以双臂将白飞飞夹住，但就在这片刻间，青衣妇人已掠出数丈，再一纵身，便逃得无影无踪了。

吴老四沿着道旁而行，突见那施舍银票的两只"肥羊"，正在一株树下，向个敞着衣襟的大汉不住盘问。

只见那个年纪较长的面色阴沉，形容诡异，骤看仿佛是具死尸似的，教人见了，忍不住心里直冒寒气。

那年纪较轻的，却是神情潇洒，嘴角带笑，教人见了，如沐春风一般，不由得想与他亲近亲近。

吴老四心中一动，忖道："熊大哥正在找他们，莫非他们也在找熊大哥，这倒巧了，只可惜他们问的却非咱们的兄弟。"

当下大步赶了过去，笑道："两位可是要找人么？"

在树下问话的自是沈浪与金无望，两人上下打量了吴老四一眼，沈浪目光一亮，笑道："我等要找的人，朋友莫非认得？"

吴老四道："两位且说说要找的是谁？"

沈浪将那玉猫托在掌心，送到吴老四面前，笑道："便是此人。"

吴老四暗中大喜，便待伸手去抢玉猫，但他手一动，沈浪手已缩了回去，吴老四只得干笑数声，道："两位要找别人，小的只怕还不认得，但此人么……"

沈浪喜道："你认得？他在哪里？"

吴老四道："两位随我来。"转身大步行去。

冬日昼短，夜色早临。

那荒祠之中，火堆烧得更旺，四壁又添了五六只火把，使这孤立在积雪寒风中的荒祠，温暖如风。

熊猫儿箕踞在角落里一只蒲团上，正瞧着火堆旁那两个"丑陋"而"残废"的女子呆呆出神。

他总感觉这两个少女有些异样，虽然他直到此刻还未发现这两个女子是经过易容改扮的。

江左司徒家的易容之术，果然妙绝人间。

他只觉得这两个女子，心里似有许多话，却说不出口，便自目光中流露出来，那目光是如此焦急，如此迫切，却又有些羞涩，有些欢喜——朱七七真未想到命运竟是如此奇妙，将自己救出魔掌的，竟是这曾被自己恨之入骨的无赖少年。而沈浪……唉，沈浪又不知哪里去了。

那奇妙的酒葫芦正放在熊猫儿膝边，葫芦上沾满着细如牛芒般的尖针，在火光下闪烁着烂银般的光芒。

熊猫儿目光移向这酒葫芦，用根柴片挑起了一根尖针，仔细瞧了半晌，面色突然微变。

就在这时，吴老四直闯进来，呼道："大哥，小弟为你带客人来了。"

熊猫儿皱眉道："什么人？"

他问完话，转过身，便已瞧见金无望与沈浪。

金无望面容仍自阴沉，沈浪面容仍自带笑。

他将玉猫双手奉上，熊猫儿双手接过，两人俱未说话，只是微微一笑，所有的言语俱已都包含在这一笑中。

于是，沈浪又自取出那玉璧——朱七七瞧见沈浪来了，心房似已停止了跳动，此刻瞧见玉璧，面颊却不禁一红。

她已有些知道这玉璧仿佛是那日在自己脱衣烤火时失落了的，却再也不知道这玉璧怎会到了沈浪手中。

只见熊猫儿伸手要去接那玉璧，沈浪却未给他。

熊猫儿笑道："这玉璧似乎也是在下的。"

沈浪微微笑道："兄台可看见璧上刻的两个字么？"

熊猫儿道："自然看到，上面刻的是沈浪两字。"

沈浪道："兄台可知道这两字是何意思？"

熊猫儿眨了眨眼睛，道："自然知道，这沈浪两字，乃是在下昔日一位知心女友的名字，在下为了思念于她，便将她名字刻在玉璧上，以示永生不忘。"

朱七七在一旁听得又是好气，又是好笑，暗道："这少年端的是个无赖，为了要得这玉璧，竟编出这等漫天大谎，而且说得和真的一样。"

沈浪也不禁失笑，道："如此说来，在下便是兄台那知心女友了。"

熊猫儿呆了一呆，道："这……这是什么话？"

沈浪道："沈浪两字，原是在下的姓名。"

熊猫儿呆在那里，脸上居然也有些发红，但瞬又大笑起来，道："好，好，我偷也偷不过你，骗也骗不过你，算我服了你，好么？"

沈浪但觉此人无赖得有趣，洒脱得可爱。

只见熊猫儿笑声渐住，忽又皱眉道："但据我所知，这玉璧并非你有之物，上面却又怎会刻着你的名字？莫非……莫非那位姑娘，是你的……"

沈浪赶紧截口道："不错，那位姑娘乃是在下的朋友，在下此来，便是为了寻访于她，但望兄台告知她的下落。"

熊猫儿并不作答，只是呆望着沈浪，喃喃道："那位姑娘既然将你的名字刻在贴身的玉璧上，想来对你必定情深意重……唉，好得很……唉。"

沈浪是何等人物，眼珠一转，便已瞧出这少年必定对朱七七有了爱慕之心，是以此刻才有如此失魂落魄的模样。

一念至此，他更断定这少年必然知道朱七七的下落，当下轻咳一声，又自追问着道："那位姑娘……"

熊猫儿这才回过神来，强笑道："不瞒你说，那位姑娘我也不过只见过一面，这玉璧便是那次被我拾来的，此后我便再也未曾见过她。"

他嘘了口气，接道："更不瞒你说，这些天来我也曾四下去探望过她的下落，但她却似失踪了，还有人说她已被断虹子带走。"

沈浪凝视着他，知道他说的并无虚假，于是寻找朱七七的这最大的一条线索，又告中断了。

他垂下头，沉声叹息，却急坏了火堆旁的朱七七。

她真恨不得放声大呼："呆子，你们这些呆子，我就在这里，你们难道看不出么？"

她身旁的白飞飞，目光反而比她安详——一直都比她安详得多。

金无望目光却一直凝注在看酒葫芦，瞧得甚是仔细，他目光中竟似有些惊诧之色，此刻突然问道："这葫芦你是哪里来的？"

熊猫儿嘴角闪过一丝神秘的笑容，不答反问，道："你莫非知道这葫芦的来历？"

金无望哼了一声，道："不知道也就不问了。"

熊猫儿道："你既知道它的来历，便不该问了。"

金无望又哼了一声，果然未再追问。

沈浪听得他两人打哑谜般的问答，也不禁将注意之力转到那酒葫芦上，瞧了几眼，目中突然也有光芒闪动。

这时金无望已又问道："你可是与一个青衣妇人交过手了？"

熊猫儿还是不答，又反问道："你认得她？"

金无望怒道："究竟你在问我，还是我在问你？"

熊猫儿哈哈大笑道："这话我确是不该问的，你若不认得她，又怎会问我？不错，我已与她交过手了。"

他目光逼视金无望，缓缓接道："我不但已与她交手，还知道她便是江左司徒的后人。火堆旁那两位……两位姑娘，便是我自她手中夺来的，那葫芦上沾着的，也就是江左司徒家之独门暗器，毒性仅次于'天云五花绵’的‘烟雨断肠丝’。”

金无望面色微变，一步掠到火堆旁，俯首下望。

白飞飞不敢瞧他面容，朱七七却也回瞪着他。

熊猫儿道：“江左司徒，除了暗器功夫外，易容之妙，已久着江湖，只是我却看不出她两人也曾被易容……”

金无望冷冷道：“若是被你看出，就不妙了。”

沈浪心头一动，突然道：“兄台既有这专破天下各门各派暗器，以东海磁铁所铸，号称‘乾坤一袋装’的神磁葫芦，想必也曾习得司徒易容术的破法，不知兄台可否一施妙手，将这两位姑娘的真面目显示出来，让我等瞧瞧。”

熊猫儿笑道：“原来你也知道‘乾坤一袋装’的来历，只可惜我却无兄台所说的妙手，这两位姑娘纵是天仙化人，咱们也无缘一睹她们的庐山真面目。”

吴老四忍不住接口道：“易容之术还不好解？且待小弟用水给她洗上一洗，若是洗不掉，最多用刀子刮刮，也就是了。”

熊猫儿失笑道：“依你如此说来，江左司徒家的易容术，岂非有如台上戏子的装扮一样了，司徒易容术名满天下，哪有你说的这么不值钱，你用刀子乱刮，若是刮破了她们原来的容颜，这责任又有谁担当？”

吴老四赧颜一笑，不敢再说话。

朱七七却听得又是着急，又是气恼。

她又恨不得放声高呼：“你们用刀子来刮吧，刮破了我的脸，也没关系……”

金无望凝注着她的眼睛，缓缓道：“这女子非但已被易容，而且还曾被迫服下司徒变的瘫哑之药，我瞧她心里似有许多话说，却又说不出口来……”

熊猫儿突然找来个破盆，盛了盆火堆中的灰烬，送到朱七七面前，又找了根细柴，塞在她手里。

朱七七目中立刻闪烁起喜悦的光芒。

熊猫儿道：“咱们说话，你想必能听得到的，此刻你心里想说什么话，就用这根细柴写在炉灰上吧……”

朱七七不等他说完，已颤抖着手掌——她危难眼看已将终结，此刻她心头之兴奋激动，自是可想而知。

哪知，她竟连写字的能力都已没有，她本想先写出自己的名字，哪知细柴在灰上划动，却划得一团糟，谁也辨不出她的字迹。

到后来她连那个细柴都把握不住，跌在灰上。朱七七又急又恼，恨不得一刀将自己这只手割下。

她想撕抓自己的面目，却无气力；她想咬断自己的舌头，也咬不动；她想发疯，却连发疯也不可能。

她甚至连放声痛哭都哭不出来，只有任凭眼泪流下面颊。

沈浪、金无望、熊猫儿面面相觑，都不禁为之失声长叹，就连四下旁观的大汉，心头也都不觉泛起黯然怜惜之意。

熊猫儿叹道："且待我再试试另一个……"

白飞飞喉音虽已喑哑，但身子并未瘫软，只因她本是柔不禁风的少女，是以根本不必再服瘫哑之药。

熊猫儿将灰盆送到她面前，她便缓缓写道："我是白飞飞，本是个苦命的孤女，却不知那恶妇人为何还要将我绑来，将我折磨成如此模样。"

熊猫儿眨了眨眼睛，突然问道："你本来可是个绝美的女子？"

白飞飞眼波中露出了羞涩之意，提着柴笔，却写不下去。

熊猫儿笑道："如此看来，想必是了，与你同样遇难的这位姑娘，她可是生得极为漂亮？她叫什么名字？"

白飞飞写着："我不认得她，也未看过她原来的模样。"

熊猫儿沉吟道："如此说来，她遇难还在你之先？"

白飞飞又写道："是，我本十分可怜她，哪知我……"

她没有再写下去，别人也已知道她的意思。只见她目中泪光莹然，也忍不住流下泪来。

熊猫儿回首道："如今我才知道，那恶毒的妇人，想必是要迷拐绝色美女，送到某一地方，只是生怕路上行走不便，是以将她们弄成如此模样。"

沈浪叹息点了点头，暗道："这少年不但手脚快，心思也快得很。"

熊猫儿道："她两人昔日本是绝色美女，咱们总不能永远叫她们如此模样，好歹也得想个法子，让她们恢复本来模样才是。"

金无望闭口不语。

沈浪叹道："有何法子？除非再将那位司徒门人寻来……"

熊猫儿微一寻思，突然笑道："我在洛阳城有个朋友，此人虽然年少，但却是文武双全，而且琴棋书画，丝竹弹唱，飞鹰走狗，医卜星相，各式各样千奇百怪的花样，他也无一不通，无一不精，咱们去找他，他想必有法子的。"

沈浪笑道："如此人物，小弟倒的确想见他一见，反正我等也正要去洛阳城探访一事，只是……不知兄台与他可有交情？"

熊猫儿道："此人非但是个酒鬼，也是个色狼，与我正是臭味相投，你我去寻访于他，他少不得要大大地破费了。"

朱七七悲痛之极，根本未听得他们说的是什么话，只觉自己又被抬到车上，她也不知这些人要将自己送去哪里。

车上还有个童子她认得的，他却不认得她了，竟远远地躲着她，再也不肯坐到她身旁。

熊猫儿用块布将敞篷车盖起，车马启行，直奔洛阳。

车马连夜而行，到了洛阳，正是凌晨时分。

他们等了盏茶多时分，城门方开，金无望策马入城。

沈浪道："如此凌晨，怎可骚扰人家？"

熊猫儿笑道："我在洛阳城还有个朋友，他家的大门，终年都是开着的，无论什么人，无论何时去，都不会尝着闭门羹。"

沈浪微笑道："此君倒颇有孟尝之风。"

熊猫儿抚掌大笑道："此人复姓欧阳，单名喜，平生最最欢喜的，便是别人将他比作孟尝，他若听到你的话，当真要笑倒地上了。"

金无望冷冷道："看来阁下的狐朋狗友，倒有不少。"

熊猫儿也不理他，抢过鞭子，打马而行，凌晨之时，长街寂寂，熊猫儿空街驰马，意气飞扬。

突闻一条横街之中，人声喧哗，花香飘散。

熊猫儿扬起丝鞭，指点笑道："这便是名闻天下的洛阳花市了，远自千里外赶来此地买花的人，却有不少，尤其洛阳之牡丹，更是冠绝天下。”

沈浪笑道：“我也久闻洛阳花市之名，今日既来此间，本也该买些鲜花才是，怎奈……纵有买花意，却无戴花人，还是留诸来日吧。”

两人相顾大笑，车厢里的朱七七却听得更是欲醉。

她此刻若能坐在沈浪身旁，让沈浪下车买花，亲手在她鬓边缀上一朵娇艳的牡丹，便是立刻叫她去死，她也心甘情愿了。

而此刻她明知穿过花市，便是囚禁方千里、铁化鹤等人的密窟，她腹中空有满腹机密，却说不出口来，那鬓边簪花的韵事，自更不过是遥远的梦境罢了，车行颠簸，她泪珠又不禁滚下面颊。

这时忽然有两辆白马香车，斜地驶来，驶入花市。

车厢外铜灯崭亮，车厢里燕语莺声，不时有簪花佩玉的丽人，自车帷间向外偷偷窥望，眼波横飞，巧笑迎人。

风卷车幔，朱七七不经意地自车后瞥了一眼，心头不觉又是一跳，这香车白马，赫然正是那日载运铁化鹤等人入城的魔车。

只听熊猫儿纵声笑道：“只望见绣毂雕鞍佳人美，却不知香车系在谁家门？看来我也只得空将此情付流水了。”

沈浪笑道：“兄台如此轻薄，不嫌唐突佳人？”

熊猫儿道：“此花虽好，怎奈生在路边墙头，你若是肯轻千金买一笑，我就可攀折鲜花送君手，吾兄岂有意乎？”

沈浪抚掌道：“原来你还是识途老马。”

熊猫儿大笑道：“今日的江湖侠少年，本是昔日的章台走马客，你岂不知肯舍千金买一笑，方是江湖奇男子。”

两人又自相顾大笑，朱七七又不禁吃了一惊。

囚禁了许多英雄豪杰的神秘魔窟，难道竟会是王孙买笑的金粉楼台？那些个身怀绝技的白云牧女，难道竟会是投怀送抱的路柳墙花。

这实是她再也难以相信的事。

马车终于到了那终年不闭的大门前，欧阳喜见了熊猫儿果然喜不自胜，当下摆开酒筵，为他洗尘。

熊猫儿匆匆为沈浪、金无望引见过了，便自顾饮啖。

欧阳喜笑道：“你这只猫儿，近日已愈来愈野，终年也难见你，今日里闯到我家来，除了贪嘴外，莫非还有什么别的事？”

熊猫儿笑骂道：“你只当我是来寻你这冒牌孟尝的么。嘿嘿，就凭你这点肥肉酸酒，还休想将我这只野猫引来。”

欧阳喜道：“你去寻别人，不被赶出才怪。”

熊猫儿放下杯筷，道：“说正经的，我今日实是为一要事寻访王怜花而来，却不知他近日可在洛阳城中？”

欧阳喜笑道：“算你走运，他恰巧未离洛阳。”

语声微顿，突又笑道：“说起他来，倒有个笑话。”

熊猫儿道：“王怜花笑话总是不少，但且说来听听。”

欧阳喜道：“日前冷二先生来这里做买卖时，突然闯出位富家美女，我们的王公子想必又要施展他那套攀花手段了，却不知……”

他故意顿住语声，熊猫儿果忍不住问道：“却不知怎样了？”

欧阳喜哈哈笑道：“那位姑娘见着他，却仿佛见了鬼似的，头也不回地跑了，这只怕是他一生中从未遇着的事，却便宜了贾剥皮，他本卖了个丫环给这位姑娘，她这么一走，贾剥皮竟乘乱又将那少女偷偷带走了。”

熊猫儿也不禁放怀大笑，正想问他那位姑娘是谁。

沈浪却已先问道：“不知那冷二先生，可是与仁义庄有些关系？”

欧阳喜叹道：“正是，这冷二先生，为了仁义庄，可算仁至义尽，江湖中都知道冷二先生做买卖的手段天下无双，一年中不知要赚进多少银子，但冷二先生却将银子全送进仁义庄，自己省吃俭用，连衣裳都舍不得买一件，终年一袭蓝衫，不认得他的，却要当他是个穷酸秀才。”

沈浪慨然道：“不想冷氏三兄弟，竟俱是人杰……”

话犹未了，突听一阵清朗的笑声自院中传来。

一个少年的话声道：“欧阳兄，你家的家丁好厉害，我还在高卧未醒，他却说有只猫闯来，定要我来赶猫，却不知我纵能降龙伏虎，但见了这只猫也是头疼的。”一个狐裘华服的美少年，随着笑声，推门而入。

熊猫儿大喝一声，凌空一个翻身，越过桌子，掠到这少年面前，一把抓住他衣襟，笑骂道：“一个自吹自擂的小泼皮，你除了拈花惹草外，还会什么？竟敢自夸有降龙伏虎的本领，也不怕风大闪了你的舌头。”

那少年笑道：“不好，这只猫儿果然愈来愈野了。”

熊猫儿大声道：“近日来你又勾引了多少个女子？快快从实招来。”

那少年还待取笑，一眼瞧见了金无望与沈浪，目光立被吸引，大步迎了上去，含笑抱拳道：“这两位兄台一位如古柏苍松，一位如临风玉树，欧阳兄怎地还不快快为小弟引见引见。”

欧阳喜嘻笑之间，竟忘了沈浪的名字，金无望的名字，他更是根本就不知道，只得含糊道：“这位金大侠，这位沈相公，这位便是王怜花王公子，三位俱是人中龙凤，日后可得多亲近亲近。”

金无望冷冷哼一声，沈浪含笑还揖。

于是众人各自落座，自又有一番欢笑。

欧阳喜道：“王兄，这只野猫，今日本是来寻你的，却不肯说出是为了何事，你此刻快些问问他吧。”

王怜花笑道：“野猫来寻，终无好事，难怪这几日我窗外鸦喧雀噪，果然是闭门家中坐，祸从天上来了。”

熊猫儿笑道：“这次你却错了，此番我来，既不要银子，也不要酒，只是将两个绝色佳人，送来给你瞧瞧。”

沈浪暗笑忖道：“这猫儿看来虽无心机，却不想他要人做事时，也会先用些手段，打动人心，再教人自来上钩。”

王怜花大笑道：“你找我会有如此好事，杀了我也难相信，那两位绝色佳人，还是留给你自己瞧吧，小弟唯恐敬谢不敏了。”

熊猫儿笑骂道：“好个小人，岂能以你之心，度我之腹，此番我既已将佳人送来，你不瞧也要瞧的，只是——”他眨了眨眼睛，顿住语声。

王怜花笑道：“我知道你眼睛一眨，就有花样，如今花样果然来了，反正我已上了你的钩，你这‘只是’后有些什么文章，还是快些做出来吧，也省得大家着急。”

沈浪、欧阳喜俱不禁为之失笑，熊猫儿道：“只是你想瞧瞧这两位佳人，还得要有些手段。”

王怜花道：“要有什么手段，才能瞧得。”

熊猫儿道："你且说说你除了舞刀弄枪，舞文弄墨，吹吹唱唱，看天算卦，和医人肚子痛这些花样外，还会些什么？"

王怜花道："这些还不够么？"

熊猫儿道："非但不够，还差得远。"

王怜花摇头笑道："好个无赖，只可惜我不知你爹爹生得是何模样，否则我也可变作他老人家，来教训教训你这不肖之子。"

熊猫儿猛地一拍桌子，大声道："这就是了。"

王怜花、欧阳喜都被他骇了一跳，齐地脱口道："是什么？"

熊猫儿道："你还会易容之术，是么？……嘿嘿，莫摇头，你既已说漏了嘴，想补可也补不回来了。"

王怜花苦笑道："却又怎样？"

熊猫儿道："那两位绝色佳人，如今被人以易容术掩住了本来的绝色，你若能令她们恢复昔日颜色，我才真算服了你。"

王怜花目光一闪，道："那两位姑娘是谁？"

熊猫儿道："这……这我也不清楚，我只知她们姓白。"

王怜花目中光芒立刻隐没，似是在暗中松了口气，喃喃道："原来姓白……"突然一笑，接道，"老实说，易容之术，我也只是仅知皮毛，要我改扮他人，我虽不行，但要我洗去别人易容，我还可试试。"

熊猫儿大喜道："这就够了，快随我来。"

朱七七与白飞飞已被安置在一间静室之中，熊猫儿拉着王怜花大步而入，沈浪等人在后相随。

朱七七一眼瞧见王怜花，心房又几乎停止跳动，全身肌肤都起了悚栗，她委实做梦也未想到熊猫儿拉来的竟是这可怕的恶魔。

那时她落在"青衣妇人"手中时，她虽然已觉这人并不如"青衣妇人"可怕，但此刻她方自逃脱"青衣妇人"的魔掌，又见着此人，此人的种种可怕之处，她一刹那便又都想了起来。

她只有凝注着沈浪，她只有在瞧着沈浪时，心头的惧怕，才会减少一些，只恨沈浪竟不瞧她。

熊猫儿道："你快仔细瞧瞧，她们脸上的玩意儿你可洗得掉？"

王怜花果然俯下头去，仔细端详她们的面目。

朱七七又是惊恐，又是感慨，又是欢喜，只因她深信这王怜花必定有令她完全恢复原貌的本事。

但她却实也未想到造化的安排，竟是如此奇妙，竟要他来解救于她，她暗中咬牙，暗中忖道："苍天呀苍天，多谢你的安排，你的安排确是太好了，只要他一令我回复声音，我第一件事便是揭破他的秘密，那时他心里却不知是何滋味？"想到这里，连日里她第一次有些开心起来。

她生怕王怜花发现她目光中所流露的惊怖、欢喜、感慨这些强烈而复杂的情感，赶紧悄悄闭起了眼睛。

王怜花在她两人面前仔细端详了足有两盏茶时分，动也未动，熊猫儿等人自也是屏息静气，静静旁观。

只见王怜花终于站起身子，长长叹了口气，道："好手段……好手段……"

熊猫儿着急问道："怎样了？你可救得了么？"

王怜花先不作答，却道："瞧这易容的手段，竟似乎是昔年江左司徒家不传秘技……"

熊猫儿大喜，击节道："果然不错，你果然有些门道……你既能看得出这易容之术的由来，想必是定能破解的了。"

王怜花道："我虽可一试，但……"

他长长叹息一声，接道："为这两位姑娘易容之人，实已将易容之术发挥至巅峰，他将这两张脸，做得实已毫无瑕疵，毫无破绽……"

熊猫儿忍不住截口道："如此又怎样？"

王怜花道："在你们看来，此刻她们这两张脸，固是丑陋不堪，但在我眼中看来，这两张脸却是极端精美之作品，正如画家所画之精品一般，实乃艺术与心血之结晶，我实不忍心下手去破坏于它。"

熊猫儿不觉听得怔住了，怔了半晌，方自笑骂道："狗屁狗屁，连篇狗屁。"

王怜花摇头叹息道："你这样的俗人，原不懂得如此雅事。"

熊猫儿一把拉住了他，道："这是雅事也好，狗屁也好，我全都不管，我只要你恢复这两位姑娘原来的颜色，你且说肯不肯吧。"

王怜花苦笑道："遇着你这只野猫，看来我也只得做做这焚琴煮鹤、大杀风景的事了，但你也得先松开手才是。”

熊猫儿一笑松手，道：“还有，她两人此刻已被迷药治得又瘫又哑，你既然自道医道高明，想必是也能解救的了。”

王怜花沉吟道：“这……我也可试试，但我既如此卖力，你等可也不能闲着，若是我要你等出手相助，你等也万万不能推诿。”

说这话时，他目光有意无意，瞧了沈浪一眼。

沈浪笑道：“小弟若有能尽力之处，但请兄台吩咐就是。”

王怜花展颜而笑，道：“好，一言为定。”

他目光当即落在欧阳喜身上。

欧阳喜失笑道：“这厮已在算计我了……唉，反正是福不是祸，是祸逃不过，我的王大公子，你要什么？说吧。”

王怜花笑道：“好，你听着……上好黑醋四坛，上好陈年绍酒四坛，精盐十斤，上好细麻纱布四匹……”

欧阳喜道：“你！你究竟是想当醋坛子，还是想开杂货铺？”

王怜花也不理他，接道：“全新铜盆两只，要特大号的，全新剪刀两把，小刀两柄，炭炉四只，铜壶四只，也都要特大号的，火力最旺之煤炭两百斤……还有，快叫你家的仆妇，在半个时辰内，以上好干净的白麻布，为我与这位沈相公剪裁两件长袍，手工不必精致，但却必需绝对干净才可。”

众人听他竟零零碎碎地要了这些东西，都不禁目定口呆。

熊猫儿笑道：“听你要这些东西，既似要开杂货铺，又似要当收生婆，还似要做专卖人肉包子的黑店东，将这位姑娘煮来吃了。”

欧阳喜笑道：“却坑苦了我，要我在这半个时辰里为他准备这些乱七八糟的东西，岂非要了我的命了……”

他口中虽在诉苦，面上却满是笑容，只因王怜花既然要了这些令人惊奇之物，想必自然有令人惊奇的身手。

而这“易容之术”，虽然尽人皆知，但却大多不过是自传闻中听来而已，欧阳喜虽是老江湖了，但也只到今日，才能亲眼瞧见这“易容术”中的奇妙之处，当下匆匆走出，为王怜花准备去了。

不出半个时辰，欧阳喜果然将应用之物，全部送来，炉火亦已燃起，铜壶中也满注清水已煮得将要沸腾。

王怜花取起一件白布长袍，送到沈浪面前，笑道："便相烦沈兄穿起这件长袍，为小弟做个助手如何？"

沈浪道："自当从命……"

熊猫儿忍不住道："我呢？你要我做什么？"

王怜花笑道："我要你快快出去，在外面乖乖地等着。"

熊猫儿怔了一怔，道："出去？咱们不能瞧瞧么？"

欧阳喜笑道："他既要你出去，你还是出去吧，咱们……"

王怜花道："你也得出去。"

欧喜阳也怔住了，道："连……连我也瞧不得。"

王怜花正色道："小弟施术之时必须澄心静志，不能被任何人打扰，只因小弟只要出手稍有不慎，万一在两位姑娘身上留下些什么缺陷，那时纵是神仙，只怕也无术回天了，是以不但你两人必须退出，就连这位金大侠，也请暂时回避的好。"

欧阳喜与熊猫儿面面相觑，满面俱是失望之色。

金无望却已冷哼一声，转身退出。欧阳喜与熊猫儿知道再拖也是拖不过的，也只得叹着气走了。

王怜花将门户紧紧掩起，又将四面帘幔俱都放下，帘幔重重，密室中光线立时暗了下来，四下角落里，似乎突然漫出了一种神秘之意。而那闪动的炉火，使这神秘之意更加浓重。

沈浪静静地站着，静静地望着他，火炉上水已渐渐沸腾，蒸气涌出，发出了一阵阵"嗞嗞"的声响。

王怜花突然回身，凝注沈浪，道："小弟请他们暂时回避，为的自是不愿将'易容术'之秘密泄漏出去，此点沈兄想必知道。"

沈浪笑道："不错。"

王怜花沉声道："欧阳喜与熊猫儿俱是小弟多年好友，而兄台与小弟，今日却是初次相识，小弟不愿泄密于他两人，却有劳兄台相助，这其中自有缘故，以兄台之过人智慧，此刻必定已在暗中奇怪。"

沈浪微微一笑，道："在下正想请教。"

王怜花笑道："这只因小弟与兄台虽是初交，但兄台之照人神采，却是小弟平生所未曾见过的，委实足以令小弟倾倒。"

沈浪笑道："多承夸奖，其实在下平生阅人虽多，若论慷慨豪迈，洒脱不羁，虽数熊兄，但若论巧心慧智，文采风流，普天之下，当真无一人能及兄台。"

他语声微顿，目光闪动，突又接道："除此之外，兄台想必另有缘故，否则也不……"

王怜花不等他话说完，便已截口笑道："不错，小弟确是另有缘故，是以才对兄台特别亲近。"

沈浪道："这缘故想必有趣得很。"

王怜花笑道："确是有趣得很。"

沈浪道："既是如此有趣，不知兄台可愿说来听听？"

王怜花先不作答，沉吟半晌，却接道："方才欧阳喜为小弟引见兄台时，并未说及兄台的大号，是么？"

沈浪笑道："欧阳兄想必是根本未曾听清小弟的名姓，或是听过后便已忘了，这本是应酬场中极为常见之事。"

王怜花道："但兄台的姓名，小弟却可猜出来的。"

沈浪笑道："兄台有这样的本事？"

王怜花微微一笑，道："兄台大名可是沈浪？"

沈浪面上终于露出了惊奇之色，道："不错，你果然猜对了……你怎会猜出小弟的姓名，莫非是……早已有人在兄台面前提起过小弟了么？"

两人言来语去，朱七七在一旁听得既是吃惊，又是羞急，又有些欢喜，既不愿王怜花说出沈浪的名字，又想听王怜花说出沈浪的名字，既不愿王怜花向沈浪出手，又恨不得沈浪一拳将王怜花打死。

她忍不住睁开眼睛，瞧着王怜花究竟要如何对待沈浪，究竟要说出什么话来。

只听王怜花笑道："兄台若要问小弟怎会知道兄台的大名，这个……日后兄台自会知道的。"

转过身子，将醋坛开启，再也不瞧沈浪一眼，但手掌却不免有些颤抖。

朱七七暗中松了口气，心头亦不知是失望，还是庆幸。此刻她心情之复杂，连她自己也分辨不清。

王怜花将铜壶的壶口对住了白飞飞，那一阵阵热气直冲到白飞飞面上，白飞飞也只得闭起眼睛。

过了约摸盏茶时分，王怜花道："有劳沈兄将壶盖启开。"

沈浪一直在静静地瞧着他，此刻微笑应了，伸手掀起壶盖，那炽热更甚于火炭的青铜壶盖，他竟能满握在掌中，竟似毫不在意。

王怜花似乎未在瞧他，但神色间却已有了些变化——这变化是惊奇，是赞佩，是羡慕，还是妒忌？也许这四种心情，都多少有着一些。

他将醋倾入铜壶中，又过了半晌，壶中冲出的热气，便有了强烈的酸味，这蒸馏的酸气，使白飞飞眼睛闭得更紧了。

这样过了顿饭工夫，半坛醋俱已化作蒸气，白飞飞嘴角僵硬的肌肉，已有些牵动，而且已沁出些唾沫。

王怜花放下醋坛，取起酒坛，将酒倾入壶中，酸气就变为酒气，酒气辛辣，片刻间白飞飞眼角便沁出了泪水。

满室火焰熊熊，沈浪与王怜花额上都已有了些汗珠，王怜花又在两只盆中注满了酒、醋与清水，口中道："麻烦沈兄将这位姑娘的衣衫脱下，抬进盆里。"

沈浪呆了一呆，讷讷道："衣衫也得脱下么？"

王怜花道："正是，此刻她毛孔已为易容药物所闭塞，非得如此，不能解救。"

说话间自怀中取出三只小小的木瓶，自瓶中倒出些粉末，分别倾入两只铜盆，忽又笑道："堂堂的男子汉，连女人的衣衫都不敢脱么？"

沈浪转首望去，只见白飞飞一双泪光盈盈的眸子里已流露出混合着惊惶、羞急与乞怜的光芒。

他轻叹一声，道："事急从权，不得不如此，但请姑娘恕罪。"

缓缓伸出手掌，解开了白飞飞肋下的衣纽。

熊猫儿与欧阳喜在门外逡巡徘徊，走个不停，满面俱是焦急之色，那心情真的和枯守在产房外，等着看自己妻子头胎婴儿降生的父亲有些相似。金无望虽能坐着不动，但目光也已有些失去平静。

只听房中传出一阵阵拨动炭火声，嗤嗤水沸声，注水入盆声，刀剪响动声，还似乎有些洗涤之声。

熊猫儿忽然笑道："听这声音，他两人竟似在里面杀猪宰羊一般，那俩姑娘，不知要被他们如何摆布……"

欧阳喜苦笑道："他若肯让我进去瞧瞧，要我叩三个头，我都心甘情愿。"

熊猫儿点头叹道："谁说不是，只可惜……"

突听门里传出一声惊呼一声轻叱，竟是沈浪的声音。

金无望霍然长身而起，便待闯入门去，却被熊猫儿一把拉住了。

金无望怒道："你要怎地？"

熊猫儿笑道："兄台何必紧张，以沈兄那样的人物，还会出什么事不成？金兄若是胡乱闯进去，王怜花一怒之下，说不定将剩下的一半事甩手不管了，那时便该当如何是好？那两位姑娘岂非终生无法见人了？"

金无望沉吟半晌，冷哼一声，甩开了熊猫儿的手，大步走回原地坐下，他想像沈浪这样的人，的确是不会出什么事的。

但这时，门内却又响起了一阵手掌相击声，响声急骤，有如密珠相连，金无望不禁又为之变色，再次长身而起。

欧阳喜亦自皱眉道："这是什么声音？"

熊猫儿沉吟道："只怕是王怜花在为那两位姑娘推拿拍打。"

欧阳喜连连颔首道："不错……不错……"

金无望口中虽未言语，但心里自也接受了熊猫儿的猜测，但他身子才自坐下，门里又传出一声惊呼。

这次惊呼之声，却是王怜花发出的。

欧阳喜面色变了，也待闯将进去。

但他也被熊猫儿拉住了。

第十章

妙手复娇容

欧阳喜忽听门里的王怜花发出了惊呼之声，不由得说道："王兄素来镇静，此刻居然惊呼出声，莫非……"

熊猫儿截口笑道："莫非怎地？王怜花正在出手解救那两位姑娘，沈兄还会对他怎地不成，何况他两人初次相识，非但素无仇隙，而且还显有惺惺相惜之意……嘿嘿，只怕你是一心想要进去瞧瞧，才故意找个借口吧。"

欧阳喜失笑道："好贫嘴的猫儿，你难道不觉得那惊呼奇怪么？"

熊猫儿笑道："那只怕是他两人被那两位姑娘的美艳所惊，忍不住叫了出来，尤其王怜花这色魔，此刻只怕连骨头都酥了。"

欧阳喜摇头笑道："这艳福也只他俩人分享了，你干急又有什么用呢？"

门关得很紧，除了较大的响动、失声的惊呼外，沈浪与王怜花说话的声音，门外并无所闻。

欧阳喜探首窗外，日色已渐渐升高，他又忍不住要着急了，不住搔耳顿足，自言自语，喃喃道："他两人怎地还不出来，莫非……莫非出了事么……"

沈浪方自解开白飞飞第一粒衣纽，白飞飞已将眼睛紧紧闭了起来，手脚也起了一阵阵轻微的颤抖。

她面容虽已被弄得丑怪异常，但在眼帘阖起前，眼波中所流露的那种娇羞之色，却委实令人动心。

这种柔弱少女的娇羞，正是朱七七所没有的。

此刻她虽已阖起眼帘，沈浪似乎还是不敢接触到她眼睛，轻巧地脱去了衣衫，连指尖都未接触到她身子。

白飞飞长衫下竟无内衣。

忽然之间，白飞飞那莹白如玉，柔软如天鹅，玲珑如鸽子的娇躯，已展露在沈浪的眼前。

她的胴体并无那种引人疯狂的热力，却带着一种说不出的，惹人怜爱的娇弱，那是一种纯情少女所独有的风韵，动人情处，难描难叙。

沈浪要想不瞧已来不及了，这一眼瞧下，便再也忍不住有些痴迷，一时之间，目光竟忘了移开。

他虽是英雄，但毕竟也是个男人。

朱七七听得沈浪要脱下白飞飞的衣衫，眼睛便狠狠地盯着他，此刻瞧见他如此神情，目光中便也忍不住露出妒恨之色。

她含恨自语："沈浪呀沈浪，原来你也是个好色之徒，我如此对你，将别的男人全不瞧在眼里，但你见到别的女子，却是如此模样，我……我又何苦如此对你……"

转眼一望，王怜花竟也站在角落里，背向着沈浪与白飞飞，居然连眼角也未偷偷来瞧一眼。

此刻他干咳一声，道："衣衫已脱下来了么？好，如此便请沈兄将她抱入盆里，用小弟方才新裁的纱布，将她从头到脚，仔细洗涤两遍……先用左边盆中之水，洗完了，再换右面的一盆，千万弄错不得。"

沈浪回过头来，着急道："但……但兄台你为何不动手？"

王怜花也不回头，只是微微笑道："姑娘们的处子之身，是何等尊贵，此番虽因事急从权，不得不如此，但能少一人冒渎于她，还是少一人好，沈兄以为是么……她既已是沈兄的人了，便只得请沈兄一人偏劳到底了。"

沈浪着急道："她……她既是小弟的人了……此话怎讲？"

王怜花哈哈一笑，避不作答，却道："水中药力已将消散，沈兄还不动手？"

沈浪怔了半晌，只得长叹一声，抱起白飞飞的身子放入水中，又自盆边取起了那一叠新裁白纱。

王怜花背着双手，缓缓地又道："这两位姑娘，想必俱是天香国色，沈兄今日，当真可谓艳福不浅。”

沈浪面上忍不住微现怒容，沉声道：“兄台如此说话，却将小弟当成了何等人物？”

王怜花道：“小弟只是随意说笑，兄台切莫动怒，但……”

沈浪道：“但什么？”

王怜花缓缓道：“这两位姑娘既是兄台带来的，此刻她们的清白之躯，又已都落在兄台的眼中，也已都落在兄台的手中，兄台此后对她两人，总不能薄情太甚，置之不顾，兄台若是稍有侠义之心，便该将她两人的终身视为自己的责任，万万不能再对第三个女子动情了。”

沈浪听得又惊又怒，但王怜花却又偏偏说得义正词严，沈浪一时之间，竟不知该如何反驳。

这其中只有朱七七知道王怜花如此做是何用意，只因此刻除了她自已之外，谁也不知道她就是朱七七。

王怜花此刻说来说去，只是要以言辞套住沈浪，等到这两个女子对沈浪纠缠时，好教沈浪无法脱身，他自有法子令这两个女子对沈浪纠缠的，何况那时的少女若被男子瞧着了自己的清白之躯，本就只有以身相委，更何况沈浪本就是最易令少女欢喜的那型人物。

沈浪被她们纠缠住了，自然无法再对别的女子动情，王怜花所说的那“第三个女子”，自然也就是指的朱七七。

王怜花这一着棋下得端的不差，怎奈智者千虑，总有一失，他算来算去，却再也算不出这两个女子中竟有一人是朱七七，他费尽心思想出了这“移花接木”的巧计，怎奈却反而弄巧成拙。

沈浪不再说话，嘴角居然又泛起了微笑。

王怜花道：“沈兄可是洗好了么？……好，再请沈兄抹干她的身子……好，此刻便请沈兄以阳和之掌力，将她‘少阴’四侧四十六处穴道一一捏打，但沈兄若是怕羞，不妨先为这位姑娘穿起衣服来。”

他话未说完，已有衣服窸窣声响起，接着，便是一阵手掌轻拍声，沈浪呼吸渐渐粗重，白飞飞也发出了轻微的喘息，销魂的呻吟……

那“少阴”四侧，正是女子身上最最敏感之地，若经男子的手掌捏打，那滋味可想而知。

朱七七狠狠瞧着沈浪移动在白飞飞身上的手掌，心里突然想起了自己那日在地窖中被王怜花手掌拿捏的滋味。

刹那之间，她只觉一阵奇异的暖流，流遍了全身，心头仿佛也有股火焰燃烧起来，也不知是羞？是恼？还是恨？

白飞飞眼帘闭得更紧，身子颤抖更剧。

王怜花缓缓转过身，将刀剪在沸醋中煮了煮，面带微笑，静静地瞧着她与沈浪，口中道："沈兄手掌切切不可停顿……无论见着什么，都不可停顿，否则若是功亏一篑，那责任小弟可不能担当。"

沈浪微微笑道："兄台只管放心，小弟这一生之中，还未做过一分令别人失望的事。"言语之间竟似有些双关之意。

他又何尝未觉出白飞飞在他手掌下的微妙反应，他自己又何尝未因这种奇异的反应而微微动心。

但他面上绝不露神色，竟似有成竹在胸，将任何一件可能将要发生的事，都打定了应付的主意。

只见王怜花走到白飞飞面前，道："此刻这位姑娘面上的易容药物，已在外面的酒醋蒸气与她内发的汗热之力交攻下，变得软了。"

他口中说话，双手已在白飞飞面上捏了起来，白飞飞面上那一层看来浑如天生的"肌肤"，已在他手掌下起了一层层扭曲，使她模样看来更是奇异可怖，王怜花取了粒药，投入白飞飞口中，又道："此刻她体中气血已流通如常，口中也已可说话，只是……"

忽然一笑，方自接着说道："只是她此刻在沈兄这双手掌捏拿之下，已是骨软神酥，虽能说话，也不愿说出口来。"

若是别人听到此话，这双手哪里还能再动下去，但沈浪却只作未曾听到，一双手更是绝不停顿。

王怜花一笑道："好……"突然用两根手指将白飞飞眼皮捏了起来，右手早已拿起剪刀，一刀剪了下去。

只听"咔嚓"一响，白飞飞一块眼皮竟被他生生剪了下来，白飞飞虽不觉痛苦，沈浪与朱七七却不免吃了一惊。

王怜花将剪下之物，随手抛入盐桶之中，立即拿起小刀，一刀刺入了方才被他剪开的眼皮里。

沈浪更是吃惊，但白飞飞仍然全不觉痛苦。只见王怜花手掌不停，小刀划动，白飞飞面上那一层肌肤，随着刀锋，片片裂开，一张脸立时有如被划破的果皮一般，支离破碎，更是说不出的诡异可怖。沈浪虽明知这层“肌肤”乃易容药物凝成，仍不禁瞧得惊心动魄。

突然间，寒光一闪，王怜花掌中的小刀，竟笔直向沈浪面上划了过来，白刃破风，急如闪电。

朱七七瞧得清楚，这一惊当真非同小可。

沈浪正自全神贯注，眼见这一刀他是避不过的了。

哪知沈浪一声惊呼，一声轻叱，胸腹突然后缩，双足未动，上半身竟凭空向后移开了三寸，刀锋堪堪擦着他面颊掠过，却未伤及他丝毫皮肉。

朱七七不知不觉间，已为沈浪流出了冷汗，但沈浪双手却仍未停顿，犹在推拿，只是目中已现出怒色，沈浪道：“你这算什么？”

王怜花居然行所无事，微微一笑，道：“小弟只是想试试沈兄的定力，是否真的无论在任何情况之下，双手都不会停顿。”

沈浪竟也微微一笑道：“哦！真的么？”居然也是行所无事，对于方才之事再也不提一字。

王怜花凝目瞧了他半晌，目中又不禁流露出钦佩与妒忌之意，忽然长长叹息一声，道：“兄台一生之中，难道从未将任何事放在心上么？”

沈浪笑道：“自然有的，只是别人瞧不出而已。”

这话说得仍然温柔平静，但王怜花听在耳里，不知怎地，心头竟泛起了一股寒意，暗暗忖道：“有如此人物活在世上，我王怜花活着还有何乐趣……”

心意转动间，手掌轻拂，一阵柔风吹过，白飞飞面上那片片碎裂的肌肤，立时随风飘起，自己仿佛长着眼睛似的，一片片俱都落入了那盐桶之中。

沈浪笑道：“好掌力，好……”

目光瞥见白飞飞的真正面容，语声突顿，半晌说不出话来。

只见她双颊玫瑰般娇红，仍沁着一粒粒珍珠般的汗珠，长长的睫毛，覆盖在眼帘上，琼鼻樱唇中，却是娇喘吁吁……

沈浪方才已见过她裸露的身子，已接触过她凝脂般的香肌玉肤，却还不觉怎样，但此刻瞧见她这脉脉含羞的娇靥，楚楚动人的风情，心头却不禁生出一种异常的感觉，一双手掌再也不敢接触她的身子，莫忘了他终究还是个男子，这种心情正是天下任何一个男人都难避免的。

王怜花也瞧得痴了，怔了半晌，长长叹息道："果然是天香国色，果然是国色无双……"

朱七七见到这两男人瞧着白飞飞的神情，银牙又不觉轻轻咬起，在心头暗暗骂着："男人，男人，天下的男人，没有一个是好东西。"

她心胸虽然豁达，但这两个男人，一个是深深爱着她的，一个是她深深爱着的，她见到他们为别人着迷，心里仍不觉生出妒恨之意——莫忘了她终究是个女子，这心情正是天下任何一个女人都难避免的。

朱七七目光无意间瞧向王怜花，王怜花目光恰巧正向沈浪望了过去，目中又有杀机，朱七七暗惊忖道："不好……"

心念闪动，王怜花双掌已向沈浪连环拍出，掌势之迅急，竟似比朱七七心念的转动还快几分。

他此番出手又是突如其来，迅疾无伦。

哪知沈浪眼睛虽似未瞧着他，其实却将他每个动作都瞧得清清楚楚，他手掌方自拍出，沈浪双掌也已迎了上去。

四掌相击，只听一连串掌声响动，密如连珠，十余掌击过，沈浪纹风未动，王怜花却已惊呼一声，退出数步。

沈浪道："兄台这又算什么？"

王怜花退到墙角，方自站稳，拍了拍那身新裁的雪白麻布衣衫，居然仍是行所无事，笑道："小弟这不过只是想试试兄台，经过方才那一番推拿之后，内力是否已有了伤损。"

沈浪凝目瞧了他两眼，微微笑道："哦？真的么？多承关心。"居然也还是若无其事，对方才之事再也不提一字。

朱七七眼睛瞪着他，咬牙暗道："沈浪呀沈浪，你这呆子，他要你做他助手，就是要趁机害你的，你还不知道么？你这呆子，你这没有良心的，有时我真恨不得让你被人害死才好。"

白飞飞也偷偷地将眼睛睁开了一线，偷偷地瞧着沈浪，她面上红晕犹未褪去，那一丝如梦如幻的星眸中，流露出的也不知是羞涩还是爱慕——她——除了瞧着沈浪外，眼波再也未向别人去瞧一下。

王怜花又将醋酒的蒸气，喷到朱七七脸上。

朱七七眼泪鼻涕，一齐流了出来，这种滋味她虽忍受不了，但想到自己立时便将脱离苦海，一颗心便不由得“怦怦”跳了起来，肉体上再大苦痛，却已不算什么，她已都可忍受了。

然后王怜花又在新盆中注满了酒、醋、药物与清水，这次他下的药物更重，转首向沈浪笑道：“要治疗这姑娘，可比方才那位要麻烦多了，沈兄少不得也要多花些气力。”

话未说完，又退到墙角之中，面壁而立。

沈浪苦笑道：“还是和方才一样么？”

他似乎对别人的要求，从来不知拒绝，对任何事，都能逆来顺受。

王怜花笑道：“不错，还是和方才一样，要有劳沈兄将这位姑娘在两盆水里浸上一浸……”

朱七七眼瞧着沈浪手掌触及自己的衣纽，芳心不由得小鹿般乱撞起来，几乎要跳入嗓子眼里。

她也不由得紧紧闭起眼睛，只觉自己身子一凉，接着便被浸入温热的水里，她身子蜷曲着，耳中听得一阵阵动情的喘息与呻吟——她方才也曾暗暗骂过白飞飞，然而此刻这喘息与呻吟却是她自己发出来的。

她痴痴迷迷，晕晕荡荡，如在梦中，如在云中，如在云端，也不知过了多久，仿佛漫长无极，又仿佛短如刹那。

终于，她身子又被抱了起来，擦干了，穿上衣服，这时她身上那种僵硬与麻木已渐消失，她已渐渐有了感觉。

于是，她便感觉到一双炙热的手掌在她身上推拿起来，她喘息不觉更是粗重，呻吟之声更响……

她竟已在不知不觉间发出了声音，这本是值得狂喜之事，她曾经发誓只要自己一能发出声音，便要揭破王怜花的奸谋，她也曾发誓要狠狠痛骂沈浪一顿，然而她此刻已是心醉神迷，竟未觉自己能出声，竟忘了说话。

白飞飞蜷曲在榻角，喘息仍未平复，仍不时偷偷去瞧沈浪一眼，王怜花面壁而立，似在沉思。

这是幅多么奇异的画面，多么奇异的情况，愈是仔细去想，便愈不能相信世上竟有如此巧妙的遇合。

这四人相互之间，关系本已是如此微妙，造物主却偏偏还要他们在如此微妙的情况下遇在一起。

王怜花默然凝思了半晌，终于缓缓回过身来，拿起了一副新的刀剪，捏起了朱七七的眼皮。

他左手虽然已将朱七七眼皮捏起，右手的剪刀也已触及她的眼皮，但这一刀却迟迟不肯剪将下去，只是凝目瞧着沈浪，似已瞧得出神。

沈浪忍不住问道："兄台为何还不下手？"

王怜花说道："小弟此刻心思极为纷乱，精神不能集中，若是胡乱下手，只怕伤了这位姑娘的容颜。"

沈浪奇道："兄台心思为何突然纷乱起来？"

王怜花微微一笑，道："小弟正在思索，待小弟将这两位姑娘玉体复原之后，不知兄台会如何对待小弟？"

沈浪笑道："自是以朋友相待，兄台为何多疑？"

王怜花道："小弟方才两番出手相试，兄台难道并未放在心上，兄台难道并未认为小弟有故意出手伤害兄台之心。"

沈浪含笑道："我与你素无冤仇，你为何要出手害我？"

王怜花展颜而笑，道："既是如此，小弟便放心了，但望兄台永远莫忘记此刻所说的话，永远以朋友相待于我。"

沈浪道："兄台若不相弃，小弟自不敢忘。"

王怜花笑道："好……"忽然放下刀剪，走了开去。

沈浪忍不住再次问道："兄台此刻为何还不下手？"

王怜花笑道："兄台既肯折节与小弟订交，小弟自该先敬兄台三杯。"寻了两个茶盏，自坛中满满倒了两盏白酒。

沈浪道："但……但这位姑娘……"

王怜花道："兄台只管放心，这位姑娘的容颜，自有小弟负责为她恢复，兄台此刻先暂且住手，亦自无妨。"

他已将两杯酒送了过来，沈浪自然只得顿住手势，接过酒杯。

王怜花举杯笑道："这一杯酒谨祝兄台多福多寿，更愿兄台从今而后，能将小弟引为心腹之交，患难与共。"

沈浪亦自举杯笑道："多谢……"

这时朱七七神智方自渐渐清醒，无意间转目一望，只见沈浪已将王怜花送来的酒送到唇边。

她方才虽然对沈浪有些不满，她虽也明知自己此刻只要一出声说话，王怜花便未必肯再出手，自己或许永远都要如此丑八怪的模样，但她见到沈浪要喝王怜花倒的酒，她什么也顾不得了，情急之下突然放声大喝道："放下……"

她也许久未曾说话，此刻骤然出声，语声不免有些模糊不清，王怜花与沈浪齐地一惊，沈浪回首问道："姑娘你说什么？"

朱七七本来想说的是："放下酒杯，酒中有毒。"

但她实也未曾想到自己这一出口竟能说得出声音来。

在做了许多日子的哑巴之后，语声骤然恢复，她心情的激动与惊喜，自非他人所能想象。

她说出"放下"两个字后，自己竟被自己惊得怔住了，许久许久，说不出第二个字来。

王怜花目光闪动，突然一步掠去，拍了她颏下哑穴，她再想说话，却已说不出了，空自急出了一身冷汗。

沈浪皱眉道："王兄为何不让这位姑娘说话？"

王怜花笑道："这位姑娘实已受惊过巨，神智犹未平静，此刻语声一经恢复，身子一能动弹，便说不定会做出些疯狂之事，小弟方才几乎忘记此点，此刻既已想起，还是让她多歇歇的好。"语声微顿，再次举杯，道："请。"

沈浪微一迟疑，但见王怜花已自一干而尽，他自然也只有仰首喝了下去——朱七七在一旁已瞧得急出了眼泪。

王怜花又自倒满一杯，笑道："这一杯谨祝兄台……"

他善颂善祷，满口吉言，沈浪不知不觉间，已将三杯酒俱都喝了下去。

朱七七全身都已凉了，那日在地牢之中，这王怜花含恨的语声，此刻似乎又在她耳边响起。

"沈浪……沈浪……好啊，我倒要瞧瞧他究竟是怎么样的人物……我偏偏要叫他死在我的面前。"

她似乎已可瞧见沈浪七孔流血、翻身跌倒的模样，她唯愿方才那三杯毒酒，是自己喝下去的。

月色渐渐升高，连熊猫儿都等着有些奇怪了。

欧阳喜更是不住顿足，道："怎地还不出来？"

此刻室中已久久再无异常的响动，但这出奇的静默，反而更易动人疑心，熊猫儿叹了口气，道："看来这真比生孩子还要困难。"

厅前已开上酒饭，但三人谁也无心享用。

欧阳喜喃喃道："出了事了，必定是出了事了……"

斜眼瞧了瞧熊猫儿："怎样？还要呆等下去。"

熊猫儿沉吟道："再等片刻……再等片刻。"

金无望突然冷冷道："再等片刻若是出了事，这责任可是你来承担？"

熊猫儿道："我来承担？……为何要我来承担。"

金无望冷笑道："你既不敢承担，我此刻便要闯进去。"

他霍然站起身子，但熊猫儿却又挡住了门户。

金无望怒道："你还要怎样？"

熊猫儿道："纵然要进去，也得先打个招呼。"

欧阳喜立即敲门道："咱们可以进去了么？"

只听得王怜花的声音在门里应声道："你着急什么？再等片刻，便完毕了。"

熊猫儿笑道："如何？只要再等片刻又有何妨。"

朱七七听得外面敲门声响，心头不禁一喜，只望熊猫儿、金无望等人快些冲将进来，无论如何，总可解救沈浪的危机。

但王怜花答了一句话后，外面立时默然。

朱七七既是失望，又是着急，更是伤心，伤心地瞧了沈浪一眼——这一眼她本不敢瞧的，却又忍不住瞧了。

但见沈浪好生生地站在那里，嘴角仍然带着一丝他那独有的、潇洒而懒散的微笑，哪有丝毫中毒的模样。

朱七七又怔住了，也不知是该惊奇，还是该欢喜，酒中居然无毒，这真是她做梦也未想到的事。

只听王怜花道："这最后一点工作，小弟已无需相助，沈兄方才那般出手，此刻必定已有些劳累，何妨坐下歇歇。"

沈浪笑道："如此就偏劳兄台了。"他果然似已十分劳累，方自坐下，眼帘便自阖起，身子竟也摇晃起来。

然后，他嘴角笑容亦自消失不见，摇晃的身子终于倒在椅背上，亦不知是睡着了，还是已晕死过去。

朱七七一颗心方自放下，此刻见到沈浪如此模样，又不禁急出了眼泪，只恨不能放声痛哭出来。

沈浪终于还是中了王怜花的诡计，她方才终究还是未曾猜错，那三杯酒中毕竟还是有毒的。

王怜花冷眼瞧着沈浪，嘴角泛起一丝微笑，笑得甚是诡秘，然后他便带着这笑容走到朱七七面前，俯首望着她。

朱七七眼中似乎已将喷出火来——她恨不得目中真能喷出火来，好教这恶毒的人活活烧死。

但王怜花望着她的目光却是温柔而亲切的，他左手拍开了朱七七的穴道，但右手却又抵在她哑穴上。

这样朱七七虽然可以出声，但呼吸仍是不能畅通，说话的声音也不能响亮，朱七七索性咬住牙不说话。

哪知王怜花却微微笑道："朱姑娘，你有话要说，为何还不说出口来？"

白飞飞眼睛突然睁大了，似要爬起，但王怜花长袖一展，便已拂了她的睡穴。

朱七七更是吃了一惊，颤声道："你……你怎知我是朱……朱……"

王怜花截口笑道："我方才听得你那呻吟之声，便已有些猜出你是谁了，只因那呻吟声我听来仿佛甚是耳熟，那时我就开始后悔，为何到这时才想到是你，为何要将你送到沈浪手上，我自己做的圈套，却反令自己上当了。"

朱七七又羞又恨——她知道这恶魔确是听过自己那种呻吟声的，在地牢中被这恶魔轻薄时的光景，她死也不会忘记。

王怜花接着笑道："只可惜你的那位沈相公却未听过你那种可爱的

吟声，是以他做梦也想不到会是你……”

朱七七嘶声道：“你这恶魔……你……”

王怜花也不理她，自管接道：“就因他梦想不到是你，所以你方才纵然大声喊叫，他也未听出是你的声音，而区区在下却听出了。”

朱七七咬牙道：“你……你这畜生。”

王怜花笑得更是得意，道：“不错，我是畜生，但我这畜生，却比你心目中那位大英雄还要强些，这话我早已对你说过，你那时虽然不信，但此刻你只要瞧瞧他的模样，便该知道一千个沈浪，也比不上一个王怜花的。”

朱七七恨声道：“诡计伤人，还有脸在我面前夸口，天下男人的脸，都已被你丢光了……你若是凭真本事杀了他，我也服你，如今你这样的做法，我……我做鬼也不会饶你。”

王怜花笑道：“只可惜你还是活着的，还做不了鬼。”

朱七七嘶声道：“他既已死了，我立刻就陪着他死。”

王怜花道：“他死了？谁说他死了？”

朱七七怔了一怔，颤声道：“你……你未曾害死他？”

王怜花笑道：“我若杀了他，你岂非要恨我一辈子，你是我此生中唯一真正喜欢的女子，我怎能让你恨我？”

朱七七又惊又喜，道：“但他……他此刻……”

王怜花道：“他此刻只是被我药物所迷，睡了过去，你只管放心，这药力甚是奇异，全无丝毫不良反应，甚至连他自己醒来时，都万万不会知道自己曾被迷倒过，只像是打了个盹儿而已。”

朱七七道：“你……你为何要如此……”

王怜花道：“我如此做法，只是要你知道，我终究是比他强的，他若真像你说的那么聪明，怎会着了我的道儿？”

朱七七道：“他是君子，自不会提防你的诡计。”

王怜花失声笑道：“不错，他是君子，我是小人，但你也是小人，小人与小人，正好成双作对，你总有一日会知道只有我才是真正与你相配的，你总有一日会回到我身边，这也许因为你根本配不上他，你为何定要等到那一日，我瞧你还是此刻就跟着我吧，也免得到那日伤心落泪。”

朱七七怒骂道："放屁！放屁……我宁肯嫁给猪狗，也不会嫁给你这比猪狗还不如的畜生，你还是死了这条心吧。"

王怜花笑道："你此刻恨我也好，骂我也好，但你却千万莫要忘记，今日此刻，我曾经对你说过些什么话。"

朱七七恨声道："我自然不会忘记，我死也不会忘记，但我若是你，此刻还是将我与沈浪都杀死的好。"

王怜花道："我为何要杀你？我怎舍得杀你？"

朱七七冷笑道："你若不杀我，但等沈浪醒来，我便要揭破你的奸谋，揭破你的秘密。我便要沈浪杀了你。"

王怜花大笑道："我正是要你如此做法，否则我又何苦还要放你？否则我此刻又何苦还要对你说这些话？"

朱七七见他笑得如此得意，也不觉又有些惊异，道："你不怕？"

王怜花笑道："你说出来便知道我怕不怕了……"

突听沈浪那边，已发出轻微的响动声。

王怜花语声立顿，放松了抵住朱七七穴道的手掌，又自捏起了她的眼皮，右手抄起剪刀，一刀剪了下去。

他手法之熟练与迅快，当真非言语所能描叙。

朱七七此刻虽然已可放声嘶呼，但爱美毕竟是女子之天性，她毕竟还是怕自己的呼声会将王怜花手里的刀锋震得偏了，更怕偏了的刀锋，会损毁她的容颜——她只有咬牙忍住，闭口不语。

但闻沈浪长长透了口气，似已长身站起，又似乎怔了半晌，方自失声一笑，叹着气道："兄台还未完工么？可笑小弟竟睡着了。"

王怜花双手不停，口中道：

"沈兄只不过打了个盹儿而已……小弟这就要完事了，兄台不妨过来瞧瞧。"

沈浪笑道："小弟正是想瞧瞧这位姑娘是谁？"

王怜花道："那位姑娘既是天香国色，这位姑娘想必亦非凡品……好，沈兄你且睁大眼睛，等着瞧吧。"

他口中说话，掌中剪刀已将朱七七外面那层"脸皮"剪得四分五裂，此刻随手一拂，朱七七的真面目便出现在沈浪眼前。

沈浪纵然镇静，此刻也不禁为之放声惊呼出来。

这一声惊呼传到门外，金无望再也忍不住了，身形一闪，掠到门前，一掌震开了门户，飞身而入。

熊猫儿要想拦阻，亦已不及，当下随着蹿了进去，直到榻前，一瞧见了朱七七，他也不禁惊呼出来。

沈浪讷讷道："朱七七……怎会是你……"

熊猫儿亦是呆若木鸡，亦自讷讷道："是你……原来是你……"

这两人委实谁也未曾想到，自己踏破铁鞋无处寻觅的朱七七，竟早已就在自己身旁了。

就在这时，朱七七突然翻身掠起，双掌齐出，出手如风，分别向王怜花右肩"肩井"、左胸"玄机"两处大穴点了过去。

王怜花自然早已算定了她必将有此一招，怎会被击中，身形一转，便轻轻地避了开去。

熊猫儿与沈浪都不免吃了一惊，双双出手——这两人出手是何等迅急，刹那间便已将朱七七两只手腕分别抓住。

沈浪紧捉住她的右腕，沉声道："七七，你疯了么？怎可向王公子出手？"

朱七七双腕有如被铁钳套紧了一般，哪里还挣得脱，空自急得满面通红，双足乱踢，嘶声道："放手！你们这两只笨猪，抓住我做什么？还不快快放手，让我去剥下这恶贼的皮来。"

王怜花微笑道："各位请看，在下辛辛苦苦解救了这位姑娘的苦难，这姑娘却要剥在下的皮……这算什么？"

沈浪暗笑道："这只怕是因她神智还未清醒，是以……"

朱七七顿足大骂道："放屁，你懂个屁，我神智从未比此刻更清醒了，你……你……你才是神智不清的笨猪。"

王怜花道："姑娘若是神智清醒，为何恩将仇报？"

朱七七怒道："你还装的什么蒜？若不是你，我怎会落到今日这般地步？我……我……我好歹也要与你拼了。"

王怜花苦笑道："这位姑娘在说什么，在下委实听不懂，沈兄、欧阳兄、猫兄，你们三位可听得懂么？"

熊猫儿道："我实在也不懂，朱姑娘，你……"

朱七七怒喝道："住口……"

沈浪叹道："要住口的本该是你。"

朱七七顿足道："死人，你这死人，你难道还不知道，这王怜花便是将铁化鹤、展英松他们绑去的恶魔。"

沈浪吃了一惊，皱眉望向王怜花。

王怜花却笑了，道："朱姑娘，你可愿再吃些药么？在下与姑娘你素昧平生，姑娘又何苦如此含血喷人？"

朱七七道："素昧平生？含血喷人？你，你，你这恶贼、畜生，你做了的事，为何不敢承认？"

王怜花茫然道："在下做了什么？在下只不过救了你而已，这难道还救错了么？沈兄，你且评评这个理。"

沈浪叹道："王兄自然未错，她只怕是……"

朱七七已急得快要疯了，双足乱踢，将一双白生生的小腿都踢得露出衣襟，她也不管。

沈浪只得将她下身穴道制住，叹道："你安静些好么？"他制住了她的穴道，又觉有些过意不去，叹道："你要知道，我这是为你好。"

朱七七嘶声道："你这死人，方才王怜花为何未将你一刀杀死，也好教你知道究竟谁错了，谁是疯子。"

沈浪苦笑道："王兄怎会杀死我，你……"

朱七七道："你还说……死人，笨猪，我咬死你……咬死你……"她张口去咬沈浪，却又咬不着。

欧阳喜实在看不过了，忍不住道："姑娘纵然有事要说，也该好生说话才是……"

朱七七呼道："我不要好生说话，我……我要发疯，要发疯……你们索性杀了我吧，我不要活了……"

她说的话全是真的，别人却将她当作疯子，她又是着急，又是委屈，哪里忍得住，终于放声大哭起来。

众人面面相觑，一时间俱都作声不得。

白飞飞忍不住走过来，柔声道："姑娘……小姐，莫要哭了，求求你好生说话好么？你这样的脾气，吃亏的是自己……"

朱七七怒道："我不要你管，我吃亏是我自己的事，你……给我滚开，滚得远远的，我不要看见你。"

白飞飞垂下了头，委屈地走开了，目中也涌出了泪珠。

沈浪叹道："她说的话本是好意，你何苦如此？"

朱七七痛哭着道："我偏要如此，你又怎样？她是好人，我……我是疯子，你去照顾她吧，莫要管我。"

白飞飞终也忍不住仆倒在地，放声痛哭起来。

王怜花已取出粒药丸，长叹道："瞧这姑娘模样，神智只怕已有些错乱了，在下这粒丸药，倒可令她镇定，便请沈兄喂她服下。"

沈浪瞧了瞧朱七七，只见她目光赤红，头发披散，的确是有些疯了的模样，只得接过丸药，道："多谢兄台……"

他话才出口，朱七七已放声大呼道："我不要吃……不要吃……他这丸药里必定有迷药，我吃了这药，就是想死也死不了……"

沈浪也不理她，自管将丸药送到她嘴边，道："听话……好生吃下去……"

朱七七拼命扭住头，嘶声道："我不吃，死也不吃，求求你……求求你莫要逼我，我若是吃了这药，便永远也不能说出他的秘密了。"

沈浪微一迟疑，叹道："你若是肯安静下来，好生说话，我就不要你吃，否则……"

朱七七颤声道："好。我安静下来，我好生说话，只要你不强迫我吃这药，你，你要我做什么，我就做什么。"

她委实心胆已寒，只有痛苦地屈服了。

王怜花道："这丸有毒么？"

冷笑一声，取回丸药，送入嘴里，一张口吞了下去，仰首望天冷冷笑道："药里有毒，就毒死我吧。"

沈浪长叹一声，摇头道："朱七七，你还有什么话说？"

朱七七泪流满面，道："求求你，莫要相信他，他一举一动，都藏着奸计，他……他实是世上最最恶毒的人。"

王怜花冷笑道："朱姑娘，我究竟与你有何怨恨，你要如此害我？"

朱七七颤声道："沈浪，你听我说，那日我与你分开之后，恰巧瞧见了展英松等人，神智都已痴痴迷迷……"

她抽抽泣泣，将自己如何遇见赶人的白云牧女，如何躲在车下，如何到了那神秘的庭园，如何遇见了王怜花，如何被那绝美的神秘夫人所擒，如何被送入了地窖等种种情事，俱都说了出来。

她说的俱属真实，沈浪纵待不信，又委实不得不信。

王怜花冷笑道："好动人的故事，沈兄可是相信了？"

沈浪虽未答话，瞧着他的双目中却已有怀疑之色。

王怜花道："沈兄难道未曾想想，她所说若是真的，如此机密之事，在下又怎会纵虎归山，平白放了她？"

欧阳喜忍不住接道："是呀，在那般情况下，王兄自然怕朱姑娘将机密泄漏，自然是万万不肯平白将她放了。"

沈浪仍未说话，怀疑的目光，却已移向朱七七。

朱七七垂首道："这其中自有缘故，只因……只因……"

她虽然生性激烈，但叫她说出地窖中发生的那些事，叫她说出那些情爱的纠缠，她委实还是说不出口。

沈浪却已连声催促，道："只因什么，说呀。"

朱七七咬了咬牙，霍然抬头，大声道："好，我说，只因这姓王的喜欢我，我却喜欢姓沈的，他被我激不过，便要我将沈浪带去，所以只得将我放了。"

欧阳喜等人听得一个少女口中，居然敢说出这样的话来，都不禁呆住了，熊猫儿目中已有些痛苦之色。

王怜花却纵声大笑起来，道："朱姑娘的话，委实愈说愈妙了……朱姑娘纵是天仙化人，在下也未必爱你爱得那般发狂。"

朱七七嘶声道："你还不承认？你三番两次要害沈浪，岂非便是为了这缘故，方才你还对我说过，我是你平生唯一真正喜欢的女子……"

王怜花大笑截口道："方才我还说过？沈兄，你可听到了么？"

沈浪苦叹一声，道："未曾听得。"

朱七七着急道："他明明说了的，只是……只是你那时已被他药物所迷，睡着了，他趁机向我说的。"

王怜花摇头叹道："姑娘你方才还说我三番两次加害沈兄，此刻却又说他被我药物所迷……沈兄，在下既要害你，为何不趁你被迷倒时杀了你……各位都请来听听，世上真的会有这样的人么？"

众人俱都默然无语。

朱七七大声道："你迷倒他，只是向我说话，只因那时你已认出了我，你怕我终生恨你，所以不敢杀他。"

王怜花道："那时连沈兄都未认出你，我怎会认出你；何况，纵然退一步说，我已真的认出了你，但我明知你要说出我的秘密，我为何还要救你，让你说话，难道我发疯了？难道我自己要害自己？"

说到这里，哪里还有一人相信朱七七说的故事。

朱七七瞧见众人脸色，又要急疯了，嘶声道："你这恶魔，你究竟在使何诡计，我怎会知道？"

王怜花笑道："你自不知道，只因这一切都不过是你在做梦而已，一场荒唐已极，但也十分有趣的大梦。"

朱七七所说的虽是句句实言，怎奈却无一人相信于她，这种被人冤枉的委屈滋味，当真比什么都要难受。

她嘶声大呼道："我说的话，难道你们都不相信？"

没有人答话——只因众人面上的神情，已是最好的回答，朱七七目光四转，终于忍不住痛哭出声来。

她哭得虽然伤心，也无人安慰于她。

熊猫儿忽然道："若要知道朱姑娘所说是真是假，倒有个法子。"

欧阳喜道："你这猫儿又有什么怪主意了？"

熊猫儿道："朱姑娘所说若是真的，想必可带我们到她所说的那些地方……"

朱七七哭声未住，已大喜呼道："不错，就是这样，我早说了，我带你们去，姓王的也莫要走，到了那里看你还有什么话说？"

沈浪叹道："此事本已无需证明，但为了要她死心，唉，也只有如此了，却不知王兄可愿相随一行？"

王怜花微笑道："沈兄不说，在下也是要去的，只因在下也要瞧瞧，朱姑娘若是无法证明时，她还有什么话说。"

这时正午已过，繁华冠于中原的洛阳城，街上行人自然不少，沈浪、朱七七等这一行人来到街上，也自然是扎眼得很。

但"中原孟尝"欧阳喜在这洛阳城中，当真可说是跺跺脚四城乱颤的人物，有欧阳喜在，行人哪里还敢多瞧他们一眼。

朱七七泪痕才干，眼睛还是红红的，当先带路而行，她路途自然不熟，走了许久还未认出路径。

沈浪与熊猫儿一左一右，紧紧跟着她，白飞飞也忍不住跟出来了，垂头跟在后面，一副可怜兮兮的模样。

兜了半天圈子，欧阳喜不禁皱眉道："朱姑娘若是路途不熟，只要说出那地方何在，在下倒可做识途老马，为朱姑娘领路前行。"

朱七七寒着脸道："不用你带路，也不用你说话。"

又兜了半天圈子，突然转入一条长街，街道两旁，有三五家小吃店，一阵阵食物香气，自店里传了出来。

朱七七这时肚子早已饿了，闻得香气，心头一动，突然想起那日她自棺材店里逃出时，亦是饥寒交迫，也曾闻到过这样的香气。

再看两旁市招店铺，入眼都十分熟悉，朱七七大喜之下，放足前奔，猛抬头，已可瞧见"王森记"三字。

那黑底金字的招牌，是万万不会错了，何况招牌两旁还有副对联，对联上的字句她更已背得滚瓜烂熟，写的正是：

"唯恐生意太好，但愿主顾莫来。"

再瞧进去，门里一座高台，柜上有天平，两个伙计，一个缺嘴，一个麻子，正在量着银两。

这一切情况，俱是她那日逃出时一模一样。

朱七七忍不住大喜脱口道："就在这里。"

沈浪皱眉道："这棺材铺？"

朱七七道："就是这棺材铺，万万不会错的。"

王怜花笑道："这棺材铺确是在下的买卖，朱姑娘家里若是有什么人死了，要用棺材，在下不妨奉送几口。"

朱七七只作未闻，当先冲了进去。

那两个伙计本待拦阻，但瞧见王怜花，便一齐躬身笑道："少爷您来了，可是难得，小的们这就去沏茶。"

王怜花挥了挥手，揖客而入，其实他纵不揖客，沈浪与熊猫儿也早已随着朱七七闯了进去。

门面后，是间敞棚屋子，四面都堆着已做好的或未做好的棺材，一些赤着上身的大汉，午饭方过，正坐在棺材板上喝茶，聊天，抽着旱烟，瞧见王怜花等人来了，自然齐地长身而起，含笑招呼。

刨木花，洋铁钉，虽然散落一地，但朱七七凝目瞧了几眼，便已发觉左面一块石板有松动的痕迹。

她忖量地势，这块石板正是她那日逃出之处——这种事她自然清清楚楚地记得，再也不会忘记。

她面上不禁泛起笑容——这是她多日来初次微笑，她生怕王怜花要加拦阻，装作若无其事的模样，走了过去，走了几步，她再也忍不住纵身一跃，跃在那方石板上，回首望向王怜花，大声道："好了，你还有什么话说？"

王怜花似乎莫名其妙，皱眉道："怎样？"

朱七七笑道："你还装什么糊涂？你明知这方石块下，便是那地窖秘道的入口，我那日便是自这里逃出来的。"

到了这时，连金无望都不禁为之悚然动容，狠狠盯住王怜花，哪知王怜花却又大笑起来，道："妙极，妙极。"

朱七七冷笑道："妙什么？亏你还笑得出。"

王怜花笑道："石板下既有秘道，姑娘何不掀开来瞧瞧？"

朱七七道："自然要掀开来瞧瞧。"

熊猫儿赶上一步，道："我来。"

朱七七瞪眼道："这一切都是我发现的，我不许别人动手。"

地上自有铁锤、铁锹，她取了柄铁锹，自石缝间挖了下去，将石板一寸寸撬起。

众人的目光，自然俱都瞬也不瞬，盯着那一寸寸抬起的石板，只听朱七七一声轻叱，石板豁然而开。

石板不开，犹自罢了，石板这一开，众人面上都不禁变了颜色，朱七七惊呼一声，踉跄后退——

石板下一片泥土，哪有什么秘道。

王怜花纵声大笑起来，那笑声委实说不出的得意。

沈浪皱眉瞧着朱七七，熊猫儿、欧阳喜只是摇头叹气，金无望木然无言，白飞飞眼中却又不禁流下同情的眼泪。

朱七七怔了半晌，突然发疯似的，将那四边的石板，俱都挖了起来，众人冷冷地瞧着她，也不拦阻。

她几乎将所有的石板全都掀开，但石板下仍都是一片完好的土地，瞧不出丝毫被人挖掘过的迹象。

王怜花大笑道："朱姑娘，你还有什么话说？"

朱七七满身大汗，一身泥土，嘶声道："你这恶贼，你……你必定早已算定咱们要来的，是以早就偷偷地将这里的秘道封死了。"

沈浪苦笑道："瞧这片地上的苔痕印，便是死人也该瞧得出已有数十年未曾被人动过了，下面必定便是造屋的地基……朱七七，朱姑娘，求求你莫要再危言耸听，害得咱们也跟着你一起丢人好么。"

朱七七捶胸顿足，流泪嘶呼道："沈浪，真的，我说的一切都是真的，求求你，相信我，我一生中从未有一次骗过你……"

沈浪叹道："但这次呢？这次……"

王怜花突然截口笑道："朱姑娘若是还不死心，在下也不妨再将这块地整个掀起来，也好让她瞧个清楚明白。"

沈浪道："王兄何必如此……"

王怜花笑道："无妨，事情若不完全水落石出，在下实也难以做人……"

他向大汉们挥了挥手，又道："大伙儿还不快些动手。"

黄昏之前，地面便已整个翻起，地下果然是多年的地基，这真是有眼睛的人都能瞧得出来的。

沈浪与熊猫儿等人，只有摇头叹气。

王怜花笑道："朱姑娘，怎样？"

朱七七“噗”地跌坐了下去，面容木然，痴痴迷迷，只是瞪着眼发怔，连眼泪都已流不出来。

王怜花道：“王怜花在洛阳城里的棺材店，只此一家，别无分号，各位若是不信，不妨去别处打听打听。”

此时此刻，还有谁能不信他的话？他纵然说这些棺材都是圆的，只怕也无人敢说不相信了。

沈浪叹道：“在下除了道歉之外，实不知还有什么话能对兄台说，但望王兄念她妇道人家，莫要将此事放在心上。”

王怜花笑道：“有沈兄这样一句话，小弟便是将房子拆了，又有何妨？沈兄若不嫌弃，便请到寒舍用些酒饭。”

沈浪道：“怎敢惊扰，还是……”

朱七七突然翻身掠起，大声道：“你不去，我去。”

沈浪苦笑道：“你还要去哪里？”

朱七七揉了揉眼睛，道：“他家。”

沈浪道：“王公子几时邀请了你？”

朱七七道：“他请了你，我便要跟去，我……我定要瞧个明白。”

王怜花笑道：“对了，朱姑娘纵不肯去，在下也是定必要请朱姑娘去的，在下好歹也要朱姑娘索性瞧个明白。”

王怜花富甲洛阳，巨室宅院，气派自是不同凡响。

一进大门，朱七七眼睛就不停东张西望。

王怜花笑道：“寒舍虽狭窄，但后院中倒也颇有些园林之胜，只是小弟才疏学浅，空将园林整治得一团俗气，想沈兄胸中丘壑必定不凡，沈兄若肯至后院一行，加以指点，园林山石，必定受益良多，小弟也可跟着沾光了。”

沈浪还未说话，朱七七已冷笑道：“咱们正是想去后院瞧瞧。”

沈浪苦笑道：“王兄那番话，也正是要你去瞧个明白，瞧个死心……”

朱七七冷笑截口道：“只有奸诈狡猾的人，才会说拐弯抹角的话，这种话，我听得懂也要装不懂的。”当先大步行去。

她横冲直闯，有路就走，半点也不客气，似乎竟将这别人的私宅，当作自己家里，沈浪相随而行，唯有苦笑摇头。

但见松木清秀，楼台玲珑，一亭一阁，无不布置得别具匠心，再加上松巅亭角的积雪，更令人浑然忘俗。

但庭院寂寂，既无人声，亦无鸟语，唯有松涛竹韵，点缀着这偌大园林的空寂与幽趣。

朱七七心头又不免开始急躁，暗道："那些彪形大汉与白云牧女们，都到哪里去了？"

她纵然再狠，也不能说要搜查别人的屋子。

走到尽头，也有数间曲廊明轩，三五亭台小楼，旁边也有一排马厩，马嘶之声，自寒风中不时传来。

但这一切，俱都绝非朱七七那日见到的光景。

朱七七终于停下脚步，大声道："你的家不是这里。"

王怜花笑道："在下难道连自己的家在哪里都不知道，而朱姑娘反而知道么？如此说来，在下岂非变成了呆子。"

朱七七顿足道："明明不是这里，你还要骗我。"

欧阳喜忍不住接口道："王公子居住此地，已有多年，那是万万不会错的，朱姑娘若再不信，在下亦可以身家保证。"

朱七七道："那……那他必定还有一个家。"

王怜花笑道："在下还未成亲，更不必另营藏娇之金屋。"

朱七七突然大喝一声，道："气死我了。"

整个人都跳了起来，一跃丈余，自亭角抓了团冰雪，塞在嘴里，咬得"吱吱喳喳"作响，别人在一旁瞧着，都不禁要打寒噤，她的脸却仍红红的烧得发烫，她又急又怒，整个人都似要烧了起来，真恨不得倒在雪地里打几个滚才对心思。

沈浪苦笑道："你何苦如此……"

朱七七大喝道："不要你管我，你走开……"

她突又蹿到王怜花面前："我问你，你是否还有个母亲？"

王怜花笑道："在下若是没有母亲，难道是自石头缝里跳出来的不成？……姑娘你问这话，难道你没有母亲么？"

朱七七只作没有听到他后面一句话，又自喝道："你母亲可是住在这里？"

王怜花道："姑娘可是要见见家母？"

朱七七道："正是，快带我去。"

王怜花笑道："在下正也要为沈兄引见引见家母……"

沈浪道："王兄休要听她胡闹，我等怎敢惊扰令堂大人。"

王怜花道："无妨，家母年纪虽已老了，但却最喜见着少年英俊之士，沈兄若是不信……喏喏，欧阳兄是见过家母的。"

欧阳喜笑道："小弟非但见过，而且还有幸尝过王老伯母亲手调的羹汤，她老人家可真是位慈祥的老夫人。"

王老夫人午睡方起，满头如银白发，梳得一丝不乱，端坐在堂前，含笑接见爱子的宾客。

只见她满面皱纹，满面笑容，一面谈笑风生，一面还不住殷殷叮咛自己爱子快些备酒，莫要慢待了宾客。

群人对望了一眼，心里不约而同暗道："果然是位端庄慈祥的老妇人。"

但朱七七见了这慈祥的老妇人，却更急得要疯了。

她本要放声大喝："这不是你的母亲。"

但她还未真个急疯，这句话她无论如何，还是说不出口来，此时此刻，她知道自己只有咬牙忍住，什么话都不能说了。

她脑海突然变得晕晕沉沉，别人在说什么，她一句也听不见，别人在做什么，她也瞧不清。

好容易挨到时刻——酒饭用过，王老夫人也安歇了，王怜花再三挽留后，沈浪终于告辞而出。

王怜花忽然含笑唤道："朱姑娘……"

朱七七霍然回头，道："鬼叫什么？"

王怜花笑道："寒舍的大门，永远为朱七七开着的，朱七七心里若是还有怀疑之处，不妨随时前来查看。"

朱七七狠狠瞪了他两眼，居然未曾反唇相讥。

王怜花接口笑道："朱姑娘怎地不说话了？"

朱七七狠狠跺了跺脚，抢先夺门而出。

沈浪苦笑道："王兄如此对她，她还有什么话说。"

风雪寒夜，沈浪也未再坚持离城，于是一行人便在欧阳喜宅中歇下——直到宵夜酒食上来，朱七七还是未曾说话。

她始终皱着眉，低着头，也不知在想些什么。无论谁向她说话，她也都不理不睬，仿佛没有听到。

欧阳喜忍不住叹道："那王怜花虽非君子，但也绝非朱姑娘所说的那般人物，这其中想必有些误会，沈兄你……"

沈浪含笑截口道："这个兄台不说，在下也知道的。"

欧阳喜道："何况他虽然文武双全，却从来未曾在人前炫露，除了我辈三两人外，洛阳城中只知他是个风流自赏的富家公子，谁也不知他身怀绝技，至于江湖中人，他更是从来也不加过问的了。"

沈浪笑道："这个在下也知道的……"

朱七七突然一拍桌子，大声道："你知道个屁。"

沈浪皱眉道："到了此刻，你还要胡闹，你那般冤枉人家，若非王公子生性善良，脾气温柔，他怎会放过你。"

朱七七恨声道："他不放过我？……哼，我才不会放过他哩。"

沈浪道："你还要怎样？"

朱七七胸膛起伏，过了半晌突然长长叹了口气，道："我要睡觉了。"

沈浪展颜一笑，道："你早该睡了……"

一直垂首坐在朱七七身旁的白飞飞，此刻方自盈盈站起，道："我去服侍姑娘安歇。"

她垂首跟在朱七七身后，走了两步，朱七七突然回身，大喝道："谁要你服侍，你走远些吧。"

白飞飞颤声道："但……但……姑娘大恩……"

朱七七冷笑一声道："对你有恩的，是姓沈的，可不是我，你还是去服侍他睡觉吧。"反手一推，头也不回地去了。

白飞飞怎禁得起她这一推，娇弱的身子，早已跌倒，目中的眼泪，也早已忍不住断线珍珠般落了下来。

沈浪自然伸手扶起了她，叹道："她就是这样的脾气，你莫要放在心上，其实……其实……唉！她面上凶恶，心里却并非如此的。”

白飞飞含泪点头，颤声道：“朱姑娘对我恩重如山，我今生已永远都是她的人了，她……她无论怎样对我，都是应当的。”

沈浪凝目瞧了她半晌，平和安详的面容上，竟也突然现出了一丝激动之色，过了半晌，方自长叹道：“只是……只是这太委屈你了。”

白飞飞凄然一笑，道：“我生来便是个薄命人，无论吃什么样的苦，我都已惯了，何况……何况公子们都对我这么好，这……这已是我……我……我一生中最幸福的日子……”

她不停地悄悄抹眼泪，但眼泪还是不停地流了出来。

她忍也忍不住，擦也擦不干。

沈浪又自默然半晌，终于叹道：“你也去睡吧。”

白飞飞道：“多谢公子。”

她再次盈盈站起万福转身，却始终不敢抬头——她仿佛不敢接触到沈浪的目光，她不敢抬头去瞧沈浪一眼。

她起先走得很慢，但愈走愈快，方自走出帘外，她那幽怨的哭声已传了进来，帘外的哭声，更令人闻之心碎。

欧阳喜长叹道：“这样的女子，才是真正的女子，谁若能娶这样的女子为妻，那当真是天大的福气。”

熊猫儿道：“你如此说话，那朱姑娘便不是真正的女子了？”

欧阳喜道：“朱姑娘么……咳咳……咳咳……”

熊猫儿道：“老狐狸，你不说就不说，咳嗽什么？其实白姑娘虽然温柔如水，美丽如花，但朱姑娘也未见就比不上她。”

欧阳喜道：“朱姑娘自也是绝世美人，只是她的脾气……”

熊猫儿大笑道：“你知道什么？她那样的脾气，只因她心中实是热情如火，谁若被这样的女子爱上才是真正的福气哩。”

欧阳喜笑道：“这是否福气，便该问沈兄了。”

沈浪微微一笑，顾左右而言其他，这时窗外风雪交加，室内却是温暖如春，沈浪凝目窗外，突然喃喃道：“如此寒夜，难道还有人会冒雪出去不成？”

欧阳喜未曾听清，忍不住问道：“沈兄在说什么？”

沈浪笑道：“没有什么……来，熊兄，且待小弟敬你一杯。”

又自几杯落肚，熊猫儿突然推杯而起，大笑道：“小弟已自不胜酒力，要去睡了……千金不易醉后觉，一觉醒来愁尽消……哈哈，埋头一睡无烦恼，梦中娇娃最妖娆……”

狂歌大笑声中，“砰”地推倒了椅子，竟真的践踏而去了。

沈浪大声道：“如此盛会，熊兄怎可先走？”

王怜花笑道：“且放这只醉猫儿去，你我还再痛饮三百杯。”

第十一章

花市寻幽境

熊猫儿走出房门，目光四转，见到四下无人，踉跄的脚步，立刻又变得轻灵而稳定，乜斜的醉眼，也立刻明亮清澈起来。

他脚步一滑，穿过偏厅，穿过长廊，双臂微振，已掠入风雪中，凌空一个翻身，掠上了积雪的屋檐。

风雪漫天。

四下一片迷蒙。

熊猫儿身形微顿，辨了辨方向，便自迎着风雪掠去。

扑面而来的劲风，刀一般刮入他敞开的衣襟，刮着他裸露着的胸膛，他绝不皱一皱眉头，反将衣襟更拉开了些。

接连七八个起落后，他已远在数十丈外，遥遥望去，只见一条人影停留在前面的屋脊上，身形半俯，似乎也在分辨着方向。

熊猫儿悄然掠了过去，脚下绝不带半分声息。

眨眼之间，已到了那人影背后，悄然而立。

只听那人影喃喃道："该死，怎地偏偏下起雪来，难怪那些积年老贼要说，'偷雨不偷雪。'看来雪中行事，当真不便。"

熊猫儿轻轻一笑，道："你想偷什么？"

那人影吃了一惊，整个人都跳了起来，翻身一掌，直拍熊猫儿胸膛，竟不分皂白，骤然出手，便是杀招。

熊猫儿轻呼一声，道："不好！"

话未说完，人已仆倒。

那人影一身劲装，蒙头覆面，见到自己一招便已得手，反而不觉怔了一怔，试探着轻叱道："你是谁？"

熊猫儿僵卧在那里，口中不住呻吟，动也不能动了。

那人影喃喃道：“此人轻功不弱，武功怎地如是差劲……”

忍不住掠了过来，俯下身子，要瞧瞧此人是谁。

雪光反映中，只见熊猫儿双目紧闭，面色惨白。

那人影一眼瞧过，突又惊呼出声，喃喃道：“原来是他……这……这怎生是好？”

她显然又是后悔，又是着急，连语声都颤抖起来，到后来终于一把抱起熊猫儿的身子，道：“喂，你怎么样了……你说话呀，你……你……怎地如此不中用，被我一掌就打成如此模样。”

她惶急之中，竟未曾觉察，熊猫儿眼睛已偷偷张开一线，嘴角似也在偷笑，突然出手，将那人影覆面丝巾扯了下来。

那人影又吃了一惊，又怔住了，只见她目中都已似乎要急出了眼泪，却不是朱七七是谁。

熊猫儿轻轻一笑，道：“果然是你，我早已猜出是你了。”

朱七七双眉一扬，但瞬即笑道：“哦，真的么？”

熊猫儿笑道：“只是我当真未曾想到，你见我伤了，竟会如此着急，我……我……”

朱七七道：“你高兴得很，是么？”

熊猫儿道：“你肯为我如此着急，也不枉我对你那么关心了。”

朱七七嫣然笑道：“我一直都对你很好，你难道一直不知道？”

熊猫儿道：“我……我知道你……”

朱七七道：“我一直在想你……想你死。”

忽然出手，一连掴了熊猫儿五六个耳刮子，飞起一脚，将熊猫儿自屋脊上踢了下去。

熊猫儿早已被打得怔住了，竟“砰”的一声，着着实实地被踢得跌在雪地上，跌得七荤八素。

只见朱七七在屋檐上双手叉腰，俯首大骂道：“你这死猫，瘟猫，癞皮猫，姑娘我有哪只眼睛瞧得上你，你居然自我陶醉起来了，你……你……你快去死吧。”

一面大骂，一面抓起几团冰雪，接连往熊猫儿身上掷了下来，头也不回地去了。

熊猫儿被打得满头都是冰雪，方待呼唤。

哪知这时这屋子里的人已被惊动，几个人提了棍子，冲将出来，没头没脑地向熊猫儿打了下去。

熊猫儿也不愿回手，只得呼道："住手，住手……"

那些人却大骂道："狗贼，强盗，打死你！打死你！"

熊猫儿竟挨了三棍，方自冲了出来，一掠上屋，如飞而逃，心里不禁又是气恼，又是好笑。

他纵横江湖，自出道以来，几时吃过这样的苦头，几曾这般狼狈，抬头去望，朱七七也已走得瞧不见了。

他追了半晌，忍不住跺足轻骂道："死丫头，鬼丫头，一个人乱跑，又不知要惹出什么祸来，却害得别人也要为她着急。"

突听暗影中"扑哧"一笑，道："你在为谁着急呀？"

朱七七手抚云鬓，自暗影中现出了婀娜的身形，在雪光反映的银色世界中，她全身都在散发着令人不可逼视的光采。

熊猫儿似已瞧得呆了，讷讷道："为你……自然是为你着急。"

朱七七笑道："那么，你鬼丫头、死丫头也骂的是我了。"

她一步步向熊猫儿走了过来，熊猫儿不由自主往后直退，朱七七银铃般一笑，柔声道："你放心，你虽然骂我，我也不生气。"

熊猫儿道："好……咳咳，很好……"

他委实说不出话来，胡乱说了几句，自己也不懂自己说的是什么，"好"在哪里，终于也忍不住失声笑了出来。

朱七七道："你瞧你，满身俱是冰雪，头也似乎被人打肿了，这么大的孩子了，难道自己都不会照顾自己么？"

她说得那么温柔，好像熊猫儿方才受罪，与她完全没有关系，熊猫儿笑声又不觉变成苦笑，道："姑娘……"

朱姑娘不等他说出话来，已自怀中掏出罗帕，道："快过来，让我为你擦擦脸……"

熊猫儿连连后退，连连摇手道："多谢多谢，姑娘如此好意，在下却无福消受，只要姑娘以后莫再拳足交加，在下已感激不尽了。"

朱七七道："我方才和你闹着玩的，谁难道还放在心上？"

熊猫儿道："我！"

朱七七叹了口气，道："你呀，你真是个孩子，我看……你不如把我当作你的姐姐，让姐姐我日后也可照顾你。”

熊猫儿再也忍不住，放声大笑起来。

朱七七瞪起眼睛，道：“你笑什么？”

熊猫儿大笑道：“你究竟有什么事要我做，快些说吧，不必如此装模作样。我若有你这样的姐姐，不出三天，只怕连骨头都要被人拆散了。”

朱七七的脸，飞也似的红了，又是一拳打了过来。

但熊猫儿这次早有防备，她哪里还打得着。

朱七七咬牙，轻骂道：“死猫，瘟猫，你……你……”

熊猫儿接口笑道：“你只管放心，无论怎样，只要你说要我做什么，我就做。”

他虽是含笑而言，但目光中却充满诚挚之意。

朱七七再也骂不出了，道：“你说的可是真心话？”

熊猫儿笑道：“我说的话正如陈年老酒，绝不掺假。”

朱七七凝目瞧了他半晌，道：“但……但你为何要如此？”

熊猫儿道：“我……我……”

突也顿了顿脚，大声接道：“你莫管我为何要如此，总之……总之……我说出的话，再也不会更改，你有什么事要我做，只管说出来吧。”

朱七七叹了口气，道：“洛阳城里的路，不知你可熟么？”

熊猫儿笑道：“你若要我带路，那可真是找对人了，洛阳城里大街小巷，就好像是我家一般，我闭着眼睛都可找到。”

朱七七道：“好，你先带我去洛阳的花市。”

深夜严寒，繁华的洛阳花市，在此刻看来，只不过是条陋巷而已，勤苦的花贩起得很早，却也不会在半夜便赶来这里。

朱七七放眼四望，只见四下寂无人影，只不过偶然还可自冰雪之中发现一些已被掩埋大半的残枝败梗。

她四下走来走去，熊猫儿却只是在一旁袖手旁观。

朱七七喃喃道：“洛阳城只有这么一个花市？”

熊猫儿道：“只此一家，别无分号，但姑娘若想买花，此刻却还嫌太早了些。”

朱七七道：“我不是来买花的。”

熊猫儿瞪起眼睛，道：“不买花却要来花市，莫非是想喝这里的西北风么？”

朱七七目光忽然凝注向远方，轻轻道：“这其中有个秘密。”

熊猫儿道：“什么秘密？”

朱七七道：“你若想听，我不妨说给你听，但……”

她忽又收回目光，凝注着熊猫儿的脸，沉声道：“但我在说出这秘密前，却要先问你一句话。”

熊猫儿笑道：“你几时也变得如此啰唆了……问吧。”

朱七七道：“我且问你，我所说的有关王怜花的话，你可相信么？”

熊猫儿眨了眨眼睛，喃喃道：“王怜花这人，有时确实有些鬼鬼祟祟的，别人问起他的武功来历，他更是从来一字不提……你无论说他做出什么事，我都不会惊异。”

朱七七截口道：“这就是了，那日我藏在车底，入洛阳城时，便是自花市旁走过的，车上的少女们还停车买了些鲜花。”

熊猫儿道：“是以今日你便想从这花市开始，辨出你那日走过的路途，寻出你那日的被囚之地……是么？”

朱七七嫣然一笑，道：“你真聪明。”

熊猫儿大笑道：“总该不笨就是。”

朱七七道：“好，聪明人，先替我去找辆大车来。”

熊猫儿瞪大眼睛，奇道：“要大车干什么？”

朱七七摇头叹道：“刚说你聪明，你就变笨了，那日我躲在车底下，什么都瞧不见，只有在暗中记着车行的方向，今日自然也得寻辆大车……”

熊猫儿失笑道：“不错，这次我真的变笨了，连这点道理都想不通，但……但如此深夜，却叫我哪里去寻大车？”

朱七七柔声道：“像你这样的男子汉，有什么事能难得到你？莫说一辆大车，就是十辆，你也可寻得来的，是么？”

熊猫儿摸了摸头，道：“但……但……”

朱七七歉然道："求求你，好么……求求你。"

她皱着眉，偏着头，一副楚楚可怜的模样，世上又有哪个男子能拒绝这种女子的请求？

熊猫儿只得叹了口气，道："好吧，我去试试。"

朱七七展颜一笑，道："这才是听话的乖孩子，快快去吧，我在这里等你……"摸了摸他的脸，在他耳边又道："一定要找回来，莫叫我失望。"

熊猫儿苦着脸，摇着头，终于还是去了。

过了盏茶时分，蹄声嘚嘚，自风雪中传来，熊猫儿果然赶着辆大车回来了，满面俱是得意之色。

朱七七拍手笑道："好，果然有办法，只不过……这辆大车你是从哪里寻来的？原来的车把式到哪里去了？这辆车你莫非是偷来的么？"

熊猫儿道："偷来的也好，抢来的也好，总之我已将大车为你寻来了，你还不满意么？你还要穷问个什么？"

朱七七"扑哧"一笑，道："算你有理。"俯下身子，就要往车底下钻去。

熊猫儿道："你这是干吗？"

朱七七苦笑道："笨人，我跟你说过多少次了，你难道没听见？那天我就是躲在车底下的，所以今天我……"

熊猫儿突然放声大笑起来，道："是极是极，我是笨人。"

朱七七道："你难道不笨？你笑什么？"

熊猫儿忍住笑，道："我的好姑娘，那日你怕行迹被人发现，自得躲在车底，但今日你还躲在车底做什么？你要默记方向，坐在车上还不是一样，最多闭起眼睛也就是了，难道你定要屈在车底下才过瘾么？"

朱七七的脸立刻飞也似的红了，红了半晌，方自撇嘴道："哼，就算这次你对了，也没有什么了不起，如此得意干什么？再笨的人，偶然也会碰对一次的。"

熊猫儿道："谁得意了？"

朱七七跺脚道："你，你，你得意了，你明明得意得要死，还敢不承认么？你再不承认，我永远也不要理你。"

熊猫儿苦笑道："好，就算我得意了……"

朱七七还是跺脚道："不要脸，你得意什么？你凭什么得意？你……你……你死不要脸！"

熊猫儿怔在那里，当真有些哭笑不得，口中忍不住喃喃道："难怪沈浪不敢惹你，这样的姑娘，简直连我见了都要头大如斗。"

朱七七瞪眼道："你说什么？"

熊猫儿赶紧道："没有什么，好姑娘，请你快上车吧。"

熊猫儿扬鞭打马，马车向前奔去。

朱七七坐在他身旁，闭着眼睛，喃喃念道："一，二，三，四，五，六……"

数到"四十七"时，忽然张开眼睛，大声道："不对不对。"

熊猫儿道："什么不对？"

朱七七道："这辆车走得太慢，比那日的车要慢多了，你快把车赶回去，从花市前，再从头走一遍。"

熊猫儿叹了口气，道："是，遵命。"

他果然将车赶回，重新再走。

朱七七口中仍在数着："一，二，三……"

数到"四十七"时，竟又张开了眼睛，大声道："不对不对，这次太快了。"

熊猫儿忍不住也大声道："你难道不能快些发觉么？定要走这么远后，才……"

朱七七却伸手掩住了他的嘴，柔声笑道："只要再走一次，一次，你难道都不答应？"

熊猫儿瞪了她半晌，终于苦笑道："我见着你，什么脾气都没有了，莫说一次，就是再走十次，我也认命了。"

说话之间，果然又已将马车赶了回去。

朱七七笑道："你真是个好人。"

马车再次前行，速度总算对了，朱七七一直数到"九十"，便道："右转，在那里再向左转。"

熊猫儿放眼四望，前面数尺，右边果然有条岔路。

于是马车右转而行，朱七七口中自也又重新数了几次，这样转了几次，朱七七说要右转，右面果有道路，说要左转，左面也有道路，前后虽然有些差别，但大致总算不差，熊猫儿倒也不觉甚是钦佩道："这丫头记忆力果然不差，看来她所说的，倒也不像是假话。"

思忖之间，突听朱七七轻呼道："到了，就在这里。"

熊猫儿赶紧勒住缰绳，诧声问道："哪里？"

朱七七张开眼睛，只见此地乃是条石板道路，两旁高墙夹道，前面有个朱漆大门，石阶整洁，门灯闪光，石阶两旁，果然有可容马车进入的斜道，她一眼瞧过，已不觉喜动颜色，道："就是那个门。"

熊猫儿面上却有惊讶之色，道："你可是说那边的门？"

朱七七道："不错。"

熊猫儿道："你这次只怕必定错了。"

朱七七道："不错，不错，万万不会错的。"

熊猫儿沉声道："万万是错了，只因这家人我早就认得。"

朱七七吃了一惊，张大眼睛，骇然道："你认得？莫非果然是王怜花的家……"

熊猫儿截口道："这地方王怜花虽然来过，但却绝非他的产业。"

朱七七道："那么……这究竟是什么地方？"

熊猫儿微微一笑，摇头道："说不得……说不得……"

朱七七着急道："为何说不得，我偏要你说……说呀，说呀，快说呀！"

熊猫儿被逼不过，迟疑半晌，终于道："好，我说，但你听了却真要脸红。"

朱七七道："要我红脸，哪有如此容易。"

熊猫儿轻声道："好，我告诉你，这是暗门子。"

要知"暗门子"便是妓院之意，但朱七七全然不懂，怔了半晌，又瞧了几眼，摇头道："这大门明明亮得很，你为何要说是暗门子？"

熊猫儿怔了一怔，苦笑道："暗门子之意，便是说这门里住的全是神女。"

朱七七怒道："这门里住的明明都是恶魔，你却偏偏要说他们是神女，莫非你也是在他们一条线的人不成？"

熊猫儿又是好气，又是好笑，道："好姑娘，你难道什么都不懂么？”

朱七七大声道：“我什么都懂，你……你也是和他们一鼻孔出气的人，你……你……你们大伙儿一起来欺负我。”

说着说着，她语声竟似已有些哽咽。

熊猫儿赶紧道：“好姑娘，莫哭……莫要哭……”

朱七七一拧腰，背过脸去，跺足道：“放屁，谁要哭了……快说，这究竟是什么地方，快说！”

熊猫儿叹了口气，道：“告诉你，神女之意，就是说……就是说……这里的姑娘，都是……都是不干好事的。”

他生怕朱七七还不懂，索性说得露骨些，一口气说道：“这里本是妓院，里面的全都是妓女。”

朱七七脸皮又飞红了起来，更是不肯转过身。

她垂下头，扭着衣角，过了半晌，突然回首，眼睛直瞪着熊猫儿，大声道：“妓院？这里怎么可能是妓院，你骗我！”

熊猫儿道：“你若不信，为何不进去瞧瞧。”

朱七七道：“进去就进去，难道我还怕了不成？”一口气冲了过去，冲上石阶，便要举手拍门。

但手掌方自举起，突又转身奔了下来。

熊猫儿含笑望着她，也不说话。

只听朱七七喃喃道：“妓院，不错，这里的确可能是妓院，那些‘白云牧女’们，便都是……都是神女，她们打着妓院的招牌来掩饰行藏，的确再聪明也不过了，世上又有谁会想到，那些平日张牙舞爪，不可一世的武林英雄们，竟是被几个妓女捉了去，囚禁在妓院中？”

熊猫儿还是无言地望着她，但双眉已皱起，笑容已不见。

朱七七一手扯住他衣袖，轻声道：“无论如何，我既已来到此地，好歹也要进去查个水落石出。”

熊猫儿道：“正该如此，姑娘快进去吧。”

朱七七又怔了一怔，道：“你……你要我一个人进去？”

熊猫儿眨了眨眼睛，道：“姑娘难道要我陪你进去？”

朱七七咬了咬牙，恨声道：“好，你拿乔，你要我求你……哼，你再也休想，我一个人又不是没有闯进去过，我难道还会害怕？”

她嘴里虽说不怕，心里还是有些怕，那日在地窖中的种种情况，那中年美妇武功之高，心肠之狠，手段之毒……

这些事都已使她怕入骨子里，她一个人委实再也不敢闯进去——她纵身掠上墙头，立刻又跃了下来。

面对高墙，她木立了半晌，缓缓转过身，瞧着熊猫儿。

熊猫儿背负双手，面带微笑，也瞧着她。

朱七七终是忍不住道："你……你……"

熊猫儿道："我怎样？"

朱七七吃吃道："你不进去么？"

熊猫儿笑道："这种地方，我若要进去，当在日落黄昏后，身上带足银子，大摇大摆地进去，为何要偷偷摸摸地半夜爬墙？"

朱七七瞪眼瞧了他半晌，突又拧身，身形一闪，便掠入墙内，熊猫儿本待再逗逗她，让她着急。

哪知这位姑娘天生就是吃软不吃硬的臭脾气，一使起性子来，立刻就可以去玩命。

熊猫儿也不觉吃了一惊，肩头一耸，亦自飞身而入。

哪知他身子方自落地，便瞧见朱七七竟站在墙角下，含笑瞧着他，眉梢眼角，俱是笑意，道："我知道你不会放心让我一个人进来的。"

熊猫儿又好气又好笑，摇头道："好，好，我佩服了你。"

朱七七道："既是服了我，便该听我的话。"

熊猫儿突然正色道："这里若真是你所说的那地方，便真如龙潭虎穴一般，四面八方，处处都可能埋伏着陷阱。"

朱七七道："不错。"

熊猫儿沉声道："是以你我此番进来察看，更必须分外留意，若是有一步走错，只怕你我两人谁也莫想活着出去了。"

朱七七道："我知道……随我来吧。"

说话之间，她身子已蹿了过去。

这院中三更前想必是灯火辉煌，笙歌管弦不绝，但此刻却是一片寂静，四下暗无灯火。

朱七七仗着雪光反映，依稀打量着四下景物，但雪光微弱，景物朦胧，她也无法十分确定这是否便是那日她来的地方。

熊猫儿赶了上来，道："小心点别在雪地留下脚印。"

朱七七道："不用你费心，我知道。"

熊猫儿道："无论如何，你做贼的本事总比不上我，还是我来领路的好。"

他不等朱七七回答，便已抢先掠去。

两人一先一后，借着树木掩饰，掠向后园，一路上既不闻人声，也未遇着丝毫埋伏。

但这出奇的平静，却更是令人紧张，担心。

朱七七只觉自己心房跳动，愈来愈剧。

忽然间，她脚下踩着一堆东西，软绵绵的，也不知是什么，朱七七本已在紧张之中，此刻一惊之下竟忍不住要放声惊呼。

幸好她呼声还未出口，熊猫儿已回身掩住她的嘴，哑声道："什么事？"

朱七七口里说不出话，只有用手往地上乱指。

熊猫儿随着她手指往下瞧去，只见枯树下，雪地上，竟赫然倒卧着两条黑衣大汉，动也不动，也不知是死是活。

两人面色齐变，情不自禁，各自退后一步。

雪地上两条大汉，还是躺着不动。

朱七七道："莫……莫非这是死人？"

熊猫儿又等了半晌，终于俯下身子将两条大汉身子翻了过来——两条大汉直瞪着眼睛，张着嘴，满面俱是冰层，面上肌肉，已全都被冻僵了，但鼻孔里却还有微弱的呼吸，胸口也还温热。

这两人还是活的，没有死。

熊猫儿瞧了半晌，道："这两人已被点了穴道。"

朱七七的双拳紧握，更是紧张，道："瞧这两人模样打扮，便是这院子里的恶奴，两人站在这里，想必就是警戒守夜的暗卡……"

熊猫儿道："不错。"

朱七七道："但……这两人是被谁点了穴道？"

熊猫儿道："你问我，我去问谁？"

朱七七着急道："你不会解开他们的穴道，问问他们自己么？"

熊猫儿摇头叹道："下手的人，不但内力深厚，而且点穴手法，异常奇特，除了那人自己独门破穴手法外，谁也无法解开他们的穴道。”

朱七七奇道：“……这又是什么人？”

熊猫儿道：“瞧此情况，暗中已有位高人，先我们而来了，你我的行迹，说不定早已落在那人的眼中……”

朱七七道：“如此又怎样？”

熊猫儿长身而起道：“咱们不如先回去再说。”

朱七七道：“回去？我来了还肯回去？纵然已有人先来了，但他既下手点了这里恶奴的穴道，想必也是站在咱们这一边的，咱们等于多了个帮手，更不必回去了，好歹也得查个明明白白，清清楚楚。”

熊猫儿想了想，觉得她说得也有道理，只得叹道：“好，由你。”

两人再次前行，走得更小心。

突见前面竹林中，有一片淡淡的灯光透了出来。

朱七七道：“不入虎穴，焉得虎子，咱们过去瞧瞧。”

熊猫儿知道事已至此，不由她也是不行的了，只得随她蹿入竹林，但见林中三五间雅屋，灯光便是那处窗户里透出来的。

灯光极是昏暗，已暗得有些诡秘之意。

这时熊猫儿也不觉动了好奇之心，壮着胆子，掠到窗前，两人一起在窗下伏了下来，凝神窃听。

过了半晌，只听窗子里“吱咯”一响，有一个女子的声音，轻轻呻吟了起来，呻吟之声，良久不绝。

两人对望一眼，心情更是紧张。

朱七七暗道：“这莫非是又有个‘白云牧女’犯了过错，正在受着酷刑？”

但奇怪的是，她听来听去，愈听愈觉这呻吟之声中，非但全无痛苦之意，反而有些……有些……究竟有些什么意味，她也说不上来。

这时，又有个男子气喘的声音响了起来。

熊猫儿脸色突然变了，变得极是古怪，极是可笑，拉了拉朱七七的袖子，要她立刻离开这里。

但朱七七正听得满心奇怪，哪里肯走。

只听那男子的声音喘着气道："好么……好么……"

那女子甜得发腻的声音，呻吟着接道："好人……好人……我受不了……受不了，你杀了我吧，我……我已经快要死了……"

朱七七就算再不懂事，此刻也听出这是怎么回事了，脸又飞也似的红了，暗中轻轻啐了一口。

熊猫儿神情也极是尴尬，两人呆在那里，呆了半晌，谁也没有注意到有人影在他们头上一闪而过。

到后来两人终于齐地长身，逃出林外。

朱七七咬着樱唇，道："不要脸，不要脸……好不要脸。"

熊猫儿道："但由此看来，这里倒又不像有什么奇诡之处了，否则窗子里又怎么会真的有妓女和嫖客。"

朱七七红着脸道："你怎知那男的是嫖客，说不定他……他是……他是朋友呢？"

熊猫儿暗中有些好笑："那甜得发腻的呻吟声根本就是装出来的，根本就是妓女对付嫖客的手段，像我这样的人怎会听不出？"

但这句话他自然没有说出来。

他目光一转，却忍不住脱口道："你头上是什么？"

朱七七道："哪有什么……"目光一转，竟也不禁脱口道，"你……你头上是什么？"

两人不由自主，齐地往自己头上一摸，竟各自从头上摸下个用枯枝编成的皇冠来，上面分别插着两张字条。

两人拔下纸条，就着微弱的雪光瞧去。

只见朱七七冠上插着的纸条，上面写着："傻蛋之后。"

熊猫儿冠上插着的字条，上面却写着："傻蛋之王。"

这两顶王冠是谁戴到他们头上的？是何时戴到他们头上的？熊猫儿与朱七七竟是毫无觉察。

两人这一惊自非同小可，但瞧了这张纸条，却不禁又有些哭笑不得，朱七七恨声道："放屁，放他的狗臭屁，什么傻蛋之……之……我若抓住这厮，不将他切成一寸寸的小鬼才怪。"

熊猫儿苦笑道："你我连人家什么时候在自己头上做的手脚都不知

道，还谈什么抓住人家，根本人家影子都摸不到。”

朱七七想到此人武功之高，轻功之妙，手脚之快，也不禁倒吸一口凉气。想到此人在自己头上放的若非是两顶玩笑的王冠，而是两枚见血封喉的毒镖时，她身上更不禁沁出了一身冷汗。

熊猫儿喃喃道：“此人想必也就是将那两条大汉点住穴道的人，但……他究竟是谁？普天之下，又有谁有如此高强的身手？”

朱七七道：“不管他是谁，我们还是……”

熊猫儿截口道：“我们还是回去吧。”

朱七七道：“回去，回去，你只知道回去。”

熊猫儿叹道：“此人对你我自无恶意，否则他已可取了你我性命。但他如此做法，却显然是在警告你我，莫要在此逗留了。”

朱七七道：“为什么……为什么……”

熊猫儿放眼四望，沉声道：“这一片黑暗之中，想必到处都埋伏着杀机，只是你我瞧不见罢了。那人生怕你我中伏，是以才要你我回去。”

朱七七道：“他要你回去，你就回去么？你这么听话。”

熊猫儿叹道：“无论如何，人家总是一片好意……”

朱七七跺足道：“我偏不领这个情，我偏要去瞧个明白。”

话犹未了，人已又向前掠去。

熊猫儿纵横江湖，机变无双，精灵古怪，无论是谁，见了他都要头大如斗，但他见了朱七七，那头却比斗还大三分。

朱七七往前走，他也只有在后面跟着。

两人提心吊胆，又往前探出一段路。

突然间，一阵清脆的铃声响起——铃声虽轻悦，但在这死寂中听来，却是震耳惊心。

接着，前面闪耀起一片火光。

朱七七胆子再大，此刻也不禁吃惊驻足，再也不敢向前走了，只听一阵叱咤之声，自火光那边传了过来。

“谁？……什么人……捉贼！”

熊猫儿失色道：“不好……快退……”

短短四个字还未说完，已有一条人影自火光中飞射而出，疾如流星闪电，向朱七七与熊猫儿藏身之处掠来。

他身法委实太快，虽是迎面而来，但朱七七与熊猫儿也只不过仅能瞧见他的人影，根本无法分辨出他的身形面貌。

这人影已闪电般掠过他们身畔，竟轻叱道："随我来。"

此刻火光、人影、脚步，已向朱七七与熊猫儿这边奔了过来，呼喝、叱咤之声，更是响了。

朱七七要想不退也不行了，只得转身掠出，幸好这边还无人封住他们的退路，片刻间两人便掠出墙外。

两人到了墙外，那神秘的人影早已瞧不见了。

朱七七跺足道："死贼，笨贼，他才是不折不扣的傻蛋之王哩，他自己被人发现了行踪，却害得咱们也跟着受累。"

熊猫儿沉吟道："只怕他是故意如此的。"

朱七七道："你说他故意要被人发现，莫非他疯了么？"

熊猫儿叹了口气道："他再三警告咱们，咱们却还不肯走，他当然只有故意让自己行迹被人发现，好教咱们非走不可。"

朱七七怔了一怔，恨声道："吹皱一池春水，干他什么事？却要他来作怪。"

两人口中说话，脚下不停，已掠出两条街了。

但此刻朱七七竟突又停下脚步。

熊猫儿骇道："你又要怎样？"

朱七七道："我还要回去瞧瞧。"

熊猫儿忍不住道："你疯了么？"

朱七七冷笑道："我半点儿也没有疯，我头脑清楚得很，他们捉不着贼，自然还是要回屋睡觉的，我为何不可再回去？"

熊猫儿叹道："我的好姑娘，你难道就未想到，人家经过这次警觉之后，警戒自要比方才更严密十倍，你再回去，岂非自投罗网？"

朱七七咬了咬牙，道："话虽不错，但这样一来，我更断定那里必定就是那魔窟了，不回去瞧个明白，我怎能安心。"

熊猫儿道："你怎能断定？"

朱七七道："我问你，普通妓院中，又怎会有那么多壮汉巡查守夜？而且……那人既三番两次地来警告咱们，想必已瞧出那院子里危机四伏，那么，我再问你，普通的妓院里，又怎会四伏危机？”

熊猫儿默然半晌，叹道：“我实在说不过你。”

朱七七道：“说不过我，就得跟我走。”

熊猫儿道：“好！我跟你走。”

朱七七喜道：“真的？”

熊猫儿道：“自是真的，但却非今夜，今夜咱们先回去，到了明日，你我不妨再从长计议，好歹也得将这妓院的真相查出。”

朱七七沉吟半晌，道：“你说的话可算数？”

熊猫儿道：“我说的话，就如钉子钉在墙上一般，一个钉子一个眼。”

朱七七道：“好，我也依你这一次，且等到明天再说。”

两人回到欧阳家，宅中人早已安歇，似乎并没有人发觉他两人夜半离去之事，两人招呼一声，便悄然回房。

冬夜虽长，两人经过这一番折腾，已过去大半夜了，朱七七迷迷糊糊地打了个盹儿，张开眼来，日色已白。

她张着眼在床上出神了半晌，想了会儿心思，似乎愈想愈觉不对，突然推被而起，匆匆穿起衣服，奔向沈浪卧房。

房门紧闭，她便待拍门，但想了想，又绕到窗口，侧着耳朵去听，只听沈浪鼻息沉沉，竟然睡得极熟。

忽然身后一人轻唤道：“姑娘，早。”

朱七七一惊转身，垂首站在她身后的，却是白飞飞，她暗中在男子窗外偷听，岂非亏心之极。

但此刻被人撞见了，她终是不免有些羞恼，面色一沉，刚要发作，但心念一转，又压下了火气，笑道：“你早，你昨夜睡得好么？”

这两天她见了白飞飞便觉有气，此刻忽然如此和颜悦色地说话，白飞飞竟似有些受宠若惊，垂首道：“多谢姑娘关心，我……我睡得还好。”

朱七七道：“你抬起头来，让我瞧瞧。”

白飞飞“嗯”了一声，抬起头来。

这时大雪已住，朝日初升，金黄色的阳光，照在白飞飞脸上，照着她鬓边耳角的处女茸毛……

朱七七叹了口气，道："当真是天香国色，我见犹怜，难怪那些男人们见了你，要发狂了。"

白飞飞只当她醋劲又要发作，惶然道："我我……怎比得上姑娘……"

朱七七笑道："你也莫要客气，但……但也不该骗我。"

白飞飞吃惊道："我怎敢骗姑娘。"

朱七七道："你真的未骗我？那么我问你，你昨夜若是好生睡了，此刻两只眼睛，为何红得跟桃子似的？"

白飞飞苍白的脸，顿时红了，吃吃道："我……我……"

她生怕朱七七责骂于她，竟骇得说不出话来。

哪知朱七七却嫣然一笑，道："你昨夜既未睡着，那么我再问你，你屋子便在沈相公隔壁，可知道沈相公昨夜是否出去了？"

白飞飞这才放心，道："沈相公昨夜回来时，似乎已酩酊大醉，一倒上床，便睡着了，连我在隔壁都可听到他的鼾声。"

朱七七忖思半晌，皱了皱眉，喃喃道："如此说来，便不是他了……"

只听一人接口笑道："不是谁？"

不知何时，沈浪已推门而出，正含笑在瞧着她。

朱七七脸也红了，吃吃道："没……没有什么。"

她瞧见沈浪时的模样，正如白飞飞瞧见她时完全一样——红着脸，垂着头，吃吃地说不出话来。

白飞飞垂着头悄悄溜了，沈浪凝目瞧着朱七七，金黄色的阳光，照在朱七七脸上，又何尝不是天香国色，我见犹怜。

沈浪忽也叹了口气，道："当真是颜如春花，艳冠群芳……"

朱七七道："你……你说谁？"

沈浪笑道："自然是说你，难道还会是别人。"

朱七七脸更红了，她从未听过沈浪夸赞她的美丽，此刻竟也不免有些受宠若惊，垂首道："你说的可是真心话？"

沈浪笑道："自然是真心话……外面风大，到房里坐坐吧。"

朱七七不等他再说第二句，便已走进他屋里坐下，只觉沈浪还在瞧她……不停地瞧她……

只瞧得她坐也不是，站也不是，连手都不知放在哪里才好，终于忍不住轻轻啐了一口，笑骂道："你瞧什么？我还不是老样子，早已不知被你瞧过几百次了，再瞧也瞧不出一朵花来。"

沈浪微笑道："我正在想，像你这样的女子，头上若是戴上一顶王冠，便真和皇后一模一样，毫无分别了。"

朱七七暗中吃了一惊，脱口道："什……什么皇后？"

沈浪哈哈大笑道："自然是美女之后，难道还会是别的皇后不成。"

朱七七忍不住抬起头，向他瞧了过去。

只见沈浪面带微笑，神色自若，朱七七心里却不禁又惊又疑，直是嘀咕："难道昨夜真是他？否则他怎会如此疯言疯语，忽然说起什么王冠之事……"

沈浪道："天寒地冻，半夜最易着凉，你今夜要是出去，最好还是穿上双棉鞋……"

朱七七跳了起来，道："谁说我今夜要出去？"

沈浪笑道："我又未曾说你今夜必定要出去，只不过说假如而已……"忽然转过头去，接口笑道，"熊兄为何站在窗外，还不进来？"

熊猫儿干咳一声，逡巡踱了进来，强笑道："沈兄起得早。"

沈浪笑道："你早……其实你我都不早，那些半夜里还要偷偷摸摸跑出去做贼，一夜未睡的人，才是真正起得早哩，熊兄你说可是么？"

熊猫儿干笑道："是……是……"

沈浪笑道："小弟方才刚说一个人颇像皇后，如今再看熊兄，哈哈，熊兄你龙行虎步，气宇轩昂，再加上顶王冠，便又是帝王之像了。"

熊猫儿瞪眼瞧着他，目定口呆，作声不得。

沈浪突然站起，笑道："两位在此坐坐，我去瞧瞧。"

朱七七道："瞧……瞧什么？"

沈浪笑道："我瞧瞧昨夜可有什么笨贼进来偷东西，东西未偷到，反而蚀把米，将自己乘来的马车也留在门外了。”

他面带微笑，飘然而去。

朱七七与熊猫儿面面相觑，坐在那里，完全呆住了。

过了半晌，熊猫儿忍不住道：“昨夜是他。”

朱七七道：“不错，必定是他。”

熊猫儿叹了口气，道：“果然是行迹飘忽，神出鬼没，咱们的一举一动竟都未瞒过他眼睛，唉……好武功，了不起。”

朱七七“扑哧”一笑，道：“多谢。”

熊猫儿奇道：“你谢什么？”

朱七七嫣然笑道：“你夸赞于他，便等于夸赞我一样，我听了比什么都舒服，自然得谢你，你若骂他，我便要揍你了。”

熊猫儿怔了半晌，苦笑道：“他昨夜那般戏弄于你，你不生气？”

朱七七笑道：“谁说他戏弄我，他全是好意呀，这……这不都是你自己说的么？我们该感激他才是，为何要生气？”

熊儿猫又怔了半晌，道：“我却生气。”

朱七七道：“你气什么？”

熊猫儿也不答话，站起来就走。

朱七七也不拦他，只是大声道：“干生气有什么用？今夜若能设法摆脱他，不让他追着，这才算本事，这样的男人才有女子欢喜。”

熊猫儿大步走了出去，又大步走了回来，道：“你当我不能摆脱他？”

朱七七含笑望着他，含笑道：“你能么？”

熊猫儿大声道：“好，你瞧着。”

跺了跺足，又自大步转身去了。

朱七七望着他身影消失，得意地笑道：“你这猫儿不是说从来不中别人的激将计么？如今怎地还是被我激得跳脚？……看来天下的男人都是一样的，没有一个能受得了女子的激将，只……只除了沈浪……他这个冤家……”

想起沈浪那软硬不吃，又会装聋，又会作哑的脾气，她就不禁要恨得痒痒的，恨不得咬他一口。

但——只是轻轻咬一口，只因她还是怕咬痛了他。

欧阳喜自然留客，朱七七此刻也不想走了，一个愿打一个愿挨，一伙人自然又在欧阳喜家里住下。

到了晚间，自然又有丰盛的酒菜摆上。

酒过三巡，熊猫儿突然道："小弟突然想起了个有趣的问题。"

欧阳喜最沉不住气，道："什么问题？"

熊猫儿道："你我四人，若是真个拼起酒来，倒不知是谁最先倒下？"

欧阳喜道："这……"

他转目瞧了瞧沈浪，又瞧了瞧王怜花。

沈浪不响，王怜花也不响。只要是能喝酒的，只怕再也无人肯承认自己酒量不行，大家喝酒时自己会最先倒下。

欧阳喜哈哈一笑，道："这问题的确有趣得很，但确不易寻着答案。"

熊猫儿笑道："有何不易，只要欧阳兄舍得酒，咱们今日就可试个分晓。"

欧阳喜不等他话说完，便已拍掌笑道："好……搬四坛酒来。"

顷刻间四坛酒便已送来。

王怜花笑道："如此最好，一人一坛，谁也不吃亏。"

沈浪微微一笑，道："若是一坛不醉，又当如何？"

王怜花道："这四坛不醉，再来八坛。"

沈浪道："若还不醉呢？"

王怜花笑道："若还无人醉倒，就喝他个三天之酒，又有何妨？"

熊猫儿拍掌大笑道："妙极妙极，但，还有……"

欧阳喜道："还有什么？"

熊猫儿道："喝酒的快慢，也大有学问……"

欧阳喜笑道："你这猫儿能喝多快，咱们就能喝多快。"

熊猫儿大笑道："好……"举起酒坛，仰起头，将坛中酒往自己口中直倒了下去，一口气竟喝下去几乎半坛。

朱七七听得熊猫儿吵着喝酒，便知道他必定是要将别人灌醉——沈浪若是醉了，自然就无法在暗中追踪于他。

她暗暗好笑。冷眼旁观。

只见这四人果然俱是海量，片刻间便将四坛酒一齐喝光，欧阳喜拍手呼唤，于是接着又来了四坛。

等到这四坛喝光，再来四坛时，这四人神情可都已有些不对了，说话也有些胡言乱语起来。

朱七七忽然觉得甚是有趣，也想瞧瞧这四人之间是谁最先醉倒，但心念一转，突又觉得无趣了。

她暗惊忖道："这四人酒量俱都相差无几，熊猫儿若是还未将沈浪灌倒，自己便已先醉，这又当如何是好？"

话犹未了，突见沈浪长身而起，高声道："老熊老熊，酒量大如熊，喝完三坛就变虫。"

哈哈一笑，身子突然软软地倒下，再也不会动了。

熊猫儿大笑道："倒了一个……"

王怜花眨了眨眼睛，道："他莫非是装醉？"

朱七七虽想将沈浪灌醉，但见到沈浪真的醉了，又不禁甚是着急，甚是关心，一面俯身去扶沈浪，一面应道："他不是装醉，可是真醉了，否则，那些村言粗语，他是万万不会说出口来的。"

王怜花笑道："不想竟有人先我而倒，妙极妙极，且待我自庆三杯。"仰首干了三杯，三杯过后，他的人突然不见了。

原来他也已倒在桌下，再也无法站起。

熊猫儿哈哈大笑，推杯而起，笑声未了，人已倒下。

欧阳喜大笑道："好……好，武功虽各有高下，酒中却数我称豪……"

手里拿着酒杯，踉跄走出门去。

过了半晌，只听门外"哗啦"一响，接着"扑咚"一声，于是，便再也听不到欧阳喜的声音。

第十二章

峰回路又转

熊猫儿见他们都醉倒了，又过了半晌，熊猫儿突然一跃而起，望着朱七七道："你瞧，我可是将他摆脱了。"

朱七七道："算你有本事，但……但你也不该将他灌成如此模样。"

说来说去，她还是为着沈浪的。

熊猫儿呆了半晌，喃喃叹道："女人……女人……你帮着她时，她反帮着别人……"

朱七七将沈浪在榻上安置好了，才跟着熊猫儿掠出宅院，两人心中各自怀有心事，谁也不曾说话。

直奔到宅院墙外，朱七七方自回首道："今夜已没有沈浪为咱们开道，你我需得十分小心才是。"

熊猫儿道："哼！"

朱七七展颜一笑，道："你喝酒未醉，莫要吃醋却吃醉了。"

两人掠入高墙，高墙内仍是一片寂然，丝毫瞧不出有什么警戒森严之状，甚至连守更巡夜的人都没有一个。

两人一路前行，竟毫无拦阻。

也不知走了多久，依稀望去，已是后园，四下的景物，果然与朱七七那日所见的"魔窟"有些相似。

松林，竹林，亭台，楼阁，假山……

积雪的碎石路，冰冻的荷花池……

朱七七愈瞧愈像，愈瞧愈是紧张，虽然如此严寒之中，她掌心、额角，仍不禁往外直是冒汗。

突然间，熊猫儿大笑道："好酒好酒，再来一壶……"

朱七七骇得心都要跳出嗓子眼外，霍然回身，将熊猫儿拉倒在地，两人一起向山石暗影中滚了过去。

过了半晌，风吹松竹，四下仍是一片静寂，熊猫儿的大笑之声，居然并没有惊动园中之人。

朱七七这才松了口气，拉起熊猫儿的衣襟，恨声道："你疯了么？"

熊猫儿嘻嘻一笑，道："疯了疯了，喝酒最好……"

朱七七失色道："不好，你……你真的醉了？"

熊猫儿突然一整脸色，道："谁醉了，方才我不过只是试试这里有没有人而已。"

朱七七道："你这样试法，岂非要人的命么？"

猫熊儿突又大声道："好，你不叫我试，我就不试。"

朱七七又骇出一身冷汗，赶紧以食指封住嘴唇，道："嘘——莫要说话。"

猫熊儿也以食指封住嘴，道："嘘——莫要说话。"

朱七七惊怒交集，哭笑不得，也不知该如何才好，她已看出熊猫儿方才在家里虽是装醉，此刻被风一吹，却真的醉了。

他方才醉了还好，此刻醉了，当真是活活要急死人。

哪知熊猫儿又站了起来，蹑手蹑脚，走了出去，他身法仍是迅快异常，朱七七拉也拉不住，只得紧紧跟在他身后。

走了一段路，熊猫儿居然走得轻灵巧快，绝未发出丝毫声息，朱七七又不禁松了口气，暗道："但愿他真的没有醉，否则……"

哪知她一念尚未转完，熊猫儿突然间向一株松树奔了过去，"砰砰蓬蓬"，在树上打了几拳，大叫大嚷道："好，你说我醉，我揍你……揍死你。"

朱七七又是吃惊，又是气愤，又是愤怒，一步蹿过去，将熊猫儿按在树上，"噼噼啪啪"，一连扇了十几个耳刮子。

熊猫儿也不挣扎，也不反抗，却仍然嘻嘻地笑。

朱七七恨声骂道："蠢猫，醉猫，我才真的要揍死你。"

熊猫儿道："好姑娘，莫要揍死我……只揍个半死就好了。"

朱七七虽然愤怒，却又不禁有些好笑，只是此时此刻，危机四伏，伴着她的却是只醉猫，她又怎能笑得出来。

抬眼四望，园中居然仍无动静，也无人警觉追查。

朱七七压低声音，恶狠狠道："醉猫，你听着，你若是再吵，我便将你点住穴道，抛在这里，任凭别人将你一块块切碎，你听得懂么？"

熊猫儿连连点头道："听得懂，听得懂。"

朱七七道："你还敢不敢再吵？"

熊猫儿连连摇头道："不敢了，不敢了。"

朱七七吐了口气，道："好，轻轻地，跟着我走，只要发出一点声音，我就要你的命！"

熊猫儿道："好，轻轻地，跟着你走，只要发出一点声音，你就要我的命。"

他居然说得清清楚楚，明明白白。

朱七七暗喜忖道："他若已醉了，心里还是有几分清醒的……看来我运气真的不错，方才他那般大吵大闹，竟都没有把别人惊醒。"

于是两人又自一前一后，向前走去。

这两人一个已醉得神智无知，一个又是年轻识浅自说自话，竟都未尝想到熊猫儿方才那样大吵大闹，就算是个死人，也该被他惊醒了。

何况，这园中又怎会都是死人？

此刻园中仍然一无动静，这其中必定有些奇特的缘故，但朱七七非但未曾想到这点，反倒在暗中自鸣得意，说自已运气不错。

这岂非也是件令人哭笑不得的事？

朱七七猜得不错，这"妓院"果然就是那日她身遭无数险难的"魔窟"，再走几步，她便已可瞧见那座小楼。

此刻虽是一片黑暗，但她眼前却似乎犹可望见那艳如桃李、毒如蛇蝎的中年美妇，正凭栏倚楼，在向她招手微笑。

刹那间，她心头不由自主，泛起一股寒意，不由自主拉起熊猫儿，向一株大树后躲了过去。

熊猫儿道："什么……"

两个字说出，嘴已被朱七七掩住。

她以另一只手指着那小楼，道："就……就是那里。"

熊猫儿口中唔唔作声，连连点头。

朱七七耳语道："到了这里，你可千万不能再发一点声音……半点都不能，那小楼里住着的女人，简直比恶魔还要可怕，你只要发出半点声音，她立刻就可听到，那时……那时你我可就都别想活着回去了，知道么？”

熊猫儿又点了点头，果然连呼吸都已闭住。

朱七七这才放开手掌，轻叹道：“咱们虽已找着了这地方，但我还是不知该如何是好？是先去探看呢，还是先回去找沈浪？”

熊猫儿亦自耳语道：“咱们先去瞧瞧。”

朱七七叹道：“先瞧瞧固然不错，但你却永远也猜不到小楼中那妇人有多可怕，何况，你又如此醉了……”

熊猫儿道：“无妨。”

话未说完，人已有如离弦之箭般，蹿了出去。

朱七七一把未拉着，叫又不敢叫，骇得面色都已变了，她本想跟着过去，怎奈两条腿却真是发软。

只见熊猫儿笔直蹿向小楼，竟飞起一脚，“砰”地踢开了楼下的门户，冠冕堂皇地闯了进去。

他这一脚当真有如踢在朱七七心上一般，朱七七只觉耳旁“嗡”的一响，头脑一阵晕眩，心房也停止了跳动！

她竟不由自主地，软软地跌倒在地上，指尖早已冰冰冷冷，目中也骇得急出了泪珠，颤声道：“完了……完了……”

她算准熊猫儿此番冲入小楼，是万万不会再活着出来的了，她既想冲进去与熊猫儿同生同死，怎奈却再也站不起身子。

她跌坐在地上，咬牙暗道：“谁叫你酒醉误事，谁叫你逞能灌酒，你……你……你死了也是活该，我半点也不会可怜你……”

她口中虽然如此说话，但不知怎地，说着说着，她一双明如秋水的眼睛里，竟已涌出了泪珠。

只听熊猫儿在小楼中大叫大嚷，道：“鬼婆娘，女魔头，你出来，你……你有本事与本大侠拼个你死我活，看我熊猫儿可怕了。”

他话声含糊，委实连舌头都大了，连话都说不清。

接着，又是一阵“砰砰、咚咚”的声响，熊猫儿含糊叱咤，显见小楼中已发生了生死相拼的剧战。

那么，熊猫儿武功纵高明，身手纵灵巧，可也万万不会是小楼中绝色美妇的对手，何况他此刻根本已酩酊大醉。

朱七七早已哭得跟泪人儿似的。

她一面流泪，一面低语，道："不管你是不是喝醉了，若不是我，你……你……你又怎会喝醉，又怎会来到这里……都是我害了你……我害了你，但我却坐在这里，不能和你一起去拼命……我真该死，真是该死……该死……该死。"

举起手，一口往她自己那嫩藕般的手臂咬了下去，竟真的咬得鲜血淋漓。

这时，小楼中竟突然变得寂无声响。

这无声的寂静，奇怪的寂静，实在比任何响动都要可怕，朱七七吃惊地抬起头，泪眼模糊，愕然而视。

只见那寂静、黝暗的小楼，孤零零地矗立在黑暗中，没有声音，没有灯火，也没有人影……

她又惊又奇，暗道："这是怎么回事……这是怎么回事？难道他……他已死了？但他纵然已死，也该有些动静才是呀。"

没有生命的小楼，此刻在她眼中看来，却仿佛是个奸猾诡秘的幽灵一般，那精灵的屋檐，仿佛是这老奸巨猾的幽灵的苍苍白发，那紧闭着的窗户，便像是这幽灵紧闭着的眼睛，什么秘密都不肯透露——永远没有人能从一双紧闭着的眼睛里瞧出他心里的秘密，是么？

但小楼下那扇已被熊猫儿踢开的门户，却像是幽灵的嘴——门，在夜风中摇动着，正像是那幽灵对朱七七的讥笑与嘲弄，"它"生像是在对朱七七说："你敢进来么？你平日那么大的胆子，此刻你可敢走进来一步？"

朱七七身子打着寒噤，不断地打着寒噤。

她身子早已被雪水湿透，裤子上也早已沾满了泥泞，但她却毫无觉察，她眼睛直勾勾地瞧着那幢小楼，别的任何事都顾不得了。

门，犹在寒风中摇动着。

这不但像是对朱七七的嘲弄，也还像是对她的挑战。

朱七七拼命咬紧牙关，挣扎着爬了起来，暗骂自己："我为何要如此害怕，我连死都不怕，还怕什么？"

她却不知道"恐惧"正是人性中根本的弱点，与生俱来的弱点，除非那人已死了，已完全麻木，否则他永远免不了要害怕的。

正如此刻，她怕的并不是“死”，她怕的仅仅是“恐惧”本身，这并不可笑，更不可耻，只因这根本无法避免，她根本不由自主……古往今来，那些忠臣烈士，在舍生取义、从容赴死时，心里也多多少少有些害怕的，只是他们能凭着那一股浩然正气，将害怕遏止而已。

朱七七虽不能将“害怕”遏止，却终于站了起来。

她心中虽不能说也有那一股浩然正气，但是她好胜，她要强，她还有一颗善良的心，她发誓要为武林揭开这秘密，这可怕的秘密！

她一步步向小楼走了过去。

门，是开着的。

但门里比门外还要黑暗，朱七七站在雪地里，纵然用尽目力，却仍然丝毫也瞧不见门里的情况。

她心已几乎跳出腔子，她愈来愈害怕。

但她仍咬着牙往前走，不回头，不停顿。

从她跌坐的地方到那扇门，距离并不远，但这短短一段路，此刻在她走来，却仿佛有不可企及的漫长。

终于，她走到门前。

走到门前，她便似乎已用尽了全身气力，此刻门里若是有个人冲出来，几乎一举手便可将她置之于死地。

突然间，“砰”的一声，门关起了！

朱七七心神一震，险些忍不住失声惊呼出来。

但那却只不过是风，“寒风不解事，为何乱骇人？”朱七七牙齿咬着嘴唇，左手抚着心口，右手轻轻推开了门——

门里竟仍似无人，也绝无反应。

她壮着胆子，悄悄走了进去。

这时她虽仍不时要打寒噤，但四肢俱已注满真力，全身上下，俱在严密的戒备状况之中。

她随时随刻，都在防备着黑暗中的突袭。

但她走了几步，竟全无丝毫意外之事发生——屋子里黑暗得几乎伸手不见五指，她什么也瞧不见，什么也听不到——除了她自己心跳的声音。

这“全无意外”，反而令她大出意外，这出奇的寂静，反而令她更是吃惊，她更摸不清这是怎么回事?

这小楼里究竟埋伏着什么陷阱，什么诡计?

熊猫儿究竟到哪里去了?是死?是活?

这小楼里的人为何还不对她下手?他们还在等什么?

事已至此，朱七七也只有硬着头皮往前走。

到了这小楼里，她反正也不想走出去了，这小楼里无论有什么陷阱，什么诡计，她也只有听天由命。

她一步步地走着，掌心不断往外淌着冷汗，此时此刻，她的处境与心神，唯有两句话差堪形容，那便是——

盲人骑瞎马，夜半临深池。

她盲目闯关，随时随刻都可能一步跌入杀身的陷阱中，除了她之外，委实很少有人再敢往前走的。

突然间，她脚下踩着了件软绵绵的东西，仿佛是人的脚，她身子往前一跌，又碰着一件软绵绵的东西。

这件东西不但湿而柔软，还带着些男人独有的粗犷气息——那是汗臭、酒臭，与皮革臭味的混合。

朱七七大惊之下，翻身后退，厉叱道：“什么人?”

黑暗中寂无回应，却有大笑之声响起。

朱七七嘶声道：“你究竟是什么东西?你……”

话犹未了，灯光突然亮起。

四面俱都有灯光亮起，将室中照得亮如白昼。

久在黑暗中的朱七七，只觉眼睛一阵刺痛，不由自主地闭了起来，身子也不由自主地向后退了过去。

突然，她后背又撞着件软绵绵的东西，又像是男人的身子，她又吃一惊，拼命向前一冲。

哪知这时却有双手捉住了她的肩头。

她想挣扎，却又有个男子的声音在她身旁道：“站稳了，莫摔倒。”

这语声竟是如此熟悉，竟像是沈浪的声音。

朱七七这时已能张开眼——她一惊之下，霍然张眼——

她眼睛不张开倒也罢了，这一张开，却更令她吃惊得呆在当地，张大了嘴，说不出一个字来。

灯光明亮，室中桌椅井然，哪有丝毫曾经搏斗的模样？一人面带微笑，当门而坐，却是王怜花。

她骤然在这里见着王怜花，已足够吃惊，更令她吃惊的是，含笑坐在王怜花身侧的，竟是沈浪。

她骤然在这里见着沈浪，也犹自罢了，但她做梦也不会相信，此刻大模大样，坐在沈浪身旁的，竟是——

竟是那方才已酩酊大醉，神智不清，胡吵乱闹，害得她担了不少心，也流了不少眼泪的熊猫儿。

她骤然见着这三人，虽然稀奇，也还不十分稀奇。

最最令她觉得奇怪的，却是坐在熊猫儿身旁的一人。

此人额骨高耸，目光锐利，嘴角裂开，有如血盆——他竟赫然正是那已永久无消无息的铁化鹤！

这四人竟都在这里。

这四人本来是敌非友，但此刻他们围坐在一起，面上竟都带着笑容，彼此间绝无丝毫敌意。

这究竟是怎么回事，朱七七不懂，实在不懂。

灯光亮处，四个人俱都长身而起。

王怜花抱拳一笑，道："佩服佩服，朱七七胆量果然惊人，果然是巾帼英雄女中丈夫，在下端的是佩服得五体投地。"

铁化鹤抱拳笑道："姑娘为了我等之事，竟不惜如此冒险犯难，又不知受了多少艰苦、委屈，在下更是感激不尽，永生难忘。"

沈浪含笑道："你经过此事之后，无论见识、胆量，都可增加不少，你虽然受了许多惊骇，但也是值得的了。"

熊猫儿大笑道："他们说你未必敢闯进来，但我却说你一定会闯进来的，我……"

朱七七突然跳了起来，大呼道："住口！你们全都给我住口。"

她一步冲到沈浪面前，扭住了沈浪的衣襟，大呼道："这究竟是怎么回事，快说！快说！我已要发疯。"

熊猫儿走了过来，含笑劝解道："姑娘有话好说，何必……"

话还未说完，突听"啪"的一响。

熊猫儿脸上已被朱七七清清脆脆地掴了个耳光，他也被打得怔在那里，手抚着脸，也不知该如何是好。

朱七七已转脸对着他，手叉着腰，大声道："好说！好说个屁！我且问你，你不是醉了么，此刻为何又突然清醒，你方才是不是在装醉？"

熊猫儿苦笑道："我……我……"

朱七七对准他耳朵大叫道："你骗我，你为什么要骗我？"

这叫声几乎将熊猫儿耳朵都震破了。

他倒退三步，讷讷道："这……这……"

能言善辩的熊猫儿，此刻竟说不出话，威风凛凛的熊猫儿，此刻竟是一副可怜模样，目光乞怜地瞧着王怜花。

王怜花干咳一声，道："此事其中委实有许多曲折，但在下……"

沈浪截口道："但我们如此对你，却绝无恶意。"

朱七七跺足道："没有恶意？还说没有恶意，我问你，他为什么骗我？你为什么骗我？你们这些鬼男人为什么都在骗我？"

她虽在大叫大嚷，但语声已有些哽咽起来。

沈浪道："此中秘密，我们本要告诉你的……"

朱七七吼道："那你们为何不说？"

沈浪叹了口气，道："你如此模样，却叫我等如何说话。"

朱七七又跳了起来，大声道："我如此模样？你还敢怪我样子不好，你们这样骗我，难道要我一进来就向你们赔笑磕头不成？"

王怜花笑道："但姑娘总也该听完在下等的话，再发脾气也不迟。"

沈浪接口道："正是如此，你且好生坐下，且听我等向你解释。"

朱七七道："我偏不坐下，你又怎样。"

倒退几步，却寻了张椅子坐了下来——也不知怎地，只要是沈浪说的话，这句话，对她来说，就像是有一种魔力。

沈浪松了口气，道："好！此事说来话长，还是请王兄从头说起。"

王怜花也松了口气，道："此事委实太过曲折，连在下也不知该从何说起。”

朱七七似乎又要跳了起来，大声道：“你不知该如何说，就不说了么？”

王怜花笑道：“自然要说的，但……”

朱七七眼睛一瞪，道：“还但什么？”

王怜花道：“但在下既不知从何说起，便不如由姑娘来问的好，姑娘问一句，在下答一句，有问必答，绝不隐瞒。”

朱七七道：“好，我先问你——”

说到这里，她自己也怔住了，这件事委实是千头万绪，曲折离奇，她自己委实也不知该从哪里问起。

她垂下头，又抬起头，在思索中，她目光四下转动，突然，她发现对面墙壁上悬着一幅巨大的图画。

也不知为了什么，她目光立刻就被这幅图画所吸引，甚至连她脑海中的思潮都立刻为之停顿。

那是幅着色的彩画，画的是夜半。

凄清幽秘的月色，淡淡地笼罩着整幅画面，一条崎岖、狭小的道路，自画的左下方伸展出来，曲折地经过画幅中央，消失于迷蒙的夜色之中，淡淡地显示着一种“不知从何而来，也不知去向哪里”的玄妙意味。

道路两旁，危岩高耸，苍郁的绿色树木，满布着山岩上部，下面是沉重的灰褐色的岩石、泥土——

左面的岩石后，露出了半堵红墙，一堵飞檐，像是丛林古刹，又像是深山中的神秘庄院。

右面的山岩后，却露出了半条人影，乌发如云，明眸流波，画的是个绝色少女，像是在躲藏，又像是在窥探。

飞檐下，也有个女子，同样的美丽，同样的年轻，身躯半旋，像是要走出来，又像是要走进去。

第三个女子，站在曲折的道路中央，侧着头，露着半边脸，像是要回头窥望，又像是在躲避檐下女子的目光。

三个女子都是异常的美艳，只是眉宇间又都带着一分说不出的沉郁之态，像是幽怨，又像是怀恨。

像是在逃避，又像是在期待。

她们在期待着什么？

她们在期待着什么人来？还是在期待着什么事发生？

这虽然是一幅死的图画，但整个画面却都像是活的。

画幅中的三个女子，每个人似乎都有着她们的独特思想、独特行为，每个人似乎都正要去做——或是正在做一件奇特的事。

看画的人虽然不知道她们要做什么事，但只要凝注画面半晌，心头便不由自主地泛起一阵悚栗，一丝寒意……

似乎她们要做的乃是件足以令人寒心的事。

凄清的月色，使这一切看来更是诡秘，似乎有一种令人要流冷汗的悬宕——某件事将要发生，却又未发生。

这使得看画的人也都会觉得有一种期待的感觉，期待着某件事快些爆发，打破这诡秘的沉郁。

若是对这画凝注太久，甚至会感到透不过气来——这似乎就是画中人的心情，竟已感染到看画的人。

这幅画构图虽奇特但却十分简单。

这幅画虽然栩栩如生，但笔法却未见十分精妙。

简单的构图，通常的笔法，竟能画出如此精妙的图画，竟能显示出这许多诡秘而复杂的意味——

显然，这画图的人在动笔时必定怀有一份十分强烈的情感，这画面中的情况也仿佛是她自己亲所经历的。

只因唯有真实的经历，才会引发如此强烈的情感，而情感中最强烈的两种，便是爱和恨。

但此刻吸引了朱七七目光的，倒并非是这幅图画中所交织的爱和仇，而是这幅画中的人物。

她目光正瞬也不瞬地凝注着画中站在道路上的女子，神情间竟已有些惊恐，有些激动。

只见这女子眼波流动，衣袂飘飞，绰约的风姿，动人的神韵，正已像月光般笼罩了整个画面。

这女子的面庞虽只画出半面，但朱七七不用再瞧第二眼，便已可瞧出她正是这小楼中那艳如桃李、毒如蛇蝎的绝色丽人。

朱七七终于道："我先问你，这是什么人？"

王怜花道："家师……"

朱七七截口喝道："胡说，我明明听见你叫她母亲。"

王怜花笑道："只因家师爱子，昔年便已失踪，是以便将我收归门下，她老人家将我爱如己出，我自然唤她母亲。"

朱七七"哦"了一声，显然已接受他的解释，但瞬又厉声道："如此说来，你承认我是见过她的了？"

王怜花颔首笑道："不错。"

朱七七道："你是否也承认她曾经将我关在这小楼下的地牢中，后来是你放了我的，而我也确是自那棺材铺逃出？"

王怜花颔首道："不错。"

朱七七道："那么，展英松、方千里等人，也确是被你们一路押到这里来的，也曾被关在这小楼下的地牢里？"

王怜花笑道："不错。"

朱七七声色俱厉，句句紧逼，王怜花竟一切俱都承认了，而且神色不变，面上也始终带着笑容，朱七七忍不住又跳了起来，大怒道："好呀！这件事你直到此刻才肯承认，那时为何要否认，害得别人还以为我是胡说八道的疯子。"

王怜花含笑道："只因那时在下还不知道沈兄究竟是敌是友，自然只得对什么事都暂且否认的，而此刻……"

朱七七道："此刻又怎样，此刻沈浪难道已和你站到一条线不成？"

王怜花道："正是，此刻在下已知道，沈兄与在下等，实是同仇敌忾，此刻无论什么事，在下也不会再对沈兄隐瞒的了。"

朱七七身子一震，又被惊得怔住。

她眼见王怜花与他"母亲"做出了那许多诡秘之事，每一件都在危害着别人，甚至危害着武林，她实在不能相信沈浪居然也和他们一鼻孔出气，她做梦也不会相信素来侠义的沈浪，竟会做出这种事来。

她不禁大呼道："沈浪，快说，他说的话完全不是真的。"

沈浪面带微笑，缓缓道："王兄说的话，字字句句都是真的。"

朱七七又自一震，嘶声呼道："我不信……我不信……"

她一步冲到沈浪面前，泪流满面，嘶声道："我绝不相信你会和他们同流合污，狼狈为奸，我……我绝不相信你会参与他们的阴谋诡计。"

沈浪摇头叹道："你错了……"

朱七七"噗"地跌坐了下去，仰面瞧着沈浪，目光中又是惊疑，又是愤怒，又是悲哀，颤声道："难……难道你真的那么卑鄙？"

沈浪道："你更错了。"

朱七七以手捶地，嘶声大呼道："这究竟是怎么回事？究竟是怎么回事？我不懂……我不懂……我愈来愈是不懂了。"

沈浪道："我告诉你，无论任何事，都不能只看表面的，而这件事你却只看到表面，所以你非但不懂，还起了误解。"

朱七七头发披散，满面泪痕。

她抬起头，道："误解……"

沈浪道："不错，误解，王公子并非你所想象中的恶魔，王老夫人的所作所为，更不是你们想象中的……"

朱七七截口大呼道："但那些事明明是我亲眼瞧见的。"

沈浪叹道："你所瞧见的并没有错，铁大侠、方大侠、展镖头，这些人的确是被王老夫人自那古墓中救出来的，她老人家早已潜入那古墓中，你我正在与金不换、徐若愚等人纠缠时，她老人家已将展镖头等人救出，再令人送来这里，此举可说是完全出于侠义之心，绝无丝毫恶意。"

朱七七大声道："她既无恶意，为何要做得那么神秘，而且……而且还迷了展英松等人的神智，再叫那些牧女们赶牛赶马似的将他们赶来？她救人若是真的出自侠义之心，一救出后，就该将他们送走才是。"

沈浪道："只因王老夫人深知主使此事的，乃是个狡黠无俦的恶魔，无论计谋武功，都绝非展镖头等人所能抵敌，她老人家若是在那时就将他们放了，这些人便难保不再落入那恶魔掌中，你说是么？"

朱七七哼了一声，勉强算作同意。

沈浪接着又道："她老人家救人要救到底，自然只有暂时将他们送来这里，保护着他们，只因唯有这里才是最最安全的所在。"

朱七七道："既是如此，她更不该将他们当作牛马一般赶来……"

沈浪截口道："她若是以平常方法，把他们送来，不出百里，便要被人发觉，那恶魔若是令人半路拦截，此举岂非又将功亏一篑？"

朱七七寻思半晌，又哼了一声，算作回答。

沈浪接道："何况那时时机紧迫，王老夫人根本无暇对展镖头等人解释其中的奥妙，纵然解释了，展镖头等人也未必肯听从她老人家的忠告，她老人家为了行程安全，也为了争取时间，只有以非常的方法，先将他们送来此地，只因那时事值非常，所要对付的又是个非常的人物，是以她老人家才会做了这非常的手段……也正因这手段太不寻常，是以你才会发生误解。"

朱七七道："但……但……但我跟来这里，她为何又要那般对我？"

沈浪微笑道："那时她老人家怎知你是何许人物？又怎知你不是那恶魔手下的党羽？……她老人家那样对你，正是天经地义、理所应当之事。"

朱七七道："但……但……"

但究竟如何，她却再也说不出来。

她虽然觉得沈浪的解释有些牵强，但却又牵强得极是合理，一时间，她竟寻不出这其中有何漏洞。

自然她便无法加以辩驳。

过了半晌，她只有恨声道："你倒知道得清楚，你……你怎会知道得如此清楚的？"

沈浪微笑道："其中秘密，自是王兄相告。"

朱七七大声道："他告诉你的？他怎会告诉你？他怎不告诉我？"

沈浪道："这……"

王怜花接口笑道："这只因到了昨夜，在下已非告诉沈兄不可。"

朱七七道："昨夜？昨夜你为何非告诉他不可？"

王怜花笑道："这只因有些事在下虽然瞒过了姑娘，却未瞒过沈兄，此事与其说是在下告诉沈兄的，倒不如说是沈兄自己发现的好。"

朱七七道："不懂，不懂，我还是不懂。"

王怜花道："自从姑娘将沈兄带到棺材铺里，沈兄便已发觉了其中的破绽，只是姑娘却未曾觉察而已。"

朱七七转向沈浪，道："你发现了什么破绽，我为何未发现？"

沈浪微微一笑，道："其实那些都是极为明显易见之事，无论谁只要稍加留意，便可发觉的，只是你那时心浮气躁……"

朱七七大声道："究竟是什么，你快说吧，还穷啰唆什么？"

沈浪道："你可瞧见那店铺外悬的店招与对联……"

朱七七道："我又不是瞎子，自然瞧见了，那是木头的招牌，刻了字以黑漆涂上，是以经久不褪，上面写着……"

沈浪笑道："上面写着什么，不用念了。"

朱七七道："念不念都一样，总之我不但瞧得清清楚楚，而且记得清清楚楚，我早已观察过了，那没有什么。"

沈浪道："但你是否留意到那店招对联，木质都已十分陈旧，油漆也渐将剥落，至少也是七八年以上之物。"

朱七七道："他们是老店，老店自然有老招牌，这又有什么稀奇？"

沈浪笑道："稀奇的是，店是老店，招牌是老招牌，甚至连店中桌椅陈设，都是老的，但唯有那柜台，却显见是新近搭起来的，非但油漆还未干透，而且搭建得甚是粗糙，与店中精致的招牌、桌椅都显得极不相衬。"

朱七七怔了一怔，道："这……这个我却未曾留意，但……"

语声微顿，忽又大声嚷道："但这又有什么关系？"

沈浪笑道："关系便在此处，你那日明明见柜台早已在那里，这柜台为何又会是在匆忙之中，新近搭成的？"

朱七七又怔了怔，讷讷道："是呀……为什么？"

沈浪道："还有，无论哪一家棺材店中，都有着一种独有的气味，王森记既是老店，那气味更该浓厚。"

朱七七道："不错，棺材店的气味，总是难闻得很，那……那并不完全是木材的气味，而像是阴森森、霉霉的，简直像是死人的气味。"

沈浪笑道："这就是了，但那日我在王森记棺材铺里，所闻得的却非那种死人的气味，而是一种香烛的味道。”

朱七七道：“是呀！……这又为什么？”

沈浪道：“还有，无论哪一家棺材店中，最最留意的便该是火烛，只因棺材店中全属易燃之物，若被祝融光临，一发便不可收拾。”

朱七七听得入神，不觉颔首道：“不错。”

沈浪道：“但我那日在王森记棺材铺里，那制造棺木的后院中，却发现壁面、墙角，多已被烟火熏黑。”

他微微一笑，接道：“我便趁你们未曾留意时，在墙上轻轻摸了一下，我手指也立刻便被油烟染黑了，由此可见，那里不但已被烟火继续不断地熏了许久，而且最近数日前，还在被烟火熏着……”

朱七七忍不住接口道：“这句话我有些不懂，你再说清楚些好么？”

沈浪道：“要知墙壁若要被烟火熏黑，必定要一段极长的时间。”

朱七七道：“不错，我小时到家里的厨房里去偷菜吃，瞧见厨房的墙壁全是黑的，那厨房可至少已被烟火熏了好几十年了。”

沈浪笑道：“但我用手一摸，染在我手上的油烟，却是新迹，这自然可见那些地方在最近几年中，一直都在被烟火熏着……”

朱七七道：“哦，我明白了……”

突又眨了眨眼睛，苦笑道：“但我还是不明白，这又有什么关系？”

沈浪笑道：“有两点重要的关系。”

朱七七道：“死人，你快说呀！”

沈浪道：“第一点，那制造棺木的地方，本应最避烟火，而如今四面墙壁之上却被烟火熏得乌黑，这岂非怪事。”

朱七七颔首道：“不错，真奇怪……还有第二点呢。”

沈浪道：“第二点，我既已断定那地方已被烟火继续不断地熏了许久，却又绝未发现那里有半点火烛，这岂非也是怪事。”

朱七七又自寻思半晌，道：“是呀，这又是为什么？”

沈浪一笑道：“在那时我心中已将此事加以猜测，但既未曾证实，也不能断定，直到我走出店门便可完全断定了。”

朱七七奇道：“走出店门，你便可断定了？你凭什么断定的？”

沈浪道："我发现那棺材店隔壁，乃是家香烛铺。"

朱七七更是奇怪，道："香烛铺开在棺材铺隔壁，正如当铺开在赌场隔壁一样，本是再也平常不过的事，你又凭这点断定了什么？"

沈浪笑道："我断定这棺材店在数日前还是家香烛铺，那香烛铺才是原来的棺材店，两家店必定在这三两日间匆匆搬了个家。"

朱七七茫然道："搬家……"

沈浪道："正是搬家，那棺材铺的后院，昔日本是香烛铺制造香烛的所在，墙壁自然早就被烟火熏黑了……"

他语声微顿，瞧见朱七七仍是满面茫然，便又接道："只因他们是在匆忙中搬的家，而别的东西都可搬，柜台却是搬不动的，所以棺材铺便必定要做个和以前完全一样的柜台……在匆忙中做的柜台，自然便极为粗率，你说是么？"

朱七七道："不错……不错……不错……"

她在说前面两个"不错"时，其实心头仍是茫然不解，直到说第三个"不错"时，整个人突然跳了起来。

只见她满面俱是兴奋之色，大喜呼道："我知道了……我明白了……"

沈浪含笑道："你且说说你知道了什么？"

朱七七道："原来的棺材店里有地道，原来的香烛店却没有，王怜花算准我要到棺材店去找地道，所以就先将两家店搬了个家，我再到棺材铺去寻地道，自然将整块地都翻过来也找不到了。"

沈浪笑道："好，你总算明白了。"

朱七七道："那一排几间房屋，建造的格式本来就完全一样，而且显然都是王怜花的产业，他要搬来搬去，自是轻而易举之事。"

王怜花笑道："也并不太简单，还是要费些工夫的。"

朱七七也不理他，自管接道："两家店搬家，当地的老住户，虽然难免觉得奇怪，但我们对那条街根本不熟，自然完全不会留意。"

沈浪笑道："这便是王兄的妙计，他利用的正是人们心理的弱点，对有些十分显而易见的事，便不会去加以留意了。"

王怜花笑道："此计虽妙，却还是瞒不过沈兄……在下实未想到沈兄的观察之力竟是如此敏锐，连那些小事都未错过。"

沈浪笑道："其实那些本就十分明显，只不过别人未曾留意罢了，而在下却深信世上有许多秘密，都是从一些明显而普通的事上泄露出来的，是以在下观察的角度，便与别人有些不同。"

熊猫儿叹道："但要训练成沈兄这样的观察力，真是谈何容易，否则人们都有两只眼睛，为何沈兄能瞧见，咱们却瞧不见？"

朱七七道："他那两只鬼眼睛，本就比别人厉害。"

她眼睛瞪着沈浪，恨声道："我问你，你既已早就瞧出来了，为何不告诉我，无论如何，这件事总是因为我你才能发现的呀。"

沈浪笑道："只因我生怕你那火烧星的脾气，忍耐不住，在那时就胡乱发作起来，便将我整盘计划全都搅乱了。"

朱七七跺足道："你好，你聪明，你能忍耐，你……你可有什么鬼计划？"

王怜花笑道："沈兄当时完全不动神色，在下也丝毫未曾发觉沈兄已窥破了这其中的秘密，但到了那日晚间……"

他含笑瞧了熊猫儿与朱七七一眼，接道："当日晚间，姑娘在窗外人影一闪，咱们可全都瞧见了，但只有这猫儿一人追了出去，我本也想溜出去瞧瞧，却被沈兄拖住不放。"

他大笑几声，又道："于是在那天晚上，我便已想将沈兄灌醉了，在下的酒量，在这洛阳城中，实还未遇过敌手。"

朱七七撇了撇嘴，道："你吹牛也未遇着敌手。"

王怜花直作不闻，接道："哪知我在灌沈兄，沈兄也在灌我，两人酒到杯干，也不知喝了多少杯，沈兄未醉，我倒真有些醉了。"

朱七七道："小酒鬼遇着大酒鬼，自然要吃苦了。"

王怜花笑道："我竟在桌子上迷迷糊糊地打了个盹儿，等我醒来时，沈兄竟已踪影不见，我自知万万追不着他，只有先赶到这园子里。"

朱七七道："沈浪，你老实说，你那时到哪里去了？"

王怜花道："沈兄竟赶到那香烛铺里，神不知，鬼不觉，将铺里的伙计，全都点了睡穴，在后院中寻着了那地道的入口。"

朱七七突然惊呼一声，道："不好，那地道入口处，有个力大无比的巨人在守着，沈浪，你……你……你怎么能吃得消他？"

她嘴里骂着沈浪，心里对沈浪还是关心的。

沈浪笑道："那巨人果然是天生神力，我一入地道，便遇见了他，幸好地道中甚是狭窄，那巨人身形又太过笨重，在狭处自然转动不便，更幸亏他天生聋哑，不能出声惊呼，否则，那一关我便过不去了。"

朱七七道："你……你杀了他？"

沈浪摇头道："我怎会下此杀手，只不过点了他穴道而已……唉，说来也真是惊人，我不停地点了他十二处大穴，他身子方才倒下。"

朱七七这才松了口气，口中却道："哼！你被他抓死最好，免得留在世上骗人。"

王怜花道："那地道中除了巨人一关外，到处都埋伏着暗卡，遍地都是机关陷阱，寻常之人，实难越雷池一步。"

他叹了口气，接道："但沈兄却走过了埋伏，在地道中三十六条大汉，竟被沈兄无声无息地点倒了二十一人，还有十五人，根本连沈兄的影子都未瞧见，至于那些机关陷阱，在沈兄眼中更有如儿戏一般。"

朱七七道："这些邪门歪道的鬼花样，他本来就知道得不少。"此刻谁都听得出她这句骂沈浪的话里，其实正暗含着无限爱慕与欢喜。

熊猫儿耸了耸鼻子，道："这些鬼花样我也知道得不少。"

朱七七瞪他一眼，道："你知道个屁。"

熊猫儿大笑道："要佳人骂我一句，当真是颇不容易。"

朱七七道："你放心，少时我不把你骂得狗血淋头才怪，但此刻……喂，沈浪，你先说你走出地道后又怎样？"

沈浪道："那地道之中，确是危机四伏，步步杀机，我侥幸走了出来，但一出地道，行踪便已被王老夫人发现了。"

朱七七情不自禁，又惊呼了一声，道："她对你怎样？"

沈浪道："她老人家似是算准了我要来的，竟坐在地道出口外等着我，我大惊之下，只道难免要有一场剧战。"

朱七七道："打起来了没有，谁打胜了？"

沈浪笑道："哪知她老人家非但全无与我动手之意，反而含笑招呼我坐下，她老人家机智之高，风仪之美，端的是我平生仅见。"

朱七七"哼"了一声，瞧了瞧王怜花，总算没有说出骂人的话来——虽然她那双眼睛里早已说出来了。

王怜花道："那夜我一赶来这里，向家母说出了整个事情的经过，又向家母说出沈兄……那时家母便对沈兄极为留意，再三问我沈兄的模样与来历，然后便突然走下楼来，坐在那里，我本觉奇怪，哪知沈兄却真的从那里来了……唉，家母推测事理之准，当真非他人能及。"

朱七七又"哼"了一声，转向沈浪，道："她对你说了些什么？"

沈浪道："她老人家向我说明了此事的经过，我才知道她老人家如此做法也是为了对付快活王的，快活王此刻足迹虽然还未踏入关内，但实已将成为武林中的心腹之祸，若是被他得手，江湖中的劫难、灾祸……便将接连不绝，我武林同道，也必将永无宁日。"

他苦叹一声，接道："我听她老人家说出一切后，自然除了请她老人家恕我冒昧闯入之罪外，还要请她老人家继续主持此事，我虽无用，也少不得要为此事稍尽绵薄之力……"

王怜花接口笑道："于是从此以后，沈兄自然便与在下等站在同一阵线之上，昔日的误会，从此谁也不能再提起了。"

沈浪忽又笑道："但在她老人家话还未说完之前，却还有段趣事。"

朱七七瞪眼道："什么趣事？"

沈浪笑道："那便是你两人……"

朱七七截口道："我两人又怎样？"

王怜花笑道："姑娘与这猫儿还是在外面时，行迹便已被我等发现了，家母本待故作不知，由得你两人四下随便走走，但是沈兄却要将你两人惊退，那种种便全部都是沈兄所做出的手段，在那窗下，亦是……"

朱七七想到那夜在窗子下偷听的情况，想到她偷听到的声音，脸不觉飞也似的红了，大呼道："不要说了……不要说了……"

她又冲到沈浪面前嘶声道："我问你，我有哪点对不住你，你……你为何要这样对我，你为什么不让我也进来，反要将我惊退？"

沈浪叹道："只因那时事态还未分明，我一来生怕你闯入后胡乱发作，怒恼了王老夫人，也坏了大事，二来……"

他瞧了王怜花一眼，含笑住口。

王怜花却代他接了下去，笑道："二来亦因那时事态还未分明，双方敌友也尚未分明，沈兄生怕你闯入涉险，但那时他势必又不能当着我母子的面说出这话来，是以便唯有弄些手段，先将你惊退了……沈兄，是么？”

沈浪笑道：“不瞒王兄，正是如此。”

王怜花道：“由此可见，沈兄全属好意……”

朱七七跺足道：“什么好意，骗鬼……他只不过存心要捉弄捉弄我，让我出丑，他才得意，还有你。”

她身子突然转向熊猫儿，恨声道：“你这死猫，臭猫，瘟猫，癞皮猫，偷嘴猫，混账猫……我问你，这些事你是否早已知道了？”

熊猫儿强笑道：“我……我……”

王怜花接口笑道：“今日午后，我与沈兄已将此事始末告诉了这猫儿……”

朱七七指着熊猫儿道：“是么？他们可是早已告诉了你？”

熊猫儿愁眉苦脸道：“好像是的。”

朱七七厉声道：“那么，今日晚间，你们彼此灌酒，原是装给我看的。”

熊猫儿道：“那酒不错……咳……咳……”

朱七七怒道：“你装什么咳嗽，我问你，你酒醉胡闹，是否也是假的？”

熊猫儿道：“我的头有些晕晕的，但……但还未那么醉。”

朱七七大声道：“那么，你为什么要骗我？害我出丑，害我着急，我问你，到底为什么？……为什么！”她一步步向熊猫儿逼过去。

熊猫儿一步步往后退。

朱七七说到这里，熊猫儿已退到墙角，退无可退，突然一个翻身，直到沈浪身后，苦笑着道：“沈兄还不向朱姑娘解释解释？”

朱七七眼圈又早已红了，跺足道：“解释什么？有什么好解释的？”

沈浪道：“但此事委实怪不得熊兄。”

朱七七道：“不怪他怪谁？”

沈浪微一沉吟，道：“你可曾注意，今日有个人你始终未曾瞧见。”

朱七七道：“未瞧见又怎样，我根本……呀，不错，金无望不见了，他到哪里去了？难道他……他已被你们……”

沈浪截口道：“我们怎会对他如何。今日清晨，他便已不知去向，他是何时走的，走去哪里，我们根本全不知道。”

朱七七怔了半晌，喃喃道：“他想必也已发现了什么，所以乘夜走了……”眼睛一瞪，突然大声呼喊起来，跺足呼道：“但他走了与你们骗我何关？”

沈浪道：“我只怕他突然回来，或者在暗中窥视，是以未便将秘密说出……唉！这人虽然是条好汉，但终究也是快活王的手下。”

朱七七道：“你不肯将秘密告诉我，为何又告诉了那死猫？”

沈浪笑道：“只是熊兄绝不敢泄露其中秘密，而你……”

朱七七怒道：“我怎样？难道我是长舌妇，多嘴婆？”

沈浪道：“你虽不多嘴长舌，但心里委实太存不住事，金无望若在暗中窥探，你纵未将秘密说出，神情间还是难免要露出来。”

朱七七道：“不错，我天生直肠直肚，我本就是直心眼儿，不像你们这样沉得住气，不像你们这么诡计多端，但……”

她语声渐渐嘶哑，眼圈更红，反手揉了揉眼睛，接道：“但你们纵不将秘密告诉我，也不该如此捉弄我。”

沈浪道：“这个……”转目望了望熊猫儿。

熊猫儿笑道：“那……那只不过是我酒后高兴，跟你开开玩笑而已，其实绝对没有丝毫恶意，你又何苦如此生气？”

朱七七嘶声道：“酒后高兴？何苦生气？你……你……可知道方才我为你多么着急？你可知道我闯进来是拼了性命来救你的？”

熊猫儿怔了一怔，不由自主，垂下头去，他面色也不觉有些变了，他心中又是惭愧，又是感激，也不知究竟是何滋味。

朱七七道：“我知道你们都是聪明人，你们串通好了来骗我这个呆子，但你们可曾想到我这呆子所作所为，为的是什么，难道是为了我自己？”

沈浪、王怜花面面相觑，说不出话。

朱七七冷笑道：“你们这些聪明人，以为这样做法，根本没有什么关系，最多不过只是让我闹闹笑话而已，反正我也不会受到伤害，事过境迁，大家哈哈一笑也就罢了，由此可以更显出你们是多么聪明。”

她咬牙强忍着目中的泪珠，嘶声接道："但你们这些聪明人难道从未想到，如此做法，是多么伤我的心？你……你们凭什么要伤我的心？"

沈浪干咳一声，道："其实这也……"

朱七七大喝道："住口，我不要听你说话，我……从此再也不要听你们说话，我……我……从此再也不愿瞧见你们。"

她脚步渐渐后退，嘶声接道："现在，我就要走出去，永不回来，你们若是有一个人追出来拦我，我便立刻死在他面前。"

话犹未了，转身狂奔而出，再也不回头瞧一眼。

熊猫儿大惊之下，喝道："朱姑娘，留步。"

他纵身要追出去，沈浪却将他一把拉住。

熊猫儿着急道："你……你真的让她走么？"

沈浪叹道："不让她走又有什么法子？她那烈火般的脾气，谁拦得住？而且，她素来说得出便做得到，你此刻追出去，她便真的会死在你的面前。"

熊猫儿道："但……但她如此脾气，一个人又不知要闯出什么祸来？"

沈浪微微一笑，道："这个熊兄只管放心，她走不远的。"

熊猫儿道："走不远？为什么？"

沈浪道："只因她心中还有些疑问，不问个清楚，她连睡觉都睡不着的，她方才激动之下，虽忘记问了，但只要一想起，便少不得要回来问个清楚。"

王怜花接口笑道："以沈兄对朱姑娘相知之深，沈兄说的话想必不会错的。"

熊猫儿只得点了点头，轻叹道："不会错的……但愿不会错的……"

凝目望着门外，但愿朱七七早些回来。

门外夜色更深，雪，又落了下来。

雪花满天。

朱七七放足狂奔，也不知奔了多久，只见前面高墙阻路，原来她不知不觉，竟一口气奔到城脚。

城门未开。

朱七七脚步一顿，身子再也支持不住，斜斜跌倒，她索性不再站起，伏在城脚下放声大哭起来。

她也不知哭了多久。

悲恸的哭声，在静夜中自是分外刺耳，也传得分外遥远，若非守城的巡卒已自醉卧，此刻早该过来察看。

但纵然有人过来察看，朱七七也不管了。

她此刻早已将任何事都暂且抛开，只想将心中的悲哀与委屈，借着这一场大哭，尽情发泄出来。

在家里，她是千金小姐，她是下人们眼里的公主，兄妹们眼里的宠儿，父母眼中的掌珠。

她受尽了人们的尊重与宠爱，她只觉人间充满温暖。

然而，到了外面，她才发觉，这世界竟是如此冷酷，她只觉世上再没有人对她关心，对她爱护。

这本是个弱肉强食的世界，热心的人、直率的人、坦诚的人、任性的人……在这世界上，本就注定了要受到委屈和灾难。

她突然对世界，对人类痛恨起来。

家，本是她当作牢笼一样的地方，是以她不顾一切也要逃出来，她想要闯一闯她自己的天下。

然而，在受过这许多打击、折磨、委屈之后，她也不觉灰心、失望——她迫切地想回家去。

寒风，冷雪，使得她的心渐渐冷静了下来。

她突然想起了一些她方才未曾想起的事。

那王老夫人与沈浪一席长谈后，又到哪里去了？今日为何始终未曾出来与她相见？这为的是什么？

铁化鹤虽在那小楼中，但展松英、方千里等人呢？

他们是否也被放了出来？

他们若被放了出来，为何也不曾瞧见？

还有，那王老夫人既曾去过古墓，火孩儿的失踪，便不知是否也与她有关？若是真的与她有关，她将火孩儿带到哪里去了？

这些都是她急欲知道的问题，尤其是最后一个问题，火孩儿的安危下落，她时时刻刻都在心里。

她方才虽觉自己对一切都已灰心、失望，但此刻她又发觉有些事的确是她抛不开放不下的。

她忍不住霍然长身而起，又待奔回……

但是她身子方自站起，却又驻足。

她眼前仿佛已出现了沈浪那微带讥嘲与讪笑的目光。

她耳畔似也已听得沈浪的语声，正带笑向她说道："我知道你会回来的……"